世纪中国论坛典藏文库

中国增长模式抉择

吴敬琏 著

上海远东出版社

出版说明

出版作为人类思想和智慧的凝结，集聚了发明创造和社会实践的经验与成果，推动了人类文明进步。飞速发展的数字和互联网技术并未削弱出版业的这一功能，反而前所未有地促进了其创新发展。

长期以来，上海世纪出版集团始终以弘扬主旋律、引领学术思潮、关注时代命题为己任，并围绕中国发展的重大事件、重大战略决策和重大理论问题举办“世纪中国论坛”。结合 2016 年“世纪中国论坛”，上海世纪出版集团融合移动端、语音端等新技术，以纸电一体同步发布的方式隆重推出《世纪中国论坛典藏文库》，实现了出版方式与互联网、新技术、新模式的融合发展，表达了出版人在奉献好书的同时，努力践行社会责任、文化理想的使命追求。

《世纪中国论坛典藏文库》聚焦中国经济的长期增长主题，荟萃了诺贝尔经济学奖得主、熊彼特奖得主和中国经济学杰出贡献奖得主等中外著名经济学家的扛鼎之作，著译并重，经典闪耀。

著名经济史学家安格斯·麦迪森早在 1998 年出版的《中国经济的长期表现》英文版中就预言，中国可能在 2015 年成长为世界最大的经济体，从而恢复它在1890年之前所享有的世界经济地位。2014年，在《中国的奇迹：发展战略与经济改革》出版20周年之际，经济学家林毅夫在为图书新版撰写的长篇序言中特别指出："出乎主流经济学界预料之外的是，中国经济在此书出版后20年却基本沿着我们在书中所预测的增长轨迹前进。"

然而，中国经济自2012年增速明显减慢，国内生产总值（GDP）增长率一直处于下行趋势。经济学家们所预言的奇迹或增长赖以产生的基础是否改变？对于未来，我们是否还有足够的信心？

首届中国经济学杰出贡献奖得主吴敬琏在专著《中国增长模式抉择》第一版（2005年）中，就指出了转型、结构调整不能取得成效的很多具体原因，归结到一点，就是存在体制性障碍，核心内容就是政府仍然在资源配置中起决定性的作用，抑制或排除了市场的作用。他在第四版的序言中写道："中国在21世纪面对着两个必须解决的问题，一个是体制改革，一个是发展转型。"

无独有偶，中国经济改革研究的先驱巴里·诺顿在《中国经济：转型与增长》一书中，全面描述和评价了1949年以来的中国经济，并把中国的制度转型放在经济增长的大框架里论述，既突出了转型对中国经济增长的必要性，也突出了转型对中国经济增长的促进作用。

显然，制度转型不可能一蹴而就。诺奖得主道格拉斯·诺思和斯坦福大学教授青木昌彦在各自的经典作品《制度、制度变迁与经济绩效》与《比较制度分析》中，分别从东西方的不同视角阐释了制度的内涵，揭示了制度在经济发展和绩效中的作用。

公共选择理论的奠基者曼瑟·奥尔森的遗著《权力与繁荣》则提出了“强化市场型政府”这一分析经济增长的前沿性概念，为金融危机后的亚洲以及其他发展中国家的治理演变和经济政策提供了有用的分析框架。

对于那场起始于亚洲的金融危机，沈联涛用《十年轮回：从亚洲到全球的金融危机》一书进行了详细的解剖，并警示我们2017年可能发生的另一场全球金融危机。对于可能引发危机的高杠杆问题，瑞典的邓达德等在《新国富论：撬动隐秘的国家公共财富》一书中给出了全新的解决方案，并因此被《经济学人》和《金融时报》推荐为2015年度图书。

根据“十三五”规划的蓝图，中国经济将保持中高速增长，到2020年国内生产总值和城乡居民人均收入比2010年翻一番。2015年11月，习近平总书记提出要着力加强供给侧结构性改革，这是实现收入翻番的必由之路，其目标就是通过消除生产要素供给能力和配置效率以及全要素生产率提高的体制性障碍，消除经济运行中不平衡、不协调、不可持续的因素，一方面挖掘传统增长动能的潜力，另一方面开启新的可持续增长动能，最终实现经济增长方式的转变。正如习近平总书记指出的：“中国共产党人和中国人民完全有信心为人类对更好社会制度的探索提供中国方案。”我们将以出版更多的精品力作传播道路自信、理论自信、制度自信和文化自信，为实现中华民族伟大复兴的中国梦作出贡献。

《世纪中国论坛典藏文库》编委会

2016年7月

再版前言

《中国增长模式抉择》这本书，是制定"十一五"（2006～2010）规划前的一场大辩论的产物。它详细地讨论了诸如为什么要进行经济增长模式的转型，如何通过改革建立实现这一转型所需的制度环境等相关问题。这本书从初版到现在，已经过去了8年时间。但是，在那次大辩论看似已经取得共识的经济增长方式从粗放型增长到集约型增长转型的问题，至今仍然困扰着中国。

在中国的理论和政策讨论中常常发生一种"引喻失义、数典忘祖"的现象。一种观点或政策经过辩论好不容易被学界和政府官员普遍接受，写进了党的文件，成为政府的工作指南，可是不要多久，在人们头脑中保留的，往往只是一句空洞的口号，至于它的内容，则在实际执行中发生飘移畸变，甚至完全走样。

经济增长模式转型问题，就是一个相当典型的例子。

实现经济发展方式由"粗放发展"到"集约发展"的转型，是"九五"（1996～2000）计划明确提出的要求。然而经过了三个多五年计划（规划），这个要求并没有得到实现。由此导致粗放发展引起的种种恶果，例如资源枯竭、环境破坏、投资过度、消费不足、货币超发等等问题愈演愈烈。"经济增长方式转型"或"经济发展方式转型"究竟要从哪里转向哪里，也往往成了问题。这就不可避免地造成政策摇摆，方向不明。

凡此种种，都表明重温世纪初那次大讨论很有必要。重印这本书也有一定的价值。

1. 本书的写作背景

这本书的第一版是由上海远东出版社在2005年11月出版的（版权标注为2006年1月）。在此之前，为总结"十五"（2001～2005）期间的经济社会发展经验、研究如何制订"十一五"（2006～2010）规划，针对应当按照什么样的工业化路线和增长模式规划中国的国民经济问题进行了一场大讨论。

"转变经济增长方式"，是苏联经济学家和党政领导在上世纪60年代后期提出的一条重要的经济工作方针。

苏联在建国初期采取了发达国家在19世纪通行的经济增长模式，靠大规模投资于重化工业推动国家工业化。当时的苏联领导人斯大林要求迅速发展重化工业，有一个重要的原因，是他认为，为了同西方国家相抗衡，苏联应当尽快建立自己的军事工业基础。这本来是在当时情况下采取的一种政策安排，但是斯大林为了在党内斗争中给主张平衡发展的党内竞争对手布哈林戴上“反党、反马克思主义”的帽子，就把“优先发展重工业”提到“社会主义工业化路线”的高度，并且杜撰出“积累(即投资)是扩大再生产(即增长)的唯一源泉”的“马克思主义再生产理论的基本原理”。

从此，采取西方国家早期增长模式和优先发展重工业，就成为遵循苏联模式的社会主义国家的唯一可能的选择。

可是到了20世纪60年代，苏联人却发现，采取这样的增长模式，由于抑制了要素使用效率提高这一增长的另一源泉，苏联在赶超西方国家的征途上遇到了不可逾越的障碍。于是，他们提出了转变经济增长方式的必要性。苏联经济学家采用与现代经济学生产函数分析相类似的方法，把主要依靠增加生产要素投入实现的增长叫做“粗放型增长”，而把主要依靠要素使用效率的提高实现的增长称为“集约型增长”。苏联党政领导接受了经济学家的分析，在往后的每一个五年计划中都提出了从前者向后者转型的要求。虽然由于未打破苏式社会主义体制和意识形态的障碍，转型并未取得成功，但是他们无疑提出了一个社会主义经济建设的重要问题。

在当时，苏联的讨论并没有在中国产生太大的影响。只是在改革开放以后，我们才逐步认识到选择正确的经济增长模式无比重要的意义，并且在1995年正式把实现“经济增长方式从粗放型到集约型的转变”规定为“九五”(1996～2000)计划的一项基本要求。

“九五”期间的经济增长方式转型，由于是与1993年中共十四届三中全会后的改革大推进同步进行的，取得了一定的成绩。但是“十五”(2001～2005)在“九五”取得的成绩面前，却对经济增长模式转型有所放松。“十五”计划提出的新口号，是“坚持把发展作为主题”，“把结构调整作为主线”，要求“把调整产业结构与调整所有制结构、地区结构、城乡结构结合起来。坚持在发展中推进经济结构调整，在经济结构调整中保持快速发展”。

在“九五”取得的成就的基础上，我国的城市化开始在21世纪初期迎来了一次新高潮。在现行的土地产权制度下，城市化使政府手中掌握了价值以数十万亿元计的资源。于是，开始了大规模投资建设“形象工程”和“政绩工程”的运动。在理论和政策层面上，则表现为所谓“中国已经进入工业化后期的重化工业化阶段”

学说的兴起。许多地方卷入了“造城运动”和“重化工业化”的热潮，在政府的主导下制定和执行了大规模的重化工业投资和新城建设计划。

在我看来，这个潮流并不是什么新的东西，而只不过是早已过时的旧经济增长模式在新形势下的延续。例如，这种理论和政策的一个重要依据，是德国经济学家霍夫曼在1933年作出的一个论断，即工业化中后期将是重化工业化阶段。这种观点，其实只是根据西方经济早期增长（主要依靠投资实现的增长）阶段经验数据外推得出的结论。它早已被发达国家20世纪经济发展的历史事实所否定。发达国家在19世纪末期、20世纪初期实现了早期增长模式到现代增长模式的转变，工业化中后期的产业结构特征，不是重工业的优先发展，而是服务业的兴起。就以20世纪中期以后发展最快的信息产业来说，它的主要组成部分是软件和服务，即使占比在30%以下的电脑、手机等硬件生产，也无论如何没法归到“重工业”的名下。

基于以上认识，我最先在国家信息化专家咨询委员会组织的专题讨论会上做了一次系统的发言。这次发言引起了热烈的争论。在讨论开始的时候，主张继续沿着传统的工业化路线前进，采用政府主导的方式，用大规模投资拉动GDP高速度增长的观点是占据优势的。我仍然不厌其烦地反复申论自己的观点。我的这种活动，曾被媒体称为“一个人的传教”。为了回答同行的诘问，我的文章也不断补充，越写越长，最后就形成了《中国增长模式抉择》这本书。

这本书系统讲述了从早期增长模式到现代增长模式演进的历史和理论，介绍了马克思怎样从对西方国家早期增长模式的分析导出资本主义必然为社会主义所取代的结论，索洛（Robert Solow）关于对技术进步和效率提高对于现代经济增长的决定性作用的论述，和库兹涅茨（Simon Kuznets）根据经济发展经验数据的研究对现代增长作出的界定。在系统梳理理论和经验事实的基础上，提出了在中国实现经济增长模式历史性转变的紧迫性，以及实现这一转变的工作重点和产业结构优化的基本趋势，特别强调了相关领域的体制改革是实现经济增长模式转型的关键，而政府职能转变又是关键的关键，呼吁通过改革来加快这个历史进程。

随着讨论的深入，主张转变经济增长模式的经济学家和政府官员愈来愈多。在他们的共同努力下，“十一五”规划确定了以经济增长方式从粗放型增长向集约型增长的转变为主线，并且提出了实现这一转变的若干具体措施。2007年的中共十七大在提法上略有变化。它用“经济发展方式转变”代替了“经济增长方式转变”。现在前一个提法更为流行，实质内容是大致相同的。

由于转变经济增长模式对于中国经济发展具有极为重要的意义，《中国增长模式抉择》得到了很高的学术评价。它在2007年获得了全国信息化研究优秀成果特别贡献奖；2009 年获得张培刚发展经济学优秀成果奖。

2. 实现经济发展转型“刻不容缓”

然而，“十一五”的发展也不如人意。

正如中国学者和官员在总结“十五”经济发展经验时所指出的那样，“十五”期间经济增长方式转变之所以乏善可陈，是因为存在着政府仍然主导着经济资源的配置，市场在资源配置中的基础性作用受到抑制等“体制性障碍”。由于改革的停滞，这类体制性障碍在“十一五”期间未能得到消除，在增长模式的转型上也就仍然没有取得明显的进展，以致粗放型增长引致的困难有增无已。2008 年全球金融危机爆发以后，中国经济运行中的新老矛盾交织在一起，使经济的持续稳定发展受到威胁。在这种形势下，中共中央在“十一五”的最后一年，即 2010 年举办了省部级主要领导干部加快转变经济发展方式专题研讨班，研究如何加快经济发展方式的转变。胡锦涛总书记在研讨班的开班讲话中指出，“加快经济发展方式的转变刻不容缓”。他在这次讲话中一连讲了 50 次发展转型必须“加快”，可见问题的紧迫性。

这种情况甚至引起国际学者的关注。2010 年，我国邀请诺贝尔经济学奖获得者、世界增长与发展委员会主席斯班塞(Michael Spence)等外国知名专家对“十二五”(2011～2015)规划进行预研究。这些外国专家进行了深入的调查研究，也听取了中国有关方面的情况介绍，对我国的“十一五”规划做出了很高的评价。但是在他们即将离开中国的时候，斯班塞教授却提出了一个尖锐的问题：“你们制定了一个很好的五年规划，但是不知为什么，好像什么事也没有发生?”

中国经济在 21 世纪第一个 10 年面临的另外一个与增长模式有关的问题，是对出口导向的外贸战略进行调整。

在二战结束以后的经济高速增长时期，日本等东亚国家采取出口导向的发展方略，用本币低估和适度保护的政策来推动对发达国家的出口，有效地增加了就业，加快了工业化的速度。

由于这种政策能够用出口需求弥补国内需求的不足，对那些由于采取投资驱动的增长模式而致消费率偏低的经济体来说是一种十分必要的补充，甚至可以看作粗放增长方式的延伸。中国从 1994 年 1 月起废除了原有的外汇管制和官定汇率，实行单一的有管理的浮动汇率制，同时进行了人民币的深度贬值。这意味着中国全面实施出口导向战略。这一战略的实施使中国和许多东亚国家一样，取得了促进对外贸易和整个经济发展的巨大成功。

然而东亚国家的经验也表明，到了一定的发展阶段，继续实施出口导向战略会变成一件弊大于利的事情，必须进行调整，采取以改善资源结构为目标的平衡贸易战略来加以替换；否则就会因为外汇储备过多、货币超发而引起房地产等资产泡沫的膨胀，而最终酿成金融危机。

大致上从 2003 年起，中国经济界就开始讨论是否应该实行汇率的市场化和人民币升值，降低减少中央银行入市干预的频度和发行货币、收购外汇的规模。

在开始讨论时，主张汇率市场化的声音显得很微弱，只有中国社会科学院世界经济研究所的余永定教授等少数学者勇敢地发出了“不要怕人民币升值”的呼声。直到 2005 年，学者和党政领导之间才达成了一定程度的共识。当年 7 月启动了人民币汇率制度改革，人民币开始缓慢升值。

在这本书的第五章，可以看到对于这一问题的更深入的剖析。

为什么虽然党政领导三令五申，经济增长模式仍然步履维艰？其中一个最根本的原因，就是通过投资扩张来推动增长的做法，不必触动旧的利益格局，因而以强势政府和海量投资为基本特征的威权发展主义的发展道路就成为一些官员的行为定式。

3. 全面深化改革，推动经济增长模式转型

粗放经济增长模式的持续，使经济社会矛盾日益加剧。

从微观经济层面看，粗放经济造成的资源短缺和环境破坏变得愈来愈严重。在一些地区，甚至人类生存所必要的条件：空气、土壤和淡水也不能得到保障。

从社会层面看，由于资本对劳动的比例失调，贫富差距趋于扩大，劳动大众由于无法享有增长带来的福利成果而愤懑，使社会稳定受到威胁。

从宏观经济层面看，经济增长质量下降，集中表现为全要素生产率（TFP）增长放缓和由此导致的潜在增长率下降。

改革开放以来，中国的 TFP 由于生产结构变化和引进外国技术，有了比较快的提高。但是，随着这类适应性效率提高因素的逐渐消退，而新的、内生性的技术创新又没有得到发展，TFP 增长显著放缓。据清华大学白重恩教授的研究，中国 1979～2007 年 TFP 年均增长率达到 3.72％，而 2008～2012 年则下降到 2.21％。也就是说，最近几年，代表效率改善的全要素生产率指标出现了恶化的态势，国民经济的潜在增长率也因此出现明显的下降①。这就意味着如果不实施强刺激政

---

① 《2012 年中国投资回报率仅 2.7％》，载《第一财经日报》，2013 年 7 月 29 日。

策用货币超发或寅吃卯粮的办法强行拉升增速，增长率就会下降，从而使许多原来前些年被 GDP 高增长所掩盖的经济和社会矛盾显露出来。

然而，采取不顾后果的短期政策进行刺激，无异于饮鸩止渴，将会造成严重的长期后果。

问题正在于，近年来开始流行起一种用凯恩斯主义的短期分析方法取代以生产函数分析长期增长问题的潮流，主要注意力不是放在努力促进技术进步、提高全要素生产率，实现经济增长模式的转换上，而是放在如何增大由投资、消费、净出口等“三驾马车”组成的需求总量上。这种理论框架的误用造成的结果是频繁地使用扩张性的财政和货币政策刺激经济增长。

随着经济学所说的投资报酬递减规律作用的显现，这种刺激政策的效应变得越来越差。

2008 年全球金融危机发生以后，政府出台了 4 万亿元投资和 10 万亿元贷款的救市措施，把 GDP 增长率一度拉升到 8%以上。但一年以后，GDP 增长率就开始了连续 5 个季度的下降。2012 年 5 月，政府再次要求加大投资的力度。

一些地方也用大上城建项目的办法来拉升 GDP 增长率，以便在“光荣榜”上争名次。有的地方提出的口号叫做“大投资、大建设、大发展”。有的地方依靠政府这架“发动机”和超过本地 GDP100%的投资，把 GDP 增长率拉升到两位数。

但是从整体来说，这次刺激政策的拉升作用微不足道，而且只维持了不到一个季度，从 2013 年第一季度起增长率又再次下降。看来靠投资驱动的增长方式已经走到了尽头，经济学所谓“投资报酬递减规律”的作用明显地表现出来。

这种靠海量投资拉动 GDP 增长的做法造成的最严重的消极后果，是国家资产负债表状况的恶化。中国银行曹远征博士、博源基金会马骏博士和中国社会科学院副院长李扬教授等学者 2012 年对中国国家资产负债表分别进行的研究表明，中国的国家资产负债表存在着中长期风险①。一些学者最新的研究进一步表明，这种风险正在增大②。李扬教授指出，2009 年以来中国国家资产负债表的健康状况趋于恶化，风险趋大。在负债端，杠杆率（负债对 GDP 的比率）不断攀升，到 2012 年末，已经从 2008 年的 146%，提高到 194%，主要集中在企业，尤其是国有企业身上；而在资产端，可交易变现的资产数量太少；这意味着中国经济存在偿

① 曹远征等：《重塑国家资产负债能力》，《财经》，2012 年 6 月 11 日；马骏等：《中国国家资产负债表研究》，北京：中国社会科学文献出版社，2012 年；李扬等：《中国主权资产负债表及其风险评估》，《经济研究》2012 年第 6、7 期。

② 夏斌：《防范大面积经济危机突然爆发》，《投资者报》2013 年 7 月 22 日。

债风险①。

经验表明，资产负债表中的杠杆率过高，就容易在受到某些冲击的情况下引发具有连锁反应特点的偿债危机。一些亚洲和欧美国家的经济都曾身受其害，由于发生资产负债表危机而使国民经济遭受重创。

中国也应当从别国的失误中汲取教训，采取切实措施防患于未然，消解出现系统性风险的可能。

根据中国当前的实际情况，总的方针应当是在运用短期政策努力保持宏观经济稳定的条件下，通过全面深化改革和实现经济增长模式的转型，从根本上消除隐患，保证中长期的稳定持续发展。

从近期来说，除了通过短期政策的及时调整，防止发生系统性风险，还要采取去杠杆化措施，尽力从源头上化解风险。后一方面的措施包括：(1)制止目前仍方兴未艾的盲目“造城”等投资冲动；(2)动用国有资本存量，偿还社保、公租房等方面的或有债务；(3)对铁道等负债率过高或资不抵债的企业实施债务重组，出售部分资产偿还债务；(4)实施银行资产证券化、减持国有股或整体出售国有企业、处理“晒太阳”的开发区地产等措施盘活某些已经处于“僵死状态”的资产存量；(5)在摸清地方政府债务底数的基础上，采取措施化解风险；如此等等。

正如本书所反复申论的，中国经济的根本出路在于改善经济增长的质量，实现经济增长模式的转型。而要做到这一点，关键在于通过改革，在经济体制、政治体制，乃至科研、教育体制等方面建立起能够鼓励创业和创新的体制和机制。

2012 年 11 月的中共十八大已经宣布，要以更大的政治勇气和智慧全面深化改革。2013 年的一项重要任务，是要明确提出改革的总体方案、路线图和时间表。现在有关方面正在按照顶层设计和基层创新相结合的原则，积极准备即将推出的改革总体方案。紧张地调查研究，为制定路线图和总体规划做准备。

在我看来，在下一步改革中处于核心地位的，应当是建立“统一开放、竞争有序的市场体系”，这是一个很大的题目。要做到这一点，必须推进以下几方面的改革：(1)明晰市场体系的产权制度基础，确保不同所有制主体的财产权利得到平等保护；(2)放开各类商品价格和包括利率、汇率在内的要素价格，使市场能够在资源配置中真正发挥基础性的作用；(3)清理修订现行法律法规，使不同所有制企业能够平等地使用生产要素；(4)完善反垄断立法，严格执法，消除目前广泛存在的行政性垄断；(5)按照“市场能办的放给市场，社会能办的交给社会”的原则，划分政府职能边界；(6)在商品市场和要素市场上实行“法不禁止，自由进入”的原

① 李扬：《国家资产负债表健康状况趋坏》，财新网，2013 年 7 月 1 日。

则；(7)克服司法地方化的倾向，确保法官独立行使审判权；(8)市场监管实行“宽进严管”的方针，由事前监管为主转向以事后监管为主，实质性审批转向合规性监管。

与竞争性市场体系配套的政治改革项目中，最需要优先考虑的是加快法治建设。这又包括三方面内容：一是在全体人民中树立法治观念，二是按照宪法所体现公认正义来制定法律和修订法律，三是独立审判，公正执法。其中第三项是目前法治建设中最薄弱的环节，必须下决心补上这一课。

总之，只有进一步推进市场化的经济体制改革和民主化、法治化的政治体制改革，经济增长模式转型才有可能实现，舍此绝无他途。如果离开了这项最根本性的原则，我国的经济发展就会重复过去的老路，继续通过大量投资来拉动经济增长，最后只能是在盲目扩张和刹车调整之间打转。

中国在 21 世纪面对着两个必须解决的问题：一个是体制改革，一个是发展转型。

希望这本书的再版和更多人的阅读，能够对国人在这两大问题上形成共识和下定决心有所帮助。

吴敬琏

2013 年 8 月 20 日

目　录

专栏图表目录

专栏

表

图

1

导　论

投资驱动的早期增长模式是一种缺乏效率和必然带来严重社会后果的增长模式……中国作为一个后进国家，应当力求避免落入这一陷阱。而且，以重化工业投资作为带动我国经济发展的驱动力量，更是与我国的资源禀赋状况相冲突的，因而决不可行。

现在呈献给读者的这本书，并非在书斋中披阅前贤论著、静心进行学术探索的产物，而纯然是为了回答我国现实经济生活中提出的实际问题作理论和政策研讨得出的结果。

1.1 写作缘起

我开始意识到增长模式问题重要性的时间并不久远，它只是始自于2000年末的北京中关村发展问题讨论。

自从1995年中共中央提出“科教兴国”的口号以后，全国许多地方提出要成为中国的“硅谷”。在20多个最有希望成为“硅谷”的中国城市中，北京的中关村由于技术人才高度密集，又可以依托北大、清华这样一些实力雄厚的著名高校，自然成为其中的首选。经过几年的努力，中关村取得了不小的进步，开办了不少技工贸一体化的企业，归国创业的留学生数以千计，而且在制度建设上也不乏建树。例如，北京市人民代表大会常务委员会于2000年12月通过了具有法律效力的《中关村科技园区条例》，其中有不少重要突破。但是总的看来，中关村在营建有利于创新活动开展和人才潜能发挥的制度环境，并进而成为我国“高新技术创新中心、高新技术产业的创业基地、新型企业家的摇篮”方面的进展远远没有像原来预期的那样快。为了认清问题所在和提出改进的意见，中关村企业家俱乐部在2000年末邀请了一些产业界、金融界和政府人士举行了两天的研讨会，对有关问题进行深入的讨论。当我和段永基先生就研讨会的讨论结果去向北京市的领导人作汇报时，北京市的领导人反过来向我们提出了这样的问题：北京中关村搞了这么多年，名声也很响亮，但是产值和税收都上不去，这使市里感到很为难。这个问题应当怎样解决，希望听到你们的意见。老实说，我们原来并没有考虑过这个问题，自然也就提不出好的意见。我们知道，北京市领导当时待解的这一难题，后来是通过大力发展加工制造业，特别是发展合资的汽车制造业得到缓解的。正如媒体所报道的，2002 年中期，在经历了长时期的探索和争论之后，“发展汽车制造业的观点最终占据了上风”。10 月中韩合资的北京现代汽车有限公司宣布成立。12 月 23 日用韩国部件组装的第一批汽车开始下线。2003 年，北京现代共生产轿车 5.5 万辆，实现销售收入 87.7 亿元，利税 37.1 亿元；加上北京地区的配套企业，主要是“现代”自己的和它从韩国带来的零部件供应商，全年完成销售收入 114 亿元。就这样，北京现代用 200 天创造了北京主流传媒所说的“北京模式”和“现代奇迹”①。这似乎也证明了快速发展重型加工工业使之成为带动整个经济发展的主导产业的方针的正确性。但是短期获得的巨额产值和大量利税并不能解除我心中的疑惑：北京现代直到投产两年以后，基本上仍然是一个主要用外资零部件供应商提供的零部件进行组装的汽车 KD 厂商（组装商）②。在当前汽车工业已经高度机电一体化、轿车成本中电子产品成本占 1/3～3/4 的情况下③，如果北京要想成为具有高附加值和高盈利率的轿车生产基地，而不是简单地做装配加工，赚取微薄的加工费，不把中关村富集的人才资源开发出来，充分发挥他们的创业精神和创造才能，是决不可能做到的。

另外一次冲击发生在 2003 年在深圳市讨论它的发展战略的时候。深圳是我国重要的信息通信技术（ICT）产业基地。我国在利用国内外资源开发自主技术上迈出了坚实步伐，并且最有希望成为具有国际竞争力的通信设备供应商——华为技术和中兴通信的总部也都在深圳。但我在 2003 年参加深圳市高级顾问会时却意外地获悉，在前一段讨论深圳战略发展方向时，主流意见认为该市经济存在“结构太轻”的“重大缺陷”，需要进行“重型化”转型。当时我和几位在座的老同志一样，对这样的产业结构“战略转型”以及与之相配套的扩大辖区面积的要求，是不赞成的。深圳市可用土地面积大于香港。香港开发了 100 多

---

① 参见陈志其：《北京现代奇迹背后的故事》，载《经济观察报》，2002 年 12 月 28 日；王亦丁：《现代汽车如何驶入中国》，《环球企业家》，2003 年 3 月。

② KD（组装）有三种主要形式：CKD 为全散件组装；SKD 为半散件组装，部分总成是现成的；DKD 则是车身大总成，装上轮子就是整车。

③ 据业内人士称，上个世纪 80 年代轿车总成本中，电子产品成本占 12%，进入 90 年代，这一比率已经提高到 30%。目前在高级轿车中，电子产品成本已占总成本的 60%～70%；在普通轿车中，也占到 30%。参见《深圳汽车电子产业加速抢跑》，《深圳特区报》，2004 年 4 月 13 日。

年，到 2003 年末已开发的土地只占可用土地的 22%①。深圳的 GDP 只有香港的 1/6，近年来却出现土地紧张，成片土地已经用完的资源硬约束②。由于"缺乏生存空间"，某些人士提出了从邻区划入土地的要求③。不过当时我对上述想法虽然深表怀疑④，但只是把它看作一个地区产业结构的最优选择问题，而没有把它和我国整体增长模式选择问题联系起来。

2004 年初我对浙江的经济发展作了一次调查。浙江是我比较熟悉的一个省份。据我理解，改革开放以来，它之所以能够在全国各省中名列前茅，优势在于它拥有大量与市场有紧密联系，并且能够对市场需求作出灵敏反应因而具有极强竞争力的中小企业。2004 年 4 月重访浙江，我的印象是：浙江在经历了 20 年数量扩张以后，正面临着技术升级、产品升级和市场"业态"升级的严峻挑战。例如，浙江多年蝉联全国进出口贸易顺差冠军，许多商品在世界市场上销量第一，市场占有率达到 80%，甚至超过 90%。但是浙江的出口产品大部分属于中低档"大路货"，附加价值很低；有些质量较好的商品，往往也是为人代工(OEM)，自己只赚很少一点辛苦钱。例如浙江拥有全国销量第一的手机制造商，但这个手机制造商存在一个致命弱点，就是全然没有自己的自主技术。如果不想受制于人，就必须下决心进行自主技术开发、提升产品的技术和价值含量。与此同时，曾经在浙江产业发展中起了重要作用、以"三现"(现场、现货、现金)交易为主的专业市场，其"业态"也亟需升级，实现由所谓"人格化交换"到"非人格化交换"的完全转变。总之，浙江经济亟需进行结构调整和结构升级，以便在效率有明显提高的前提下实现持续增长。然而，当时浙江的主流想法是："在当前的重化工业化时代"，一向以"轻(型)、小(企业)、加(工业)"见

---

① 《香港 2003》：中华人民共和国香港特别行政区网站，http://www.info.gov.hk/yearbook/2003/tc_chi/append/app6_31.html。

② 深圳数据来源于《深圳市 2003 年国民经济和社会发展统计公报》，深圳政府在线：http://www.shenzhen.gov.cn/jingji/tongji/2003yxqk/200404190207.htm)；香港数据来源于《香港 2003》，中华人民共和国香港特别行政区网站：http://www.info.gov.hk/yearbook/2003/tc_chi/append/app6_1.html#table1a。

③ 参见《剩余土地仅够开发 10 年，"大深圳"版图扩张猜想》，《南方都市报》，2004 年 3 月 8 日。

④ 后来《南方日报》在一篇关于深圳土地稀缺问题的报道中提到，"当深圳市领导在今年的高级顾问会上再次提出这种(扩大行政区划的)想法时，吴敬琏、高尚全等顾问就直言不现实，指出深圳的视线应向内，充分提高土地的利用率。"(见《突破土地困局》，《南方日报》，2004 年 8 月 25 日。)

长而"缺乏厚度"的浙江经济，必须努力向"重型化"转型，以便赶上"全国性的重化工业化大潮"。于是各级领导闻风而动，加大了对本地选定的"骨干企业"的支持力度，用给予低价土地，帮助取得银行贷款等办法支持它们向钢铁、石油化工、汽车制造等重化工业进军。一些从事服装、家用电器、手机终端的企业，也积极筹措资金转向"重型产业"。按照主流媒体的说法，"一个浙江版本的'重化'故事已拉开大幕"①。这时，我对相关问题已经作了一些研究，形成了初步的看法，因此在我的调查报告中对我所看到的现象和向现代增长模式转型、市场的升级等问题直率地提出了自己的意见②。

这种用巨额资本和资源投入力求本地经济进入"重化工业化时代"的潮流，不但存在于个别省份，如同一篇传媒报道所说，当时"各省市纷纷有了从轻工业向重工业转型的愿望与趋势"③。这些"愿望与趋势"在 21 世纪之初汇成了席卷全国的大潮流。

就像过去的历次经济过热一样，这次过度投资热潮很快就造成了煤、电、油、运的高度紧张状态。在那以后，又经历了长达一年之久的"宏观调控"。

我国实际经济生活中的这种投资驱动和重化工业带动经济增长的大趋势，也在理论界反映出来。2003 年末 2004 年初，主流媒体上刊发了不少文章，论证重工业投资热潮的合规律性。这些文章认为："世界各国经济基本上是沿着农业→轻工业→重工业→高新技术产业→服务业的轨迹向前发展"；"发展缓慢、竞争力弱的国家和地区的典型标志之一，是重型工业的产品在国民经济中的地位不突出"；"对于一个国家来说，只有经过重工业化的阶段，才能真正成为工业强国并进入经济发展的第一阵营"；"现在，政府、学界和企业界显然已经取得了这样的共识：重化工业化是中国经济不可逾越的阶段"；"我国经济步入新一轮快速增长期已成定论，其主要特征便是我国正式进入'重工业化阶段'"；"目前我国经济整体上已经进入了重工业化发展阶段，……这给今年的投资增长开辟了巨大空间"；"如果抓住了重化工

---

① 参见《寻找重化工业时代的浙江特色》，《浙江时报》，2004 年 3 月 19 日。

② 见本书附录 1 吴敬琏：《全面提升整体竞争力是浙江经济发展的必经之路——浙江经济发展考察报告》，《国务院发展研究中心调查研究报告》2004 年第 93 号(总第 2152 号)，2004 年 7 月 21 日。

③ 见《重化工之争》，《中华工商时报》，2005 年 2 月 4 日。

业化这一机遇，中国经济就完全可以保持20年的高增长”。①

国务院发展研究中心“新型工业化道路研究”课题组的研究报告更具有理论色彩。这篇报告根据德国经济学家霍夫曼(Walter G. Hoffmann)和我国经济学家张培刚分别于1931年和1949年发表的研究成果，论证了中国“当前经济既不是总体过热，又不是局部过热，也不是没有新特点的正常发展，而是中国工业化已进入以重工业重新大发展为主要特点的历史新阶段。”②

这种非同寻常的事关我国增长模式和工业化道路选择的重要理论和政策动向，自然引起了我的极大关注。

在2004年春节我和我的学生们聚会时，国务院发展研究中心“新型工业化道路研究”课题组那份报告的执笔者也在座。他向同学们阐发了自己的观点。同时，也有别的同学认为，他的论证是不周密的：第一，“每个国家的经济发展都要经历一个重工业化阶段”，并不是现代发展经济学的公认定理；第二，用短期间的数据，即我国第二产业在国民经济中的比重从2000年的51.8%上升为2003年上半年的57.5%的短期飙升，并不能证明这是一种长期的正常趋势；第三，用工业内部结构的变化，即2001年、2002年和2003年1～7月重工业的增长速度分别比轻工业快5.71、1.68、6.25个百分点，也不能证明重工业已经成为整个国民经济的主导产业。

“教学相长”，历来如此。同学们的热烈讨论给我很大的启发，使我认识到，要回答中国应当采取什么样的增长模式，应当走一条什么样的工业化道路的问题，需要对理论和实践、历史和现实做更深入的研究。于是，我查阅了大量发展经济学文献，对发展经济学理论发展进行了梳理；同时收集了有关的经验数据对照我国经济发展情况进行了分析。这种研究得出的结论是：先行工业化国家的经济发展历史上经历过不同的发展阶段，各个阶段采取了不同的增长模式；投资驱动的早期增长模式是一种缺乏效率和必然带来严重社会后果的增长模

① 参见《我省产业发展绕不过重化工业阶段》，《南方日报》，2003年9月11日；《重工业化：中国经济高速增长的主动力》，新华社北京2003年11月29日电；《成为新一轮国际产业转移首选地，中国经济重化工业化》，《香港商报》2004年2月26日；《二次工业化——中国民营企业的工业化进程》，《商务周刊》，2004年3月2日；《我国四大重点行业投资分析》，《经济日报》，2004年6月16日。

② 国务院发展研究中心“新型工业化道路研究”课题组：《我国工业化进入新阶段》，《经济日报》，2003年12月1日。

式;所谓"霍夫曼经验定理"就是一种反映这种早期增长模式的过时理论;中国作为一个后进国家,应当力求避免落入这一陷阱。而且,以重化工业投资作为带动我国经济发展的驱动力量,更是与我国的资源禀赋状况相冲突的,因而决不可行。我就这一初步结论在2004年7月的全国政协常委会上作了题为《注重经济增长方式转变,谨防结构调整中片面追求重型化的倾向》的发言,并在2004年10月的国家信息化专家咨询委员会的"十一五"规划座谈会上作了题为《关于增长模式的选择》的发言。在那以后的讨论中,我从赞成我的观点和反对我的观点的同行那里汲取营养,形成了题为《中国应当走一条什么样的工业化道路》的长文①。本书就是在这篇文章的基础上进一步修改、增补和扩展而成的。

1.2 若干基本概念的界定

为了避免概念上的歧义影响对有关问题的讨论,我们首先对本书采用的若干概念的含义作出界定。

1.2.1 经济增长与社会发展

虽然在中国,经济发展和经济增长经常作为同义词而混用,但是早在20世纪70年代,经济增长与社会发展两者之间的联系与区别已经是国际论坛上的一个热门话题。

萨缪尔森(Paul A. Samuelson)在他的《经济学》1976年第10版一开头就为我们讲述了这样的故事:

"近来出现了许多政治经济学的批评者。他们非常反对以实利主义的态度来把注意力集中于经济物品的数量。用一位年轻的激进派引人注意的话来说:'不要向我提国民总产值(GNP)这一概念。对我而言,GNP的意思是国民总污染。'"②为了矫正这种偏差,人们提出用经济净福利(net economic wealth, 简称NEW)来取代GNP。

斯蒂格利茨(Joseph E. Stiglitz)对"发展"有更加宽泛的理解。他说:"发展代表着社会的变革,它是使各种传统关系、传统思维方式、教育卫生问题的处理以及生产方式等变得更'现代'的一种变革。然而

---

① 载吴敬琏、江平主编:《洪范评论》,第2卷第2辑,北京:中国政法大学出版社,2005年。

② P·萨缪尔森(1976):《经济学》(第10版),高鸿业译,北京:商务印书馆,1982年,第5页。其中,GNP也译作国民生产总值。

变化本身不是目的，而是实现其他目标的手段。发展带来的变化能够使个人和社会更好地掌握自己的命运。发展能使个人拓宽视野、减少闭塞，从而使人生更丰富，发展能减少疾病、贫困带来的痛苦，从而不仅延长寿命，而且使生命更加充满活力。根据这一发展定义，发展战略应以促进社会变革为目标，找出不利于变革的障碍以及潜在的促进变革的催化剂。"①国民生产总值(GNP)和国内生产总值(GDP)的增长是度量发展的一个基础性指标，但是正如森(Amartya Sen)所指出的，将发展简单地等同于GNP增长、个人收入提高、工业化等等，是一种狭隘的发展观。这些指标在发展过程中十分重要，但归根到底，它们只属于工具性的范畴，是为人的发展和福利服务的。人才是发展的中心，发展的最根本的目的是为人谋福利。"发展可以看作是扩展人们享有真实自由的一个过程"。②

在森的理论的影响下，联合国开发计划署(UNDP)制定了评价社会发展的指标体系：人类发展指数(HDI)③，并且每年编制《人类发展报告》。

1.2.2 经济增长方式和经济增长模式

为了说明苏联工农业生产总值增长率虽然很高、技术水平和人民生活水平的提升却远远落后于西方国家的原因，苏联经济学家在20世纪60年代后期提出了增长方式的概念。在这里，"方式"一词的俄文是Тип。它也可译作"类型"。

苏联在从1928年开始执行第一个五年计划以后的几十年中，一直保持较之西方国家高得多的增长速度。但是，和西方国家相比较，苏联的生产技术水平和人民生活水平的落后程度却一直未见降低。为了说明这种情况为什么会发生，苏联经济学家根据马克思(Karl Marx)在《资本论》第2卷中关于扩大再生产的两种形式的论述④，提出

---

① J·斯蒂格利茨(2000)：《新的发展观：战略、政策和进程》，载胡鞍钢、王绍光编：《政府与市场》，北京：中国计划出版社，2000年，第148～169页。

② A·森(1999)：《以自由看待发展》，北京：中国人民大学出版社，2002年。

③ 人类发展指数(HDI)由三个指标构成：预期寿命指数、教育成就指数、生活水平指数，用以衡量各国在人类发展基本方面的成就水平。

④ 马克思那一段论述的原文是：在规模扩大的再生产中，"如果生产场所扩大了，就是在外延上扩大；如果生产资料的效率提高了，就是在内涵上扩大。"(马克思：《资本论》第2卷，人民出版社1972年，第192页。)引号中的话在《资本论》莫斯科外文出版局1954年英文版中的译文是："extensive if the field of production is extended; intensive if the means of production is made more effective."

了增长方式的概念。他们把增长方式分为两种：一种是靠增加自然资源、资本和劳动等资源投入实现的增长，叫做外延增长（extensive growth，或译粗放增长）；一种是靠提高效率实现的增长，叫做内涵增长（intensive growth，或译集约增长）。他们指出，苏联经济问题的根源在于采取了前一种增长方式，因而增长虽快，却实惠不多。为了克服这种缺陷，苏联领导人在制定第九个五年计划（1971～1975）时，确定经济工作的重点是实现增长方式从外延为主到内涵为主的转变。虽然在苏联以后的每一个五年计划中都写进了"由外延增长方式到内涵增长方式的转变"的要求，但这种转变直到 1991 年苏联解体也未能实现。

现代发展经济学也经常使用增长模式（growth pattern 或 growth model）的概念来说明经济增长的来源问题。例如，日本发展经济学家速水佑次郎（Yujiro Hayami）把先行工业化国家在早期经济增长中采用的投资驱动的增长模式称为"马克思所分析的增长模式"，而把它们在第二次产业革命以后普遍采用的效率驱动的增长模式称为"库兹涅茨（Simon Kuznets）所分析的增长模式"[①]。

现代经济学所使用的增长模式概念与苏联经济学家所使用的增长方式概念大体上是等值的。匈牙利经济学家科尔奈（Janos Kornai）在他的名著《社会主义制度》中以一小节的篇幅用现代经济学的语言解释什么是苏联文献中所说的"经济增长方式"。他依据现代经济学中的生产函数模型指出：可以把生产要素与产出之间的关系分为两类：一类是要素投入增加对增产的效应；另一类是要素生产率提高对增产的效应。"这种区分以及与之相伴随的用语，在西方作者中广为流行，但社会主义各国的作者却愿意采用另一种术语，即'外延方式'和'内涵方式'来加以表述。这两对用语在语义上是相同的：要素增加等于外延方式，要素生产率提高则等于内涵方式。"[②]

1.2.3 Ⅰ、Ⅱ部类的划分和轻重工业的划分

马克思在《资本论》第 2 卷讨论再生产问题时，把社会生产划分为两个部类，其中，第Ⅰ部类从事生产资料的生产，第Ⅱ部类从事消费品

---

① 速水佑次郎（1998）：《发展经济学——从贫困到富裕》，李周译，北京：社会科学文献出版社，2003 年。

② J·科尔奈（1992）：《社会主义制度：共产主义的政治经济学》，北京：中央编译出版社，2007 年，第 171～178 页。

的生产。霍夫曼在讨论工业化过程中工业生产结构变化时,作了与马克思相类似的划分,他把前者叫做资本品(capital-goods)生产,而把后者叫做消费品(consumption-goods)生产。

马克思把物质生产部门划分为两个部类,目的在于说明在简单再生产条件下和扩大再生产条件下部门之间的关联关系[①]。列宁(Vladimir IIyich Lenin)在加进有机构成不断提高的假设前提以后,由马克思的再生产理论导出了"第一部类(生产资料的生产)优先增长"的原理。斯大林(Joseph V. Stalin)为了证明当时出于实际需要确定的优先发展以军事工业为核心的重工业的方针体现了生产发展的一般规律,把列宁的原理进一步引申为"优先发展重工业的社会主义工业化路线"(详见本书第2章2.1.3)。虽然有些理论家坚持斯大林的优先发展重工业和列宁的生产资料优先增长完全是根据马克思"再生产理论的基本原理"和"各国经济发展的一般规律"[②],许多经济学家运用严密的数学推理,确凿地证明,只有在加进了有机构成不断提高,即不变资本对可变资本或资本对劳动的比率不断提高这一条件以后,它才能够成立[③]。

至于轻工业和重工业的分类,这是一种在工、农两部门框架下流行过的产业分类方法[④]。这种产业划分决不可以和Ⅰ、Ⅱ部类的部门划分相混淆。Ⅰ、Ⅱ部类按照产品的用途去划分部门,而轻、重工业则是按照产品和生产过程的"轻""重"去划分部门。人们往往以为Ⅰ、Ⅱ部类和重、轻工业是一一对应的,其实这种观念并不正确。有些产业,例如生产汽车等耐用消费品的产业,按照第一种分类办法显然属于第Ⅱ部类,而按照第二种分类办法,则属于重工业。也有的产业,例如纺纱产业,按照第一种办法分类属于第Ⅰ部类,然而按照第二种办法分

---

① 马克思指出,简单再生产的部门联系条件是 $\text{Ⅰ}(v+m)=\text{Ⅱ}c$,扩大再生产的部门联系条件则是 $\text{Ⅰ}(v+m)>\text{Ⅱ}c$。

② 参见邓力群(1982):《马克思再生产理论的基本原理必须坚持》,《红旗》,1982年第5~7期。

③ 参见贺菊煌(1979):《关于生产资料优先增长问题》,《经济研究》,1979年第9期;余永定(1985):《试论生产资料生产优先增长问题》,《改革与战略》,1985年第4期;又见同一作者在其论文集《一个学者的思想轨迹》(北京:中信出版社,2005年)中的其他相关论文。

④ 李永华在《产业高度化不应是由轻向重的过渡》(载《南方日报》2003年9月11日)中说得正确:列宁在1922年"提出的农轻重产业结构理论,是18、19世纪产业革命的理论概括(也就是早期经济增长理论的概括——吴敬琏注)。但是,随着工业化的深入发展,产业结构的迅速变化,农轻重产业理论的不足日益明显地暴露出来,已经无法准确地反映今日的产业结构,这是不争的事实。中国沿用了30多年的农、轻、重产业理论,在上世纪80年代中期已经废除。应当说,这是一个与时俱进的理论进步"。

类，却属于轻工业。因此，即使生产资料生产优先增长是生产发展的一般规律，也并不能由此推出重工业优先增长的原理。

1.2.4 服务业和三次产业的划分

虽然在产业革命前的所谓“商业资本主义”时代，由“包卖商”等进行的服务业活动对工场手工业的发展曾经扮演过重要的角色，但由于产业革命发生后工业开始了独立的发展，从事“拾遗补缺”的消费服务的作用就显得不那么重要了。由于在工业化早期人们并不把服务业看作一个独立的产业部门，许多经济分析都是在产业两分（即只存在农业和工业两个产业部门）的框架下进行的。这种情况直到 20 世纪 40 年代才得到改变。

英国经济学家配第（William Petty）早在 1691 年就曾经设想，就业人口将从农业转向工业，再从工业转向商业。这一猜想在 19、20 世纪之交成为现实。大量劳动和资本不仅继续流入第二产业，而且更多地流入商业和物流、教育和科研、旅游和娱乐、文化艺术、保健以及政府的公共服务等服务业。到了 20 世纪初期，先行工业化国家的服务业（包括一般服务和政府的公共服务）无论在就业方面还是在增加值方面都超越了工业，成为国民经济中比重最大的产业。服务业的这种发展使费希尔（Allan G. B. Fisher）在 1935 年和克拉克（Colin G. Clark）在 1940 年提出的将产业（industries）划分为第一产业（农业和采掘业）、第二产业（制造业）和第三产业（服务业）的“产业三分法”在 20 世纪中叶得以确立①。

目前为理论界所公认的服务概念是 1977 年希尔（T. P. Hill）提出来的。他指出：“服务是指人或隶属于一定经济单位的物在事先合意的前提下由于其他经济单位的活动所产生的变化。……服务的生产和消费同时进行，即消费者单位的变化和生产者单位的变化同时发生，这种变化是同一的。服务一旦生产出来必须由消费者获得而不能

---

① A. G. B. Fisher (1935): *The Clash of Progress and Security*（《进步和安全的冲突》），London: Macmillan; C. G. Clark (1940): *Condition of Economic Progress*（《经济进步的条件》），London: Macmillan.

储存,这与其物理特性无关,而只是逻辑上的不可能……"[①]。80 年代中期,巴格瓦蒂(Jagdish N. Bhagwatti)(1984 年)、桑普森(Gary P. Sampson)和斯内普(Richard H. Snape)(1985 年)相继扩展了希尔的"服务"概念,他们把服务区分为两类:一类为需要物理上接近的服务,另一类为不需要物理上接近的服务。以此为基础,巴格瓦蒂将服务贸易做了更为细致的区分,并为世界贸易组织所接受[②]。在现代信息通信技术的条件下,很多服务内容渐渐可以用电子信息技术来存储并借助电信业来远距离传输。这样就改变了传统服务业产品既不能储存也不能运输、必须在消费现场提供的特性,使服务产品在很多方面更像制造业的产品。

从理论上说服务业产出应当是所有服务活动的加总。但在现实中,度量服务业的产值却并非易事。由于服务业与制造业的融合,一方面制造业包含有越来越多的服务内容,例如制造业企业中的研发(R&D)和营销,在传统意义上都属于服务业务;另一方面,在统计上也很难对各行业中包含的服务业增加值作准确的计量,而只能根据企业销售额中哪种业务占优势地位来确定企业属于哪个行业,然后再通过加总服务行业中所有企业的增加值来确定服务产业的增加值。因此有人说,就美国全国而言,"公众对制造业重要性的认识明显夸大了。实际上只有 18%的就业在制造业,而 65%~75%的制造业的就业是在研究、开发、产品设计、流程设计、后勤、促销、营销、分销、会计、人事、法律或管理信息系统等服务领域。国家未来的增长动力是以知识为基础的服务活动,而不是制造业"。[③]

传统的马克思主义政治经济学从狭义的劳动价值论出发,认为只有物质生产劳动才创造价值,不属于物质生产部门的商业等服务业,由于其活动不创造价值,而只是在二次分配中分润物质生产部门创造的价值,不属于生产部门之列。由此在社会主义国家普遍出现了轻视服务业的倾向。而且,我国的国民经济核算长期采用计划经济国家通

---

① T. P. Hill:"On Goods and Services"(《论商品与服务》),*Review of Income and Wealth*, Series 23, No. 4,1977. 这里的译文转引自杨圣明、刘力(1999):《服务贸易理论的兴起与发展》,《经济学动态》,1999 年第 5 期。

② 详见杨圣明、刘力(1999):同前引文。

③ 奎恩、巴洛奇、兹恩(1997):《创新爆炸》,转引自李冠霖(2002):《第三产业投入产出分析》,北京:中国物价出版社,2002 年,第 6 页。

行的物质产品平衡体系(MPS),只包括对物质产品部门和提供“生产性劳务”部门的核算,而否认服务业活动也创造价值。虽然在 1992 年制定了《中国国民经济核算体系(试行方案)》,开始与联合国制定并在市场经济各国通用的国民账户体系(SNA)接轨,但是直到 2003 年颁布《中国国民经济核算体系》的正式文本,我国才完全废除了“物质生产”和“非物质生产”的旧部门分类和产品分类,对服务业增加值覆盖不全的问题则至今还没有完全解决。

1.3 本书的结构

本书的以下章节将就我国增长模式转换和工业化道路选择这个总题目分五个部分进行讨论:

在第 2 章,我们将对发展经济学中有关增长问题的理论演进作一简要总结,我们用整整一章的篇幅来讨论这个问题并作出总结的原因,是一些支持把资本和资源密集型的重化工业作为国民经济的主导产业、主张靠对它的大量投资和它的超常增长拉动整个经济快速发展的学者,经常引用 20 世纪 30～40 年代某些经济学家的言论来论证这样做的“合规律性”。这使不少对于先行工业化国家经济发展的历程以及与之相关的经济学进展没有做过深入研究的人们,误以为上述种种做法都是发展经济学的定论,把投资驱动的增长模式看作各国经济发展的常规,把实现“重化工业化”看作“各国工业化的必经阶段”、“经济发展的必然选择”、“中国工业化进程的必经之门”或“不可逾越的阶段”①。事实上,自从 20 世纪中期以来,发展经济学已经经历过许多重要的理论创新。不对发展经济学中的增长理论作一系统的梳理,就不可能建立起正确的分析框架,而只能把一些已经过时或已被证明为错误的观点当作理论指导。

第 3 章,将对现代经济增长中效率提高的主要源泉作出归纳。这

---

① 参见《成为新一轮国际产业转移首选地——中国经济重化工业化》,《香港商报》,2004 年 2 月 26 日;《二次工业化——中国民营企业的工业化进程》,《商务周刊》,2004 年 3 月 2 日;《中国进入重化工时代》,《中国科技财富》,2004 年 4 月 1 日。在这种思维定式下,对“经济重型化”的方针提出质疑,就被归纳为企图“跨越”、“绕开”、“绕过重化工业化这个历史必经阶段而直达工业化”(参见《〈广东:重化工业强劲增长说明了什么〉编者按语》,《南方日报》,2003 年 9 月 11 日;《何祚庥:工业重型化阶段不能跳跃》,《科学时报》,2005 年 1 月 18 日;《厉以宁回应吴敬琏:重型化是中国经济必经阶段》,《北京晨报》,2005 年 3 月 17 日)。

样做的目的，是为了具体说明先行工业化国家是怎样实现增长模式转换的，使我们从中汲取对自己有用的经验和教益。在前一阶段的讨论中有这样一种意见，认为依靠技术进步和效率提高的增长模式固然十分理想，但是我国经济基础薄弱，要在这样的条件下转变到现代经济增长模式，乃是一种期待跨越式发展的梦想。我们想在第 3 章中说明，这种说法与先行工业化国家发展的历史事实不符。它们全面转入现代经济增长是在第二次产业革命发生之时，即在 19 世纪 70～80 年代。他们在当时相当落后的经济条件下实现的技术进步和效率提高，我们今天不但有条件做到，而且由于具有格申克龙（Alexander Gerschenkron）所说的后发优势（the advantages of backwardness），完全能够做得更好。

第 4 章，讨论中国增长模式和工业化道路存在的问题。虽然先行工业化国家在 19 世纪下半叶走上了主要依靠效率改进实现经济增长的道路，但早期经济增长模式却在中国产生了强大的影响，新中国成立后，采用苏联式的“社会主义工业化路线”进一步加强了这种影响。改革开放以来，这一问题引起了广泛关注，但由于根本性的体制问题没有解决，经济增长模式转变的任务并未实现。最近几年，更出现了以大量低效率投资支持为突出特征的“重化工业化”浪潮，使国民经济不能按照“扬长避短、发挥优势”的原则配置资源，并放松了对技术创新和产品升级的关切和努力，经济整体效率下降，对我国经济持续发展造成种种严重隐患。在这一章，我们还将就一些支持现有增长模式的流行意见进行扼要的评论与商榷。

第 5 章，讨论我国粗放增长模式的另一项重要内容：尽力扩大对外贸易顺差，用外需弥补内需的不足。二战结束以后，以日本为首的一些东亚国家和地区先后采取了以本国货币汇价低估以及适度的关税和非关税保护为特征的出口导向政策。这种政策有效地抑制了进口，刺激了出口，以旺盛的出口需求支持了有关国家和地区经济的高速增长。中国在改革开放以后也引进了出口导向政策。特别是在 1994 年的外汇改革中，双重汇率并轨，人民币深度贬值，这标志着中国全面转向出口导向政策。这一转变使中国的对外经济关系在 20 世纪 90 年代取得了巨大的成功。但是，正像采取出口导向政策的其他国家和地区那样，在成功实施这一政策若干年以后，它的消极方面也会逐渐表现出来；应对失当，甚至会引发系统性危机。本章将对中国长期实施这一政策所导致的问题和应对的办法进行深入的探讨。

第6章，讨论中国为了转变增长模式需要采取的实际措施。我们在这一章里指出，通过将促进技术进步、大力发展服务业、普及应用信息通信技术以及加快农村劳动力向城市工商业的转移放在优先位置，可以改进和提高经济增长的效率，但由于不同的制度安排在激励经济主体行为方面导致的后果不同，我们始终要把着眼点特别放在改进基础性制度安排上。在这一分析的基础上，本章进而提出了实现增长方式转变必须的重点改革措施。在本章的末尾，同时也是全书的末尾，我们强调指出改革的关键在于加快政府职能转变，建设有限的和有效的政府。转变经济增长模式和走新型工业化道路是否能够成功，最终取决于政府职能的转变能否顺利实现。

2

从早期经济增长到现代经济增长

东亚新兴工业化经济的经历表明，依靠资源和资本投入所支持的经济增长是无法长期持续的。对于取得了相当成就的经济而言，要推持高速经济增长，必须更多地依靠提高资源配置效率和各类创新活动……实现由早期经济增长模式到现代经济增长模式的转变。

凯恩斯说过："经济学家和政治哲学家的思想，无论对错，都比通常所想的更为有力。这个世界实际上就是被这些思想统治着的，很少例外。讲求实际的人们自以为能够与所有精神世界中的影响绝缘，到头来不过是某位已故经济学家的奴隶。"①在经济增长模式与工业化道路问题上又何尝不是如此？

我国20世纪90年代以来出现的投资热潮和产业结构重型化运动，是特殊的体制条件和政策环境的产物。但是，由于这一潮流的倡导者引用20世纪上半期某些经济学家的论著来支持自己的主张，使许多人误以为投资驱动的增长是各国经济增长的常规，"'重化工业化'是经济发展的必经阶段"乃是当代发展经济学的定论。结果，有关我国是否正在进入"重化工业化"这个各国经济发展的"必经阶段"的争论刚刚开始，就有主流传媒满怀信心地宣称："现在，政府、学界和企业界显然已经取得了这样的共识：重化工业化是中国经济不可逾越的阶段。"②其实在20世纪50年代以后，发展经济学已经经历过好几次重大的革新，增长理论已经有了一系列里程碑式的突破。只要稍微留心一下争论的有关文献就会发现，"重化工业化"的支持者所引以为据的观点，基本上出自50年代以前的发展经济学文献。

鉴于这种情况，我们在讨论中国的实际问题以前，有必要先对经济增长模式以及相应的增长理论演变的全过程做一番系统的梳理，以便确定应当运用什么样的理论框架来分析我们面对的问题。

以萨缪尔森的《经济学》教科书为开端，现代经济学把先行工业化国家的经济发展大体上划分为四个阶段；对应于不同的发展阶段，存

① 引文重译自下述文字："The ideas of economists and political philosophers, both when they are right and when they are wrong, are more powerful than commonly understood. Indeed the world is ruled by little else. Practical men, who believe themselves to be quite exempt from any intellectual influence, are usually the slaves of some defunct economist."见 John Maynard Keynes, *The General Theory* (New York: Harcourt Brace and World, 1964), p. 383。

② 《成为新一轮国际产业转移首选地——中国经济重化工业化》，《香港商报》，2004年2月26日。

在着不同的增长模式。对于这四个阶段，虽然不同的经济学家有不同的命名，但他们对不同发展阶段和不同增长模式内容的分析却几乎如出一辙[①]。这四个发展阶段和它们的增长模式分别是：

(1) “起飞”前，即第一次产业革命以前的阶段。这个阶段的主要特点是，经济增长缓慢并且主要靠增加土地和其他自然资源投入实现。波特(Michael E. Porter)把它定义为“生产要素驱动阶段”。当时的主要经济学家，从斯密(Adam Smith)、马尔萨斯(Thomas Robert Malthus)到李嘉图(David Ricardo)都对这种增长模式的前景或多或少持有悲观的预期。这使经济学获得了“阴郁的科学”(dismal science)的称号。

(2) 从18世纪后期第一次产业革命发生到19世纪后期第二次产业革命开始前的“早期经济增长”阶段。在这个阶段中，经济增长开始加速，原因是产业革命用机器操作代替手工劳动，打破了自然资源对增长的限制，使机器大工业迅速发展，劳动生产率大幅度提高。为了用机器替代手工劳动，就要大量发展资本密集的机器制造业和作为机器制造业基础的其他重工业，因此，经济增长归根到底要靠投资驱动。波特把这一发展阶段定义为“投资驱动阶段”。

(3) 第二次产业革命以后的“现代经济增长”。这个阶段的经济增长模式和早期经济增长阶段的增长模式的区别在于，经济增长已经主要不是靠资本积累驱动，而主要靠技术进步和效率提高实现。库兹涅茨把这种增长模式叫“现代经济增长”，波特把这个阶段定义为“创新驱动阶段”。

(4) 20世纪50年代以后开始逐步向信息时代或者知识经济时代过渡。这个时期出现了以电子计算机、互联网等为核心的现代信息技术(IT)或信息通信技术(ICT)，信息化成为经济增长的重要特征(详见

---

① P·萨缪尔森在他的开创性《经济学》教科书从它的早期版本到最近的第18版，一直保持了“经济增长的进程”这一章节，并把先行工业化国家的经济增长按其增长模式的不同，区分为“起飞前的阶段”、“早期经济增长”和“现代经济增长”等三个阶段。研究竞争力的专家M·波特在他的《国家竞争优势》一书中把各国竞争力的发展划分为四个阶段，它就是：(1)生产要素驱动阶段，在这个阶段，竞争的优势来自基本生产要素，如低成本的劳动力和自然资源；(2)投资驱动阶段，竞争力的提高主要靠大规模投资于成熟技术和先进的机器设备；(3)创新驱动阶段，在这个阶段，企业靠产品、加工技术、市场营销和其他方面的持续创新来提高竞争力；(4)财富驱动阶段，追求人的个性的全面发展和高质量的生活成为经济发展的主要驱动力。其中，前面三个阶段与萨缪尔森的三阶段相类似(参见M·波特(1990)：《国家竞争优势》，李明轩、邱如美译，北京：华夏出版社，2002年，第532～561页)。

本书第3章3.3)。

就我们所讨论的工业化过程问题而言，所涉及的主要是(2)、(3)两个阶段。那些被引用来支持“投资决定论”和“重化工业化论”的论著，基本上是其中第(2)阶段的早期经济增长模式的理论概括。

2.1 早期经济增长和相关的理论

随着第一次产业革命[①]的进行，经济增长摆脱了“起飞前”由土地等自然资源的严格约束所导致的停滞状态，用机器作业代替手工劳动使增长大大加快。在以第一次产业革命开发出来的技术为支撑的“早期经济增长”阶段，增长主要靠对机器大工业的投资驱动，产业结构出现了重工业比重不断上升的趋向。

2.1.1 早期经济增长和狭义工业化

这个阶段人们所理解的工业化，是狭义的工业化，即稀缺资源从农业向工业转移，通过物质生产部门产出，即工农业总产出中大机器工业份额和传统农业份额的此长彼消，实现“农业国向工业国的转变”[②]。要用机器大工业作业代替手工劳动，就要生产机器和生产生产机器的机器以及其他重工业产品，这样，经济增长就要以资本密集的重工业的高速度增长作为基础。所以这一增长模式的最大特点，就是增长靠资本积累和资本对劳动比例的提高(资本深化或称资本有机构成[③]提高)实现。因此，早期研究工业化问题的学者又把工业化定义为“资本化”，即“在一定的生产过程中扩大利用资本并加深利用资本”[④]。

---

① 多数经济史家把第一次产业革命的起讫年代大致上定于1770年到1870年之间。

② 张培刚根据20世纪前期经济学用语的情况指出，industry(工业、产业)一词有狭义的用法和广义的用法之分。前者是指“制造业，以有别于农业以及商业与运输”，后者则“可以应用于一切经济活动，如C·克拉克所定义的第一产业、第二产业和第三产业”。当时多数研究工业化的学者包括张培刚在内，用industry指称制造业。他说，“我们将狭义地使用这个概念。狭义的工业只包括制造及机械生产”，而industrialization(工业化)也只是指“农业国转变为工业国”。参见张培刚(1949)：《农业与工业化》，武汉：华中工学院出版社，1984年，第3～4页，第248～252页。

③ 在马克思主义经济学中，“资本有机构成”是指资本总量中不变资本对可变资本的比率。不变资本指以生产资料形态存在的资本，包括买原材料、买机器设备的资金，因为这部分资本并不创造剩余价值，所以叫不变资本；可变资本是指用以购买劳动力的资本，因为这部分资本在生产过程中产生价值增值(即创造剩余价值)，所以叫做可变资本。

④ 张培刚(1949)：《农业与工业化》，武汉：华中工学院出版社，1984年，第105页。

这一时期的经济增长率较之19世纪后期发生第二次产业革命后的经济增长率低得多；同时，经济增长的绝大部分可以用资本和其他投入品的增长来解释。

2.1.2 理论概括一：从资本有机构成提高到社会矛盾激化

早期经济增长为先行工业化国家带来了极大福利，同时也带来不少严重的经济社会问题。当时很多有识之士，包括空想社会主义者、哲学激进派、19世纪晚期出现的费边社(Fabian Society)，都注意到了工业化过程中出现的童工、工人超时劳动、贫民的恶劣居住条件、疾病、环境严重破坏等社会问题[①]，并使他们做出了多方面的探索，提出种种方案，并谋求立法等方面的社会改良。同时，政府也不能再对这一切视而不见，渐次采取措施加以回应。

马克思的经济理论形成于这个增长阶段的末期，对这种增长模式内在矛盾的分析批判也最为尖锐和深刻。他在19世纪60～70年代写作的巨著《资本论》中，深入解剖了西欧国家在这个增长阶段中的一个基本经济现象，即与资本积累过程相伴随的不变资本对可变资本、资本对劳动比率的提高("资本有机构成"的提高)。

一方面，马克思对资本积累推动生产力发展的巨大作用给予了很高的评价。他早在1848年与恩格斯合著的《共产党宣言》中就已指出："资产阶级在它的不到一百年的阶级统治中所创造的生产力，比过去一切世代创造的全部生产力还要多，还要大。自然力的征服，机器的采用，化学在工业和农业中的应用，轮船的行驶，铁路的通行，电报的使用，整个整个大陆的开垦，河川的通航，仿佛用法术从地下呼唤出来的大量人口，——过去哪一个世纪料想到在社会劳动里蕴藏有这样的生产力呢?"[②]

另一方面，马克思根据资本积累过程中资本有机构成不断提高的特性，揭示了"资本积累的历史趋势"。他首先指出，随着资本有机构成的不断提高，必然出现两种不以人们意志为转移的必然性，这就是：

(1)"平均利润率下降的规律"，即随着不变资本比重的提高和能

---

① 参见E·派克(1966)编：《被遗忘的苦难：英国工业革命的人文实录》，蔡师雄等译，福州：福建人民出版社，1983年；E·汤普森(1963)：《英国工人阶级的形成》，钱乘旦等译，南京：译林出版社，2001年。

② 马克思和恩格斯(1848)：《共产党宣言》，《马克思恩格斯选集》第1卷，北京：人民出版社，1972年，第209页。

够创造剩余价值(利润)的可变资本比重的下降,平均利润率趋于下降。利润率的降低使竞争加剧,出现资本的积聚和集中,导致大资本与中小资本之间矛盾的激化和垄断的出现。马克思说,“在一个社会里,只有当社会总资本或者合并在唯一的资本家手中,或者合并在唯一的资本家公司手中的时候,集中才算达到极限”①。垄断使整个社会变成一个巨大无比的企业,为社会主义公有制(社会所有制)准备经济基础。

(2)“相对过剩人口(即失业人口)不断增加的规律”,有机构成提高意味着在资本总量中用以支付工人工资的可变资本份额的降低,这必然导致就业岗位的相对减少和劳动者工资水平的相对降低。就业会越来越困难,工人的工资水平也无法提高。马克思说:“资本积累最初只表现为资本的量的扩大,但……它是通过资本构成不断发生质的变化,通过减少资本的可变部分来不断增加资本的不变部分而实现的。”②“工人人口本身在生产出资本积累的同时,也以日益扩大的规模生产出使他们自身成为相对过剩人口的手段。这就是资本主义生产方式所特有的人口规律”③。这种相对人口过剩的结果一定是无产阶级的贫困化以及无产阶级和资本家的矛盾加剧。

总之,根据19世纪中期西欧国家的增长模式,马克思证明了沿着这样一条工业化道路发展,一定会出现巨大无比的垄断企业和激化无产阶级与资产阶级之间的矛盾。这样,“资本主义私有制的丧钟就要响了。剥夺者就要被剥夺了”④。

2.1.3　理论概括二:从“生产资料优先增长规律”到“社会主义工业化路线”

如果说生活在资本主义制度已经确立的英国的马克思从资本主义的早期经济增长中看到了它所蕴含的社会危机,生活在“与其说是苦于资本主义,不如说是苦于资本主义发展得不够”⑤的俄国的列宁则

---

① 马克思(1867):《资本论》第1卷,北京:人民出版社,1975年,第688页。

② 同上书,第689～690页。

③ 同上书,第692页。

④ 同上书,第831～832页。

⑤ 列宁(1905):《社会民主党在民主革命中的两种策略》,《列宁全集》,第9卷,北京:人民出版社,1965年,第614页。

剥离了其中的阶级冲突等社会学内容，从产业结构变化的角度，将其总结为“生产资料优先增长规律”。这一“规律”后来成为斯大林的“社会主义工业化路线”的理论根据。

1893年，时年23岁的列宁在论证贫困并不能阻止资本主义在俄罗斯发展的论文《论所谓市场问题》中，论证了在资本有机构成提高的前提下，可以从马克思的再生产理论中推导出工业化过程中“生产资料优先增长规律”，即：“增长最快的是制造生产资料的生产资料生产，其次是制造消费资料的生产资料的生产，最慢的是消费资料生产。”①他说：“生产资料增长最快这个规律的全部意义和作用就在于：机器劳动的代替手工劳动（一般指机器工业时代的技术进步）要求加紧发展煤、铁这种真正‘制造生产资料的生产资料’生产。”②“技术愈发展，手工劳动就愈受排挤而为许多愈来愈复杂的机器所代替，就是说，机器和制造机器的必需品在国家全部生产中所占的地位愈来愈大。”③

20世纪20年代，在面对资本主义国家的包围、具有建立强大的军事工业迫切需要的苏联，“生产资料优先增长”的理论被推演为“优先发展重工业的社会主义工业化路线”④。

在1924～1928年苏共党内的“工业化论战”中，托洛茨基派（“左派”）首先提出，新经济政策实际上是一种“渐进复辟资本主义的政策”，这种政策使富农和城市资产阶级的力量得以加强，因此他们主张最大限度地把资源从农业中抽调到工业中来，以便实现工业，特别是重工业的高速度增长，“从不断增加工业投资的坚定政策中寻找出路”。托洛茨基派的这种主张受到布哈林派（“右派”）的批判。斯大林也指斥托洛茨基所要求的“超工业化”（要求年增长速度超过10%）“完全脱离了苏联的现实”。

但在“中派”和“右派”联盟取得论战的胜利，托洛茨基派政治上被击溃、组织上被清洗和镇压以后，理论和政治的钟摆摆向另一方向。斯大林指称布哈林继续执行新经济政策和保持经济上平衡发展的主

---

① 列宁（1893）：《论所谓市场问题》，《列宁全集》，第1卷，北京：人民出版社，1958年，第71页。

② 同上书，第88页。

③ 同上。

④ 据考证，列宁是在1922年写作的《俄国革命五周年和世界革命的前途》一文中，才从实际工作的角度第一次使用了农业、轻工业、重工业这样的产业分类（见《列宁选集》第4卷，北京：人民出版社，1960年，第664～666页）。从那以后，苏联和其他社会主义国家的文献往往把第Ⅰ部类和第Ⅱ部类、轻工业和重工业这两种不同的分类混为一谈。

张,是代表富农资产阶级的“右倾机会主义”观点。此时,斯大林重新提出高速进行工业化和优先发展重工业的“社会主义工业化路线”问题。[①]

斯大林认为,在共产党执政以后,应当而且能够自觉运用生产资料优先增长的规律,在工业,特别是重工业的带动下实现国民经济的高速发展。他说:“不是发展任何一种工业都算作工业化。工业化的中心,工业化的基础,就是发展重工业(燃料、金属等等)。归根到底,就是发展生产资料的生产,发展本国的机器制造业。”[②]资本主义国家工业化通常是从轻工业开始,只有经过一个长时期,轻工业积累了利润,积累才逐渐转到重工业去;我国共产党“拒绝了‘通常的’工业化道路,而从发展重工业开始来实行国家工业化”。[③] 斯大林的这一优先发展重工业的方针在 1928 年“批判右倾机会主义”声中被正式确立为苏联共产党的路线,称为“社会主义工业化路线”。

专栏 2.1

从“工业化论战”到斯大林工业化路线的确立

1924 年列宁去世后,苏联共产党内各派间围绕 1921 年开始实施、其实质为恢复市场经济的“新经济政策”何去何从的问题展开了激烈的论战。

在论战中,托洛茨基派(“左派”)认为,新经济政策对私人做了危险的让步,使富农和资产阶级的力量大大增强。“左派”最主要的理论家普列奥布拉任斯基(Evgennii Preobrazhenskii)认为,市场规律与通过强制积累加快发展生产资料部门是矛盾的。在他看来,建立强大工业基础是社会主义国家经济发展的根本保证,而工业的发展需要有比较多的积累;一个国家越是落后,越是需要更多的积累。国营工业应当依靠自己的市场垄断地位,通过向农民经济抽取剩余而迅速发

① 章良猷(1985):《苏联六十年来社会主义政治经济学若干问题的争论》,见《经济研究》编辑部编《中国社会主义经济理论问题争鸣(1949～1985)》(下),北京:中国财政经济出版社,1985 年,第 596～600 页。

② 斯大林(1926):《关于苏联经济状况和党的政策》,见《斯大林选集》上卷,北京:人民出版社,1979 年,第 462 页。

③ 斯大林(1946):《在莫斯科市选区选举前的选民大会上的演说》,见《斯大林选集》下卷,北京:人民出版社,1979 年,第 496 页。

展，在工业基础扩大的同时逐步消灭小农的私有经济，直到实现完全的社会主义。

布哈林派（“右派”）主张继续执行新经济政策，强调通过市场关系向社会主义过渡，认为农民为工业提供积累就是过渡时期社会主义积累的基本途径。他指出，普列奥布拉任斯基理论的错误在于忽略了农民市场和农民经济对工业发展乃至整个国民经济的重要性，并反复强调，国民经济这个整体中各个部分之间存在着相互依赖关系，“农民的有支付能力的需求愈大，则我们的工业就发展得愈快”；因此，各个部门之间应当“平衡”发展。他还提出口号：“应当对全体农民，对农民的所有阶层说：发财吧，积累吧，发展自己的经济吧！”当时许多杰出的经济学家如康德拉捷耶夫（Nikolai D. Kondratieff）和恰亚诺夫（Alexandel V. Chayanov）等人都支持布哈林的主张。例如，康德拉捷耶夫要求降低“工业发展无法支持的速度”，从生产资料向消费资料转移投资，并减轻“发展中的农村阶层”的“特别沉重的税收负担”，进口消费品来满足农民的需求；恰亚诺夫则反对行政力量介入农业生产过程，反对集体化。①

在苏联共产党内居于支配地位的斯大林支持布哈林，使“右派”在理论和政策层面上取得了暂时的胜利。1926 年 10～11 月召开的俄（共）布第十五次代表会议明确提出：“把农民仅仅作为征税的对象，用课以过重的税赋和提高工业品出厂价格的办法来从农民经济中榨取更多的资金，这不可避免地会阻碍农村生产力的发展，减低农业的商品率，使工人阶级和农民的联盟有破裂的危险，并使社会主义建设受到威胁。”②

但是，斯大林在反对托洛茨基派的政治斗争中取得胜利以后，急速改变了他的打击方向。他在 1928 年中的多次讲话中提出，“为了推进工业化的发展，为了消除我国的落后状态”，应当向农民收取“类似贡款的东西”。接着，就发动了“与右倾机会主义作坚决斗争”的批判布哈林运动。布哈林被列举的罪名是：(1)宣扬“富农”和“企业家”可以和平步入社会主义的“阶级利益协调论”；(2)否定忽视“个体农民是最后一个资本主义阶级”的“列宁主义原理”；(3)企图“取消国家对市场的调节作用”，要求按市场原则调整粮食价格；(4)反对国家向农民收取“贡款”和利用工农业产品“剪刀差”向农民征收超额税来解决重工业建设所需要的资金的积累问题；(5)鼓吹“平衡论”，反对优先发展重工业，企图使俄罗斯成为永远“只能生产印花布的、资本主义国家的附庸”。后来，布哈林被进一步指认为叛徒、黑

---

① 参见 R・戴维斯（R. W. Davies，1989）：《苏联的经济和社会政策：1917～1941》，载 P・马赛厄斯（Peter Mathias）等主编（1989）：《剑桥欧洲经济史》（第八卷），王宏伟等译，北京：中国社会科学出版社，2004 年，第 903～904 页。

② 参见苏共中央马列研究院编：《苏联共产党代表大会、代表会议和中央全会决议汇编》（第 3 册），中共中央马克思恩格斯列宁斯大林著作编译局译，北京：人民出版社，1956 年，第 202 页。

帮分子和帝国主义间谍,并在 1938 年被处决。

这样,斯大林"优先发展重工业"的方针被确立为党的路线,并在这一路线的指引下,制定了"以在我国创立一种不仅能把全部工业,而且能把运输业和农业都按社会主义原则改造和改组的重工业"作为"基本任务"的苏联第一个五年计划(1928～1932)。1932 年苏联第一个五年计划提前完成时,斯大林根据重工业产值已占到工农业总产值 70%以上和"资本主义分子最终地和永远地被排挤出工业范围以外"的情况,宣布苏联已经实现了社会主义国家工业化①。1936 年,斯大林《关于苏联宪法草案的报告》中宣布"我们苏联社会已经基本上做到了实现社会主义,建立了社会主义制度,即实现了马克思主义者又称为共产主义第一阶段或低级阶段的制度"②;1939 年,联共(布)十八大决议更进一步宣布,苏联"已完成了无产阶级的社会主义建设并从社会主义逐步过渡到共产主义阶段"③。

直到晚年授意以苏联科学院经济研究所的名义编写《政治经济学教科书》的时候,斯大林也没有忘记指示写作班子,把他的"社会主义工业化路线"提升到"马克思的再生产理论的基本原理"的高度。他说:"关于社会生产之分为生产资料的生产与消费资料的生产的原理;关于在扩大再生产下生产资料生产的增长占优先地位的原理;关于第Ⅰ部类和第Ⅱ部类之间的比例关系的原理;关于剩余产品是积累的唯一源泉的原理,关于社会基金的形成和用途的原理;关于积累是扩大再生产的唯一源泉的原理——马克思的再生产理论的这一切基本原理,不仅对于资本主义社会形态是有效的,而且任何一个社会主义社会在计划国民经济时,不运用这些原理也是不行的。"④1954 年,《政治经济学教科书》正式出版并在各社会主义国家成为权威的政治课教科书以后,在社会主义各国,投资(积累)趋动的增长模式,也就成为符合"马克思的再生产理论的基本原理"的基本模式了。

根据 R·戴维斯(R. W. Davies, 1989):《苏联的经济和社会政策:1917～1941》(载 P·马赛厄斯(Peter Mathias)等主编(1989):《剑桥欧洲经济史(第八卷)》)、郑异凡(1997):《布哈林论稿》(北京:中央编译出版社,1997 年)和斯大林的有关论著编写。

① 斯大林(1933):《第一个五年计划的总结》,《斯大林全集》,第 13 卷,北京:人民出版社,1956 年,第 164～166 页。

② 斯大林(1936):《关于苏联宪法草案的报告》,《斯大林选集》下卷,第 399 页,北京:人民出版社,1981 年。

③ 苏共中央马克思列宁主义研究院编:《苏联共产党代表大会、代表会议和中央全会决议汇编》,(第 5 册),中共中央马克思恩格斯列宁斯大林著作编译局译,北京:人民出版社,1958 年,第 10～11 页。

④ 斯大林(1952):《苏联社会主义经济问题》,见《斯大林选集》下卷,北京:人民出版社,1979 年,第 600 页。

在20世纪20年代，大部分苏联经济学家并不认为，马克思《资本论》关于生产资料生产(第Ⅰ部类)和与消费品(第Ⅱ部类)生产之间比例关系的原理适用于苏联社会主义经济，因为无产阶级国家可以"自觉地"或"自由地"规定生产资料部门与消费资料部门的比例，以便加快经济技术落后的苏联的经济发展。用当时在苏联的计划委员会任职的费尔德曼(Grigorii A. Feldman)的话说，"无产阶级成了生产的主体，他可以在生产资料生产和消费资料生产之间任意分配自己的力量"。[①]

也正是这位费尔德曼，在理论上为计划机关应进行有利于生产资料部门发展的计划准则提出了系统的论证。费尔德曼在1928年受命为制定长期计划建立一个理论模型。他假定资本是制约增长的主要因素，在资本产出率已知的条件下，生产资料部门在总资本中的比例越大，则增长率越高。因而，计划制定者的主要任务之一，就是尽可能把投资用于生产资料生产。他还提出，为了提高增长率，需要实现重工业化和电气化。[②] 他的理论观点实际上是后来的哈罗德-多马模型(详见本章2.1.5)的先驱。

1928～1929年，苏联计划当局根据费尔德曼模型制定了10～20年的苏联经济发展"总计划"。这是一个名副其实的"超工业化"计划。根据这个"总计划"，当1938年苏联第二个五年计划完成时，主要重工业产品的年产量应为：煤炭54000万吨(1940年实际生产16600万吨)，生铁7800万吨(1940年实际生产1500万吨)，钢8200万吨(1940年实际生产1830万吨)；计划期间，劳动生产率预计每年增长约25%，总产量在12年中增加19倍。据苏联国家计划委员会《计划经济》杂志报道，在1930年的一次讨论中，苏联著名经济学家斯特鲁米林(Stanislav G. Strumilin)说，按照当时采用的这种计划方法，苏联应当得到4倍于地球容积的铁产量！[③] 正如埃尔曼所指出，费尔德曼等人在1928～1930年间的计算显然是过分乐观了，把完全不可能实现的目标看

---

① 章良猷(1985)：《苏联六十年来社会主义政治经济学若干问题的争论》，同前引书，第597～599页。

② 关于费尔德曼模型，请参看E・多马(1957)：《苏联的经济增长模型》，《经济增长理论》(第9章)，郭家麟译，北京：商务印书馆，1983年，第228～263页；以及M・埃尔曼(Michael Ellman, 1987)：《格里戈里・亚历山德洛夫・费尔德曼》，见约翰・伊特韦尔等编《新帕尔格雷夫经济学大辞典》第2卷，北京：经济科学出版社，1996年，第321～322页。

③ 以上均见E・多马(1957)：同前引书，第259～263页。

作是行得通的。“要想实现这些目标就会对经济产生灾难性的后果。”①

到 20 世纪 30 年代，苏联经济学家甚至认为，优先发展重工业“不仅是工业发展比较落后的国家”，而且是“一般进行扩大再生产的国家的发展规律”，是“包括发达社会主义在内的整个社会主义时期工业发展的规律”。②后来的社会主义国家，包括中国在内，都是沿着这条道路进行工业化的。

苏联经济学家坚守 19 世纪的教条，认为只有物质生产劳动才创造价值，服务活动只作为社会总产品的消耗来处理。这样，他们所说的工业化是不包含服务业发展的狭义工业化，而实现工业化只是意味着工业总产值在工农业总产值中处于支配地位。更重要的是，斯大林所推行的重化工业化是以国家所有制为基础的，国家所有制乃是所谓“自觉地”或“自由地”规定生产资料部门与消费资料部门的比例关系的制度基础。与先行工业化国家以扩展市场作用为突出特征的早期经济增长模式不同，在这类国家，市场力量促使增长向更有效率的增长模式转型；而在计划经济体制下，为了尽可能高速度地发展盈利性不高的重工业，可以通过计划定价低估各种生产要素的价格来保证过度投资和优先发展重工业的方针得到贯彻。③

2.1.4 理论概括三：从“霍夫曼定理”到“重化工业化阶段”

在西方国家的经济学家中，德国的霍夫曼 1931 年根据 20 多个国家工业化过程中工业内部结构变化的经验数据概括出工业化过程中资本品生产增长快于消费品生产增长这一与列宁的“生产资料的优先增长”相类似的结论。他同时预言，到工业化后期，资本品的生产将在整个经济中占据主导地位。

霍夫曼说：“从一个社会整个生产结构来看，工业化的主要特征是资本品的相对增加以及消费品的相对减少。在这个意义下，工业化可以定义为生产的‘资本化’(在一定的生产过程中，扩大利用资本并加深利用资本)。”④他

① M·埃尔曼：同前引文。

② 章良猷(1985)：同前引书，第 599 页、第 596 页。

③ 关于这一点，林毅夫、蔡昉、李周在《中国的奇迹：发展战略与经济改革》(上海：上海人民出版社、上海三联书店，2003 年)一书中作出了深刻的分析。

④ Walter G. Hoffmann(1931)：*Stadien und Typen der Industrialisierung: Ein Beitrag zur Quantitativen Analyse Historischer Wirtschaftsprozesse*(《工业化的阶段和类型：对经济历史过程的数量分析》). Jena: Verlag von Gustar Fischer, 1931. 其英译本的标题改为 *The Growth of Industrial Economies*。转引自张培刚(1949)：《农业与工业化》，武汉：华中工学院出版社，1984 年，第 105～112 页。

把先行工业化国家的工业化过程划分为四个阶段，在这四个阶段中，消费品工业与资本品工业的比值，即“霍夫曼系数”分别为5(±1)、2.5(±1)、1(±0.5)和1以下。根据霍夫曼掌握的数据，直到20世纪20年代，还没有一个国家达到第四阶段。其中最先进的国家，如美国和英国已经达到第三阶段，霍夫曼系数下降到了1(±0.5)。他由这类国家产业结构在工业化前三个阶段的变化趋势作出预言：这些国家进入工业化的后期阶段时，资本品工业的生产将超越消费品工业的生产，成为整个社会生产结构中的主导产业。

霍夫曼上述工业化后期阶段将是“重工业化阶段”的结论，曾经被一些人称作“霍夫曼定理”或“霍夫曼经验定理”。需要指出的是，这个“霍夫曼定理”并不是一个真正的科学定理，而只是根据西方国家早期增长阶段产业结构变化的经验数据简单外推到后期阶段所得出的结论；或者说，是在过去的变化趋势将会在以后持续下去的假定前提下对未来作出的预言。显然，它只是一个有待证明的假说。

问题在于，西方国家工业化中后期的历史发展并没有证实这一假说(详见本书3.2.1)。

霍夫曼的结论从一开始就受到一些发展经济学家的质疑。库兹涅茨在《现代经济增长》一书中引用日本经济学家盐谷佑一(Yichi Shionoya)的论述[①]，批评霍夫曼关于资本品和消费品的划分不够确切[②]，并且认为：“在美国的经济发展中，看不出存在什么‘霍夫曼定理’，因此，根据美国经验不得不放弃它。”[③]随着西方国家进入不是重工业“优先发展”，而是服务业异军突起的工业化后期，在20世纪60年代以后，除了在讨论工业内部结构问题时偶尔还有人提到霍夫曼的有关看法，霍夫曼的名字就很少在国际论坛上讨论发展经济学的学术论文中被提到了。

不过，在某些发展中国家的特定发展阶段，例如在日本战后初期的“高速增长时期”，人们往往用“霍夫曼定理”来说明重工业在工业中的比例偏高的现象。至于讲到整个国民经济的产业结构，日本经济的“服务化”甚至比美国来得更早(详见本书第3章3.2.1关于日本战后

---

① 盐谷佑一指出，随着对耐用消费品需求的增加，作为消费品的金属材料和化工产品在工业产品中所占比重都上升了。这显然不能解释为资本品比重的上升和消费品比重的下降。

② S·库兹涅茨(1966)：《现代经济增长》，戴睿等译，北京：北京经济学院出版社，1991年，第125页。

③ 转引自杨治：《产业经济学导论》，北京：中国人民大学出版社，1985年，第61页。关于“霍夫曼定理”和对于“霍夫曼定理”的批评，还可以参看方甲主编：《产业结构问题研究》，北京：中国人民大学出版社，1997年，第34～37页。

产业结构变化的讨论)。

虽然"霍夫曼定理"只是一个并未被后来的经验数据证实的假说,但在中国,由于受到一些广为流传的产业经济学和发展经济学教科书的影响,它常常被看作一个分析工业化进程的可靠工具,并在政策辩论中被援引作为论据。这种情况之所以能够发生,也许是因为它的内容恰好与曾在我国处于支配地位的苏联工业化理论和经验有许多共通的地方。

2.1.5 理论概括四:哈罗德-多马增长模型

对先行工业化国家的早期增长模式更一般的概括,是英国经济学家哈罗德(Roy F. Harrod)和波兰裔美国经济学家多马(Evsey D. Domar)分别于1939年和1946年作出,并在发展中国家流行多年的哈罗德-多马增长模型。这一模型大体上可以看作费尔德曼模型的延伸,特别是多马,明显地受到了苏联理论和实践的影响。

哈罗德-多马模型的表达式为:

$$g = i/v$$

其中,g代表增长率,i代表投资率,v代表资本-产出比率。哈罗德-多马模型的一个基本假定,是资本-产出比率v不变。在这样的条件下,一个国家产出总量的大小就取决于资本存量的多少,产出增长的快慢就取决于投资率的高低,投资越多则增长越快。

虽然哈罗德和多马都并不是要提出一种发展理论,但哈罗德-多马模型却被广泛用到了发展中国家政策制定的过程之中。这些国家制定发展计划的通常程序是:先确定一个目标增长率,而后估算"需要"多少投资来达到目标增长率,再制定政策措施来筹集必要的资金。实际上经济增长与投资之间往往并不存在这种稳定的联系。

哈罗德-多马增长模型还有多个变种或派生模型,罗斯托(Walt W. Rostow)的"起飞论"和"双缺口模型"就是其中两个最有名的例子。这类变体往往认为,发展中国家非常贫困,自身的储蓄率难以提高,这样,必要的投资率与国内储蓄率之间就存在缺口,需要发达国家的援助来弥补[①]。

---

① 对于哈罗德-多马增长模型和据此制定的增长政策(包括"起飞"理论和"双缺口模型")的批评,可以参阅曾在世界银行长期任职的伊斯特利(William Easterly, 2002):《在增长的迷雾中求索——经济学家在欠发达国家的探险与失败》,北京:中信出版社,2004年,第26~50页。

罗斯托在1960年出版了《经济增长的阶段》一书，认为发展的关键因素是投资率能否上升到一个临界点（比如说由5%上升到10%）。当投资率到达了这个临界点，经济就"从起飞进入自我持续的经济增长阶段"。罗斯托提出，西方国家可以提供援助来弥补"起飞"所必需的投资。库兹涅茨在1963年指出："在所有案例中，我们都没有发现在经济起飞阶段存在罗斯托教授所假设的净资本形成率增加一倍（或更多）引起国民生产总值增长加速的情况。"[①]由于没有得到经验数据的证实，罗斯托的理论没有被广泛接受。

"双缺口模型"（Two-Gap Model）是由后任世界银行副行长的经济学家钱纳里（Hollis B. Chenery）和经济学家斯特劳特（Alan M. Strout）在1966年提出的。在这个模型中，一个缺口是投资缺口，另一个缺口是贸易缺口。从总供给和总需求恒等条件中，可以推导出投资与储蓄之差（储蓄缺口）等于进口与出口之差（外汇缺口）。这意味着如果一个国家的储蓄不足以满足投资的需求，就要求对外贸易有一个数额相等的赤字与之平衡，即需要从国外引进资本（或外援）。所以，它以哈罗德-多马模型为基础，提供了计算需要引进外资（外援）数量的一个框架。[②]

虽然哈罗德-多马增长模型在20世纪中期因为与经验不符而受到阿布拉莫维茨（Moses Abramovitz）和索洛（Robert M. Solow）的质疑（详见本章2.2），随后为经济学的主流所否定，但是许多发展中国家的领导人始终坚信实现快速增长的秘诀在于努力提高储蓄率和争取外援，以便增加投资；直到90年代，世界银行在工作中也仍然广泛采用"双缺口模型"作为基本的分析工具。这种奇怪的现象使得长期在世界银行工作的经济学家伊斯特利（William Easterly）不禁感叹："50年已经太久！"[③]国内不少发展经济学教科书也依然对哈罗德-多马增长模型和以之为基础的"起飞理论"和"双缺口模型"不加分析地介绍。

---

① S·库兹涅茨（1963）：《关于"起飞"的评注》（"Notes on the Takeoff"），转引自伊斯特利（2002），前引书第30页。

② 参见H. Chenery and A. Strout（1966）："Foreign Assistance and Economic Development"（《外国援助和经济发展》），*American Economic Review*, No. 8, 1966, pp. 679～733。

③ W·伊斯特利及其同事曾经对世界各国的经济增长进行大样本回归分析。研究发现，绝大多数国家前十年的增长率与后十年并没有什么相关性。罗斯托所说的起飞之后就是持续稳定的经济增长的说法也没有什么经验根据。参见William Easterly, Michael Kremer, Lant Pritchett, and Lawrence H. Summers（1993）："Good Policy or Good Luck? Country Growth Performance and Temporary Shocks"（《好政策还是好运气？——国别增长表现与暂时性冲击》），*Journal of Monetary Economics*, Vol. 32 No. 3, pp. 459～483。

2.2 现代经济增长和相关的理论发展

先行工业化国家进入工业化后期阶段以后，马克思关于平均利润率、就业水平和工资水平将趋于下降的预言并没有应验。在发达资本主义国家，平均利润率和失业率都维持在与过去没有太大差别的水平上，平均工资的水平还随着生产的增长而有所提高。“霍夫曼经验定理”关于资本品工业（或重工业）将在发达国家的国民经济中占优势的预言也没有应验。在19世纪后期第二次产业革命发生以后，在先行工业化国家的国民经济中，增长得最快的并不是工业，更不是重工业，而是在20世纪初期还没有被人们看作基本产业部门的服务业。服务业在工业产出还没有占到社会总产出一半时便异军突起，随后超过了工业，成为在总产出中占优势的产业部门。

马克思和其他学者根据先行工业化国家工业化早期经验对工业化后期发展情况作出的预言之所以没有得到应验，并不是由于他们在理论推导上有什么错误，而是由于这种推导的前提——先行工业化国家的经济实现了先前未曾预料到的变化，即在19世纪后期，先行工业化国家的经济增长实现了由主要依靠物质资本的积累和其他资源的投入驱动向主要依靠人力资本的积累和效率的提高驱动的转变。诺贝尔经济学奖获得者库兹涅茨把这个阶段的经济增长命名为“现代经济增长”①。

2.2.1 从早期经济增长到现代经济增长的革命性转变

最先意识到经济增长模式已经发生变化并提出自己关于经济增长的理论模型的经济学家，是1987年诺贝尔经济学奖获得者索洛。他

① 参见S·库兹涅茨(1966)：《现代经济增长》，戴睿、易诚译，北京：北京经济学院出版社，1991年；S·库兹涅茨(1971)：《各国的经济增长》，常勋等译，北京：商务印书馆，1985年；S·库兹涅茨(1973)：《现代经济的增长：发现和反映》，载《现代国外经济学论文选》(第二辑)，北京：商务印书馆，1981年。S·库兹涅茨把向现代经济增长过渡的起点定在第一次产业革命开始的1760年。关于这一点，学术界是有争议的。计量经济史学家麦迪逊(Angus Maddison)认为，现有的证据表明，这个过渡发生在1820年左右(A·麦迪逊(2001)：《世界经济千年史》，伍晓鹰等译，北京：北京大学出版社，2003年，第33页)。不过从S·库兹涅茨所作的经验研究可以看到，即使在他看来，现代经济增长也是到19世纪后期才全面展开的。

从 1956 年开始在多篇文章中对哈罗德-多马增长模型提出了质疑[①]。索洛指出，如果像哈罗德-多马增长模型所假设的，单纯靠增加资本投入实现增长，在其他因素不变的条件下，必然会引起投资报酬递减和增量资本产出率(incremental capital/output ratio，简称 ICOR)的提高，即投资效率的下降。这意味着保持一定的增长率的必要条件在于不断提高投资率。然而，投资率是不可能无限制地提高的。事实上 19 世纪后期以来美国的投资率也没有明显的提高[②]。如果哈罗德-多马模型是正确的，美国的增长率应当趋于下降。但事实并非如此，第二次产业革命发生以后美国的经济增长率较之 19 世纪前半期非但没有下降，还有较大提高。这说明经济增长除投资外，必定有其他的源泉。在这种分析的基础上，索洛认为，这一增长源泉就在于技术进步。

根据这一分析，生产函数就应当写作：

$$Y = A \cdot K^{\alpha} \cdot L^{1-\alpha}$$

其中，Y 代表 GDP 总量，K 代表资本投入，L 代表劳动力投入，α 和$(1-\alpha)$分别代表资本和劳动的生产弹性。增长的源泉除了资本 K 和劳动力 L 的投入之外，还有一个余值 A。索洛把这个余值 A 定义为用全要素生产率(TFP)[③]度量的“技术进步”。这里所说的“技术进步”是一个很宽泛的概念，它不单指工艺改进，而是包括一切在资本、劳动投入不变的条件下引起产出增加的因素，是一般的效率提高[④]，或者说，是 A 这个变量作用的结果，比如人力资本投资和用于研发的无形

---

① R. M. Solow (1956)：“A Contribution to the Theory of Economic Growth”(《关于经济增长理论的文稿》)，*Quarterly Journal of Economics*，70(Feb)：pp. 65～94. R. M. Solow(1957)：“Technical change and Aggregate Production Function”(《技术变化和总生产函数》) *Review of Economic and Statistics*，39 (Aug.) pp. 312～320.

② 美国投资占 GDP 的比重从未超过 1889～1913 年工业高峰时期和二战后 1946～1955 年的重建时期的 20%；德国在 1891～1913 年和 1952～1958 年时期则为 21%；日本的投资率在 20 世纪的 60 和 70 年代的高峰时期达到 32%左右，旋即下降。参见 Weijian Shan(单伟建)：“China Yuan Is Overvalued”《人民币被高估了》，*The Wall Street Journal* (Asua Edition)(《亚洲华尔街日报(亚洲版)》)，2005 年 6 月 23 日。

③ 在根据索洛增长理论改写的生产函数中，不能由劳动、资本等资源投入解释的产出余值，被称为“索洛余值”(Solow Residual)。即用以度量技术进步的全要素生产率(Total Factor Productivity，简称 TFP)。

④ 需要顺便指出，E・多马在读到 R・索洛 1956 年的论文“A Contribution to the Theory of Economic Growth”(《关于经济增长理论的一篇文稿》)后立即响应道：索洛的理论是正确的，而他本人则由于采用了产出与资本存量保持固定比例这一“比较简单的处理办法”并把投资看作增长的唯一源泉而“经常感到内疚”，见多马(1957)：《经济增长理论》，郭家麟译，北京：商务印书馆，1983 年，第 9～10 页。

资本投资起作用的结果。

索洛还运用美国的经验数据对新古典增长模型进行了增长计算检验(growth accounting test)。检验结果证实这一增长模型是可信的。他指出，在1909～1949的40年间，美国每人每小时的产出增长了一倍。其中87.5%来自技术变化，只有12.5%来自资本投入。①

索洛对哈罗德-多马增长模型提出质疑的目的是解释美国的现代经济增长，却由此和另一位美国经济学家T·斯旺(Tom W. Swan)②提出了一个新的增长模型，即新古典外生增长模型，从而纠正了在经济学界流行多年的"资本决定论"谬误，在发展经济学的发展中具有里程碑的意义。

不过，新古典增长模型的问题在于把宏观意义上的技术进步(或一般意义上的效率改进)看作一个外生变量，因而无法解释为什么资本没有从富国流向穷国的趋势，以及为什么某些发展中国家的经济效率并没有与发达国家趋同③。因为按照新古典的外生增长模型，由于资本边际收益递减，资本更为缺乏的发展中国家的资本收益率应高于发达国家，资本的流动方向应当是从富国流向穷国，而实际上，大部分国际贸易和国际投资是发生在富国之间的；而且，既然技术是外生的，后发国家可以借用发达国家的发明，因而，在发达国家出现新的发明或创新的时候，发展中国家的增长率将会提高，而经常发生的情况，却是发达国家的创新并没有缩小发展差距，反而扩大了发达国家与发展中国家之间的鸿沟。正因为索洛模型存在着这样的不足，一些经济学家致力于解释、探索技术进步和效率提高的深层次原因，如诺贝尔经济学奖获得者舒尔茨(Theodore W. Schultz)指出，技术进步来源于人力资本投资，即人的知识积累和技能提高。人力资本和物质资本不同，它乃是递增报酬的重要源泉。因此，专业化、人力资本积累和报酬递增总是和现代经济增长相伴而行的。④

20世纪80年代中期以来，兴起了以罗默(Paul M. Romer)、卢卡

① 索洛对哈罗德-多马模型批评的实际政策含义，可以参看W·伊斯特利(2002)《在增长的迷雾中求索——经济学家在欠发达国家的探索与失败》，姜世明译，北京：中信出版社，2004年。

② T. W. Swan (1956)："Economic Growth and Capital Accumulation"(《经济增长和资本积累》)，*Economic Record*，32(Nov.)：pp. 334～361.

③ W·伊斯特利在前引书中，对新古典外生增长模型的不足以及从新古典外生增长模型到新增长理论的内生增长模型的发展也作了深刻的分析。

④ T·舒尔茨(1951～1988)：《报酬递增的源泉》，姚志勇等译，北京：北京大学出版社，2001年，第15～29页。

斯(Robert E. Lucas, Jr.)为代表的新增长理论(new growth theory),或内生增长理论(endogenous growth theory),试图改进索洛模型,将全要素生产率或一般意义上的效率改进内生化,掀起了近20年增长理论研究的新热潮。

在新增长理论研究热潮中,多种多样的机制因素被引入到增长模型中,如罗默在生产函数中引入了知识(idea,或译思想)因素,由于知识的特殊性质使技术发明具有的正外部性(positive externalities)①,整个经济出现生产规模报酬递增的结果;他还通过引入一个研究与开发(R&D)部门来解释技术进步的内生来源②;卢卡斯则用人力资本的外部性来解决新古典增长模型中需要用人均资本存量差异才能解释的国别收入差异的问题,认为"从传统农业经济向现代经济增长转型的关键在于人力资本积累率的提高"③。

内生经济增长理论将技术进步看作是内生的,并试图用内生的因素,如制度环境等解释为什么有的国家富裕,有的国家贫困的问题,这促进了增长理论与发展经济学的统一,也更为逼近发展中国家的现实④。过去的增长理论认为,由于发展中国家与发达国家之间的技术落差,发展中国家可以简单地"拿来"外来技术加以应用,因而具有后发技术优势;但是按照内生增长理论,则发展中国家能否应用新技术的影响因素要复杂得多。只有建立起有利于技术引进、消化、吸收和改进的激励机制,这种后发优势才能实现;否则,无论"中学为体、西学为用",还是"洋为中用",新技术都难以在本土扎根,自主技术创新更无从谈起,反而会形成对国外技术的依赖和"重复引进"的局面。

在推进理论研究的同时,经济学家们做了大量的经验研究,检验不同的内生理论模型的可靠性。在这种研究中,他们发现与经济增长有关的因素非常多,从人力资本到研发投资,从通货膨胀到财政赤字,还有开放程度、金融发展、政治稳定等等。从总体上说,并不存在经济

---

① 当某一经济活动的当事人(个人或企业)只得到该项活动所创造的部分收益,或者说该项活动的社会收益大于当事人本身的收益时,我们就可以认为,这种经济活动具有正的外部性。

② P. Romer (1986): "Increasing Returns and Long Run Growth"(《报酬递增与长期增长》), *Journal of Political Economy*, October 1986; P. Romer (1990): "Endogenous Technological Change"(《内生的技术变革》), *Journal of Political Economy*, October 1990。

③ R·卢卡斯(2002):《经济发展讲座》,罗汉、应洪基译,南京:江苏人民出版社,2003年,第16页。该书收录了卢卡斯有关经济增长的主要论文。

④ 以往研究发达国家增长经历的研究称为增长理论,研究发展中国家经济发展的学科是发展经济学。

增长的简单决定因素，但有一点可以肯定，即制度（比如市场、产权和法治）是至关重要的①。至于如何让穷国克服发展道路上的制度障碍、实现成功的经济增长，“还需要有更亮的指路明灯”②。

2.2.2 现代经济增长

运用新观念对美国经济进行增长核算的先驱是美国经济学家阿布拉莫维茨(Moses Abramovitz)。他把美国从19世纪初期到20世纪末期将近200年的经济增长分为5个时段，分别计算了它们的经济增长来源（见表2.1）。其中，第1时段（1800～1855）可以叫做“向初级工业化转变阶段”，这个阶段的增长主要依靠劳动投入增加；第2时段（1855～1890）可以叫做“向高级工业化转变的早期工业化阶段”，这个阶段的经济增长主要以资本深化为基础，而不是以技术进步为基础，全要素生产率的贡献只占36%；第3和第4时段（1890～1966）可以叫做“高级工业化阶段”，其间的经济增长主要以效率提高为基础，全要素生产率的贡献分别提高到70%和78%。

表2.1 美国增长源泉的核算

	资本收入份额 β (1)	年均增长(%)				全要素生产率的贡献(%) (6)=(5)/(2)
		劳动生产率 $G(Y/L)$ (2)	资本劳动比率 $G(K/L)$ (3)	资本的贡献 $\beta G(K/L)$ (4)=(1)×(3)	全要素生产率 $G(A)$ (5)=(2)−(4)	
1. 1800～1855	0.34	0.4	0.6	0.2	0.2	50
2. 1855～1890	0.45	1.1	1.5	0.7	0.4	36
3. 1890～1927	0.46	2.0	1.3	0.6	1.4	70
4. 1929～1966	0.35	2.7	1.7	0.6	2.1	78
5. 1966～1989	0.35	1.4	1.8	0.6	0.8	57

注：*Y*：私营的GDP
L：工作小时
K：固定资产总值
资料来源：M. Abramovitz (1993)：“The Search of the Sources of Growth：Area of Ignorance, Old and New”（“对增长源泉的探寻：被忽略了的旧领域和新领域”），*Journal of Economic History*，转引自速水佑次郎(1998)：《发展经济学——从贫困到富裕》，北京：社会科学文献出版社，2003年，第143页。

---

① X·萨拉-伊-马丁(Xavier Sala-i-Martin, 2001)：《15年来的新经济增长理论：我们学到了什么？》，黄少卿译，《比较》第19辑，北京：中信出版社，2005年，第133页。

② P·巴丹(Pranab Bardhan, 2004)：《强大但有限的发展理论》，吴素萍译，《比较》第18辑，北京：中信出版社，2005年，第88页。

另一位诺贝尔经济学奖获得者萨缪尔森在对美国经济数据进行分析后指出，在1900～1984年美国每年人均2.2%的增长率中，只有0.5%是由资本深化带来，而1.7%来源于效率提高。他说，在现代经济增长中，随着效率的提高，用同样多的资源投入将可以生产出更多的产品，这阻止了利润率的下降，同时提高了工资水平。“在收益递减和技术进步之间展开的竞赛中，技术以数步之遥取得胜利。”①

运用新古典增长模式进行增长核算的集大成者是库兹涅茨。他在对西欧和北美主要工业化国家迄20世纪中叶为止的50～100年的经验数据进行分析以后发现，快速经济增长是一种名副其实的现代现象，并且指出，现代经济增长主要建立在先进技术以及相应的制度和思想意识调整的基础上。

库兹涅茨对主要工业化国家大量经验数据分析的结果是：在现代经济增长中，人均国民收入的年均增长率约为1.5%；其中，资本对人均收入的贡献约为0.25%，人均工时减少的影响为−0.23%，生产率提高的贡献则约为1.3%②。他由此得出的基本结论是：和早期经济增长主要依赖于资源、特别是资本投入不同，在作为现代经济增长的显著特征——高增长中，“投入的贡献只占有限的一小部分”，“绝大部分应归因于生产率的高增长率”③。

表2.2 若干发达国家的产出、投入和生产率的增长率

	年平均增长率(%)							
	产出* (1)	劳动** (2)	资本*** (3)	总投入(4)	全要素生产率(5)=(1)−(4)	人均产出(6)	劳动生产率(7)=(1)−(2)	全要素生产率的贡献(%)(8)=(5)/(7)
英国(GDP)								
1855～1913	1.8	0.7	1.4	1.0	0.8	0.9	1.1	73
1925/29～1963	1.9	0.8	1.8	1.1	0.8	1.4	1.1	73
法国(GDP)								
1913～1966	2.3	0.5	2.0	0.2	2.1	1.9	2.8	75

① P·萨缪尔森、W·诺德豪斯：《经济学》(第12版)，高鸿业等译，北京：中国发展出版社，1992年，第1328页。

② S·库兹涅茨(1966)：《现代经济增长》，戴睿、易诚译，北京：北京经济学院出版社，1991年，第70～75页。

③ S·库兹涅茨(1971)：《各国的经济增长：总产值和生产结构》，常勋等译，北京：商务印书馆，1985年，第76～79页。

续 表

	年平均增长率(%)							
	产出* (1)	劳动** (2)	资本*** (3)	总投入(4)	全要素生产率(5)=(1)−(4)	人均产出(6)	劳动生产率(7)=(1)−(2)	全要素生产率的贡献(%)(8)=(5)/(7)
挪威(GDP)								
1879～1899	1.7	0.7	1.9	0.9	0.8	0.9	1.0	80
1899～1956	2.8	0.3	2.5	0.7	2.1	2.0	2.5	84
加拿大(GNP)								
1891～1926	3.0	1.8	2.7	2.0	0.9	1.0	1.2	75
1926～1957	3.9	0.8	2.9	1.2	2.7	2.1	3.1	87
美国(GNP)								
1889～1929	3.7	1.7	3.8	2.4	1.2	2.0	2.0	60
1929～1957	2.9	0.5	1.0	0.6	2.3	1.7	2.4	96

注：*：左栏括号内的 GDP 或 GNP 即为产出的定义
　　**：工作小时
　　***：生产性成本
资料来源：库兹涅茨(1971)：《各国的经济增长：总产值和生产结构》，转引自速水佑次郎(1998)：《发展经济学——从贫困到富裕》，北京：社会科学文献出版社，2003 年，第 141 页。

日本经济学家速水佑次郎按照阿布拉莫维茨的方法对日本经济发展中各种因素的贡献做了计算，其结果与美国的情况相类似。只不过由于日本属于工业化的“第三梯队”，进入工业化后期的时间有所后延(见表 2.3)。

表 2.3　日本增长源泉的核算

	资本的收入份额 β (1)	年均增长(%)				全要素生产率的贡献(%) (6)=(5)/(2)
		劳动生产率 $G(Y/L)$ (2)	资本劳动比率 $G(K/L)$ (3)	资本的贡献 $\beta G(K/L)$ (4)=(1)×(3)	全要素生产率 $G(A)$ (5)=(2)−(4)	
1. 1888～1900	0.33	2.1	5.7	1.9	0.2	10
2. 1900～1920	0.39	2.7	6.1	2.4	0.3	11
3. 1920～1937	0.43	2.3	2.8	1.2	1.1	48
4. 1958～1970	0.33	8.2	11.6	3.8	4.4	54

注：Y：非农私营 GDP
　　L：工作小时
　　K：生产性资产(用利用率调整)
资料来源：Hayami and Ogasahara(1999)：“Changes in the Sources of Modern Economic Growth: Japan Compared with the U. S.”(《现代经济增长源泉的转变：日美比较》)，*Journal of Japanese and International Economics*，13(March)：pp. 1～21，转引自速水佑次郎(1998)：《发展经济学——从贫困到富裕》，北京：社会科学文献出版社，2003 年，第 143 页。

表 2.3 表明，日本在工业化开始前的 1888～1900 年，全要素生产率的提高只能解释劳动生产率提高，即人均产出（Y/L）增长的 10%，其余的人均产出增长主要靠劳动力投入的增加获得；在 1900～1920 年的早期增长阶段，在人均产出的增长中也只有 11%可以由全要素生产率的提高解释，其余的 89%都是资本深化的贡献；到了 1920～1937 年和 1958～1970 年的现代经济增长阶段，全要素生产率的贡献率上升到人均产出增长的一半左右。日本在现代经济增长中全要素生产率的贡献比率明显地低于美国工业化后期的 78%，可能反映了东亚新兴工业化经济（NIEs）的一种通病，这就是即使在工业化的中后期，它们的增长也较多地依靠了资本投入。①

2.2.3 从经济增长模式的转变看新型工业化道路

在作了以上的讨论以后，我们可以把英、美等先行工业化国家增长模式以及与之相关的增长理论整理成一张简表（见表 2.4）。这里需要特别指出的是，不同阶段的明确分期只是为了使问题变得更清晰；实际上，不同模式之间的转变往往有一个相当长的过渡时期，很难用某一具体的年份来截然分开。比如，信息通信技术革命实际上在 20 世纪 50 年代已经有重大突破，但进入信息时代的时间，要更晚二三十年。

表 2.4 先行工业化国家的经济增长阶段和相关的增长理论

时　间	增长阶段	主要内容	驱动因素	主导产业	增长理论
1770（以前）	（1）"起飞"前阶段	对自然资源的开发	更多自然资源投入	农业	"马尔萨斯陷阱"
约 1770～1870	（2）早期经济增长	大机器工业代替手工劳动	资本积累	重化工业	哈罗德-多马增长模型
约 1870～1970	（3）现代经济增长	效率提高	技术进步	与服务业一体化的制造业及农业	索洛的新古典外生增长模型
1970（以后）	（4）信息时代	用信息通信技术改造国民经济	信息化	渗透到各个产业的信息通信产业	新增长理论的内生增长模型

① 速水佑次郎（1998）：《发展经济学——从贫困到富裕》，李周译，北京：社会科学文献出版社，2003 年，第 151 页。

从表 2.4 所表现的历史过程可以看到，英、美等先行工业化国家在第一次产业革命启动以后不久，就开始了从早期增长向现代经济增长的过渡，并在 19 世纪后期的第二次产业革命的支持下全面进入现代经济增长阶段①。在现代经济增长中，先行工业化国家不再主要依靠资本等资源的投入，而是走上了依靠效率提高的增长道路。这样，"工业化"(industrialization)的内容，也不再限于狭义的工业化，即"使工业产值在工农业总产值中占优势地位"，"实现由农业国到工业国的转变"，而是通过包括农业和服务业在内的各个产业的技术进步和效率提高实现全面发展。

从"工业化道路"的意义上说，就应当认为，当一个国家实现从早期经济增长模式到现代经济增长模式的革命性转变，就意味着这个国家走上了一条有别于传统工业化道路的新型工业化道路②。在前一段的讨论中，有的学者不是这样来理解新型工业化道路的。由于他们完全看漏了继早期经济增长而起的、长达一百多年的现代经济增长阶段，于是提出了是重化工业还是信息化二者择一的问题③，好像只要中国还没有条件全面实现信息化，就只有实行"重化工业化"这一条出路。据此，有些作者把"走新型工业化道路"解释为"走重化工业道路"；也有的作者对不赞成中国应当走"重化工业道路"的人们作出了"沉迷在知识经济的梦幻中"的讥评④。

2.3　早期增长模式和旧型工业化道路的陷阱

尽管先行工业化国家已经由早期经济增长模式转型为现代经济增长模式，但根据其早期经济增长经验而概括出来的生产资料优先增长规律和哈罗德-多马模型却被前计划经济国家和一些发展中国家用作制定发展政策的分析工具。即使过往的理论与后来的经验并不一致，却依然在极大的范围内持久地被援引和使用。

---

① 我们在本章 2.2 中曾经提到，对于早期经济增长何时开始向现代经济增长过渡，学术界存在不同的看法。S·库兹涅茨把它定在 1760 年前后，A·麦迪逊则把它定在 1820 年左右；但对于现代经济增长在 19 世纪后期全面展开，学术界似乎并没有不同意见。

② 我们在本书第 3 章中还要谈到"新型工业化道路"的第二重含义，即"用信息化带动工业化"。

③ 参见《不要自以为可以回避重化工业发展阶段》，《中国信息界》杂志，2005 年 1 月，总第 41 期；同见《路径选择：重化工业还是信息化》，浙商网，http//www.zjsr.com，2005 年 3 月 24 日。

④ 《成为新一轮国际产业转移地首选地——中国经济重工业化》，《香港商报》，2004 年 2 月 26 日。

其后果也是令人遗憾的。这些计划经济国家和发展中国家长期陷入了早期经济增长模式和旧型工业化道路的陷阱中不能自拔，甚至如苏联那样，即使在 20 世纪 60 年代意识到了这种增长方式的落后性质，但要转型也并不容易。这种“苏联现象”说明，不管有多么强烈的“转变增长方式”的愿望，如果没有基本制度的适应性变革，这种转变是无法实现的。

2.3.1 “苏联现象”和“社会主义工业化路线”

在斯大林“积累是扩大再生产的唯一源泉”的思想[①]以及“优先发展重工业”的工业化路线指导下，苏联从第一个五年计划（1928～1932）开始的经济发展是按照先行工业化国家的早期增长模式进行的；或者像速水佑次郎所说，“苏联的经济计划可以认为是在政府指令下最大限度地积累资本以推动经济的极端情形”[②]。根据苏联经济学家阿甘别疆（Abel Aganbegian）院士的研究，这种推动的结果是资本—劳动比率的增长大大高于发达的市场经济国家，也意味着 ICOR 有很大的提高（投资报酬递减）[③]。

苏共领导和苏联经济学家在 20 世纪 60 年代后期对这种情况进行了研究，他们得出结论，苏联在同发达的市场经济国家的经济竞赛中处于劣势的根本原因在于：苏联的经济增长主要来源于资源投入的增加，而不是像发达的市场经济国家那样，来源于效率的提高。于是，他们把基于投入增加的增长称为外延增长（又译粗放增长），而把基于效率提高的增长称为内涵增长（又译集约增长），认为出路在于从前一种增长方式转变为后一种增长方式。

但是，由于苏联领导人不敢触及实现这种转变的两个根本性的障碍：一是作为苏联社会主义基本制度之一的计划经济制度，一是“优先发展重工业的社会主义工业化路线”，只好靠增加科学和技术投资的

---

① 斯大林在《苏联社会主义经济问题》这本政治经济学著作中，把“积累是扩大再生产的唯一源泉”说成是“马克思主义再生产理论”的 6 条“基本原理”之一（见斯大林（1952）：《苏联社会主义经济问题》，《斯大林文集》下卷，北京：人民出版社，1979 年，第 600 页）。从他的这一论断看，斯大林坚信投资（积累）乃是增长（扩大再生产）的“唯一源泉”。

② 速水佑次郎（1998）：《发展经济学——从贫困到富裕》，李周译，北京：社会科学文献出版社，2003 年，第 147～148 页。

③ 参见 A. Hewett (1988): *Reforming the Soviet Economy*（《苏联经济改革》），Washington, D. C.: Brookings Institute, pp. 72～76.

办法去推动技术进步。在这方面，苏联政府作出了大量的努力。20 世纪 60 年代和 70 年代苏联的研究开发支出占国民收入的比率超过了 4%，显著高于发达市场经济国家的 2%～3%，科学家和工程师的人数也比美国多①，但直到 1991 年苏联解体，由外延增长到内涵增长转变的任务仍然未能完成②。

表 2.5 是根据阿甘别疆院士提供的数字计算出来的。从表中可以看到，1970 年以前苏联全要素生产率对产出增长的贡献与资本主义国家早期增长阶段的情况相似，约在 10%～23%之间。但是由于苏联从早期经济增长模式（“外延增长”）到现代经济增长模式（“内涵增长”）的转化没有取得进展，经济增长率在 20 年的时间里从 5%下降到 2.7%；同时，经济增长愈来愈依靠自然资源和资本投入的增加，1970 年以后全要素生产率（TFP）急剧地跌落到负值。

表 2.5 苏联投入、产出和效率指标 （平均年率%）

	1961～1965	1966～1970	1971～1975	1976～1980	1981～1984	权重
国民生产总值增长	5.0	5.3	3.7	2.6	2.7	
全部生产投入增长	4.5	4.1	4.2	3.5	3.0	
其中：						
劳动（人时）	1.6	2.0	1.7	1.1	0.8	0.56
资本	8.8	7.4	8.0	6.9	6.3	0.41
土地（自然资源）	0.6	−0.3	0.8	−0.1	−0.2	0.03
全要素生产率提高	0.5	1.2	−0.5	−0.9	−0.3	
其中：						
劳动	3.4	3.2	2.0	1.5	1.9	
资本	−3.5	−2.0	−4.0	−4.0	3.4	
土地	4.4	5.6	2.9	2.7	2.8	
效率提高在增长中的贡献	10.00	0.23	−0.14	−0.35	−0.11	

资料来源：A. Hewett (1988)：*Reforming the Soviet Economy*（《苏联经济改革》），Washington, D. C.：Brookings Institute, p. 74，转引自吴敬琏(1995)：《关于“经济增长方式”及其转变》，见《吴敬琏自选集》，太原：山西人民出版社，2003 年，第 260 页。

① 林毅夫(2003)：《〈发展经济学——从贫困到富裕〉序言一》，见速水佑次郎(1998)：《发展经济学——从贫困到富裕》，北京：社会科学文献出版社，2003 年，第 11 页脚注。

② 吴敬琏(1995)：《关于“经济增长方式”及其转变》，见《吴敬琏自选集》，太原：山西人民出版社，2003 年，第 256～260 页。

早期增长模式和社会主义国家传统工业化道路的不可持续性在苏联经济中得到了充分的体现。而且即使在苏联领导人意识到这个问题之后,不触动体制上和增长模式上的根源,只靠研究开发投入的增加,虽然在少数领域(如人造卫星等)取得了世界性成就,但总体上却一直缺乏技术进步和效率改进,无法实现经济增长模式转变的目标。

2.3.2 新兴工业化经济(NIEs):从“奇迹”到危机

先行工业化国家的早期经济增长模式和苏联的社会主义工业化实践对于许多发展中国家也有较大的影响。这些国家在进入工业化中期以后能不能成功地实现由早期经济增长模式到现代经济增长模式、由依靠资本投入增加到依靠效率提高的转型,就成为它们的经济能否继续实现平稳较快增长的关键。对东亚新兴工业化国家来说,也同样如此。

20 世纪 70 年代日本的兴起和 80 年代新加坡、韩国和中国香港、台湾加入新兴工业化经济(NIEs)的行列,这给人们留下了深刻印象,并常常被称为“亚洲奇迹”。1993 年,世界银行发表了耗资数百万美元的研究项目主报告《东亚奇迹:经济增长和公共政策》和一系列分报告,对日本、中国香港、韩国、新加坡、中国台湾、印度尼西亚、马来西亚、泰国等八个“亚洲高绩效经济”(high performance Asian economies,简称 HPAEs)的发展经验进行了全面总结,将对“东亚奇迹”的讨论推向了高潮[①]。

正当世人争说“东亚奇迹”的时候,美国麻省理工学院教授克鲁格曼(Paul R. Krugman)于 1994 年根据刘遵义(Laurence Lau)和杨(Alwyn Young)对于东亚地区增长源泉的计算指出,东亚的经济增长可以完全归因于劳动和资本等生产要素投入的增加,而不是生产率的提高,所以也就谈不上是什么“奇迹”。

表 2.6 就来自刘遵义的一篇论文。从中可以看出,上述新兴工业化经济的增长率确实很高,但与此同时,投入品的增长也相对几个发达国家要高。这就意味着在它们的经济增长中,效率提高的贡献很小,甚至是负数。

---

① 参见世界银行(1993):《东亚奇迹:经济增长和公共政策》,财政部世界银行业务司译,北京:中国财政经济出版社,1995 年。对“东亚奇迹”讨论的评述,见吴敬琏(1995):《“东亚奇迹”的政策根源和克鲁格曼教授的挑战》,载《何处寻求大智慧》,北京:三联书店,1997 年。

表 2.6 产出和度量投入的年均增长率 (年率%)

	时期	GDP	资本存量	利用的资本	就业	劳动小时	人力资本	R&D 资本
中国香港	1966～1990	7.8	9.0	8.7	2.9	2.6	2.3	—
新加坡	1965～1990	9.0	10.4	11.3	4.4	4.3	3.4	15.9
韩国	1964～1990	9.0	13.0	13.0	3.2	3.8	3.7	14.6
中国台湾	1964～1990	9.0	12.1	12.2	3.2	2.9	2.4	14.5
日本	1964～1992	5.5	8.0	8.1	1.2	0.5	0.8	8.9
法国	1964～1991	3.2	5.2	5.2	0.5	−0.3	1.3	5.0
西德	1965～1991	3.0	4.4	4.4	0.0	−0.6	1.1	5.7
英国	1965～1991	2.1	3.8	3.7	0.3	−0.3	0.9	2.1
美国	1949～1992	3.0	3.1	3.2	1.6	1.5	0.8	6.1

资料来源：刘遵义(1997)：《东亚经济增长的源泉与展望》，载《数量经济技术经济研究》，1997 年第 10 期，第 90 页，表 1。

在表 2.6 数据的基础上，刘遵义计算出来的各因素对经济增长的相对贡献(表 2.7)表明，对亚洲新兴工业化经济来说，物质资本对经济增长的贡献为 68%～85%，劳动力则贡献了其余的部分，效率改进和技术进步对经济增长的贡献不显著。①

表 2.7 经济增长源泉的相对贡献 (年率%)

	有形资本	劳动力	技术进步
中国香港	74	26	0
新加坡	68	32	0
韩 国	80	20	0
中国台湾	85	15	0
日 本	56	5	39
非亚洲工业化经济	36	6	59

资料来源：刘遵义(1997)：《东亚经济增长的源泉与展望》，载《数量经济技术经济研究》，1997 年第 10 期，第 90 页，表 2。

① 按照刘遵义 1996 年的研究，中国增长的各要素贡献率为资本 92.2%，劳动力的贡献率为 9.2%，技术进步则为−1.4%；日本分别为 62.9%，4.7%，32.4%；新加坡 60%，20.9%，19.1%；法国 37.8%，−3.35%，63.55%；美国为 32.95%，26.2%，40.9%。中国还处在克鲁格曼所说的“流汗”，即靠资源投入增加维持高增长率的增长道路上。见《香港中文大学校长：汇率报复案不合理也不合法》，2005 年 4 月 20 日，http://business.sohu.com/20050420/n225260057.shtml。

刘遵义指出，产出增长完全能够由投入来解释并不仅限于新兴工业化经济，早期的日本、美国等工业化经济也存在类似现象，这不过说明在经济发展的早期阶段有形资本的积累和它的有效配置对经济增长的中心作用。这里，他特别强调，仅仅靠资本积累是不够的，极为重要的是资本的有效配置。在他看来，虽然以投入为基础的增长最终确实是有极限的，但新兴工业化经济基于投入的经济增长还会有很长一段时间。同时，他特别指出，东亚经验进一步证实了物质资本与反映物质资本的投资效果的技术进步是互补的，物质资本越多，则无形资本的作用越大。因此一个经济在由发展中状态向发达状态过渡时，无形资本的重要性将越来越大，而且这很可能就是东亚新兴工业化经济的道路。最后，他认为东亚的持续增长取决于三个条件：一是保持物质资本的增长，鼓励和促进储蓄和投资，包括低税率，控制通货膨胀，维护要素流动以及基础设施；二是保持物质资本投资的有效性，维护贸易和市场竞争，维护法治，消除市场失效的情况，对于那些非贸易部门，如很多服务行业，需要特别注意加强这方面的工作；三是缩小无形资本的差距，仅仅是有形的物质资本投资无法维持经济增长速度，这些经济体需要扩大人力资本和研究开发投资，研究开发和科学、技术政策可以作为非选择性的产业政策手段。事实上，与其他的发展中国家相比，新兴工业化经济的竞争优势不在于廉价的劳动力，而在于正在积累的和不断更新的无形资本。①

克鲁格曼的研究建立在刘遵义等人论文的基础上，但他的看法与刘遵义有所不同。在他看来，既然一些东亚经济的高增长率主要来自高额资本积累（克鲁格曼称之为“流汗”），而不是技术进步（克鲁格曼称之为“灵感”），它们虽然能在一定时期中保持极高的增长率，却不可避免或迟或早地出现投资报酬递减和增量资本产出率（ICOR）递增的问题。

所以，他在文章里干脆将东亚新兴工业化经济与苏联计划经济体制时期的经济增长相提并论，认为这种增长模式面临的问题与苏联计划经济下的外延经济增长模式如出一辙，最终会与苏联经济一样出现

---

① 刘遵义（1997）：《东亚经济增长的源泉与展望》，《数量经济技术经济研究》，1997 年第 10 期，第 88～97 页。该文的索引给出了有关新兴工业化经济生产率度量的最基本文献。

增长率下滑，所谓的“奇迹”不过是“纸老虎”而已。①

正像P·克鲁格曼后来总结的，东亚地区被世界银行的《东亚奇迹》研究报告称作“亚洲高绩效经济”(HPAEs)，然而这些经济体中的大部分虽然实现了高增长，但是几乎没有任何生产率的提高。即使根据该研究报告的计算，1960～1990年间它们的全要素生产率增长也是很低的(见表2.8)。截止到1997年，马来西亚要将GDP的40%用于投资，新加坡也要将GDP的40%～45%用于投资，才能维持较高的增长率；在整个东亚地区，ICOR达到5倍的高水平。由于资本等资源的有限性，这种模式下的高速增长肯定是不可持续的，相关经济从高峰落入低谷则不可避免。②

表2.8 1960～1990年东亚高绩效经济的全要素生产率增长 (%)

中国香港	日本	中国台湾	泰国	印度尼西亚	马来西亚	新加坡
2.41	1.43	1.28	0.55	0.80	−1.34	−3.01

资料来源：世界银行，1993年。

时隔不久，1997年亚洲金融危机的灾难降临，这表明克鲁格曼确有某些先见之明。③ 而发展经济学界对“东亚奇迹”的讨论热潮很快消退，经济学家们谈到东亚的时候，重点开始转向了裙带资本主义之类的体制弊端；而一些当年“东亚奇迹”的支持者们，则不得不在发表《东亚奇迹：经济增长和公共政策》7年之后，对“东亚奇迹”重新加以检讨。④

① 以上均见P·克鲁格曼(1994)：“The Myth of Asia's Miracle”(《东亚奇迹的神话》)，*Foreign Affairs*，V. 73，10～12月号，第62～78页。更为通俗的表述见克鲁格曼(1994)：《兜售繁荣：期望低谷时期的经济意识和空谈》，胡苏云等译，成都：四川人民出版社，1999年。

② P·克鲁格曼(1999)：《萧条经济学的回归》，朱文晖等译，北京：中国人民大学出版社，1999年，第62～78页。

③ P·克鲁格曼(1994)：“The Myth of Asia's Miracle”(《东亚奇迹的神话》)，*Foreign Affairs*，V. 73，10～12月号，第62～78页。

④ J·斯蒂格利茨、沙希德·尤素福编(2000)：《东亚奇迹的反思》，王玉清、朱文晖等译，北京：中国人民大学出版社，2003年。

专栏2.2

东亚金融危机

二战以后，日本经济从废墟中崛起，创造了30余年持续高速增长，到20世纪90年代初其经济实力达到了顶峰。韩国、新加坡、中国台湾和香港等亚洲“四小龙”（也称为“四小虎”）也紧紧跟上，以骄人的增长速度在全世界领先，在90年代初期跨入“新兴工业化经济”(newly industrialized economies，简称NIEs)。

正在举世争说“东亚奇迹”，韩国也在1996年加入所谓“富国俱乐部”——经济合作与发展组织(OECD)的时候，也有冷静的经济学家对东亚经济潜在的危险发出了警告。美国经济学家P·克鲁格曼在《外交》季刊(*Foreign Affairs*)1994年11/12月号上发表题为《亚洲奇迹的神话》的论文，认为东亚并没有创造什么“奇迹”，它们的快速发展，所依靠的不外是国内高额储蓄所提供的投资加上大量人口从农村转到城市所提供的劳动力，而不是依靠生产率的提高。因此，其增长速度注定会跌落下来。

而这些警告并没有引起人们的正面响应，甚至被看作是对东亚地区的恶意攻击。就在1995年和1996年东亚经济连续两年高增长，人们对克鲁格曼的警告已经淡忘时，一场持续时间长、波及面广、危害大的金融危机于1997年7月突然爆发，东南亚许多国家和地区陷入了支付困难、金融机构倒闭、股市狂泻、资产缩水、经济衰退的泥潭。

这场危机1997年7月2日从泰国开始，当日泰国在国际支付发生困难的压力下，被迫宣布泰铢与美元脱钩后，泰铢在一日之内狂跌20%。金融危机迅速扩展到东盟各国，再扩展到整个东南亚，进而波及世界金融市场。当年，不仅泰铢、印度尼西亚卢比(盾)、马来西亚林吉特等东南亚货币都深度贬值。同期，这些国家和地区的股市跌幅达30%～60%。据估算，在这次金融危机中，仅汇市、股市下跌造成的产值损失达1000亿美元以上。

在金融危机的冲击下，东亚经济的增长率下降，进入长时期的停滞。同时，大批外资从该地区撤出，造成了长远的影响，甚至导致一些国家发生政治危机。

在东亚金融危机爆发后，相关国家银行体系因为出现巨大黑洞而面临崩溃。为了维持金融体系的运转，这些国家的政府不得不出巨资救援本国的银行。日本(1992～1998)、韩国(1997～2000)和印度尼西亚(1997～2000)等国为挽救银行而形成的财政损失，分别为其国内生产总值(GDP)的21.5%、14.7%和55%。

国际金融市场也受到东亚经济危机的影响而急剧波动。直到1998年初，危机持续恶化的势头才初步被遏制。

这场危机的发生绝不是偶然的，它是由一系列因素共同促成的。政府主导的过度投资和产能扩张，是造成金融风险积累直至最后一发而不可收拾的重要原因之一（对于东亚金融危机的另一个重要原因——出口导向政策的长期延续的分析，见本书第5章）。

根据F·戴尔海斯(Philippe F. Delhaise)：《危机中的亚洲——解析亚洲银行及金融体系》(北京：宇航出版社，1999年)和其他材料编写。

东亚新兴工业化经济的经历表明，依靠资源和资本投入驱动的经济增长是无法长期持续的。对于已经取得了相当成就的经济而言，要维持高速经济增长，必须更多地依靠提高资源配置效率和各类创新活动；或者用速水佑次郎的话说，东亚经济能否保持持续增长的势头，取决于它们是否能够实现由早期经济增长模式到现代经济增长模式的转变。①

① 速水佑次郎(1998)：《发展经济学——从贫困到富裕》，李周译，北京：社会科学文献出版社，2003年，第147～165页。

3

现代经济增长中效率提高的源泉

服务业的发展不但能够降低加工成本,更重要的是它能够降低交易成本。随着分工的深化和交易成本在社会总成本中比重的提高,服务业对于降低社会总成本的作用愈来愈突出,建立强大有效的服务业就成为改善社会整体经济效率的基本手段。

在明确了先行工业化国家的现代经济增长主要不是由物质资本的积累驱动，而是由技术进步和效率提高驱动之后，接下来的问题就是：它们是怎样实现技术进步和效率提高的？对中国这样的发展中国家来说，讨论这一问题较之上一章的分析更具现实意义。因为，只有研究清楚先行工业化国家是怎样在经济发展水平还相当低，甚至低于不少现在的发展中国家的条件下实现这一切的，才能消除发展中国家不能靠技术进步和效率提高实现持续较快增长的保守思维，增强自己的信心；同时也才能够汲取别人的经验教训，更有效地促进自己的经济和社会发展，更快地实现工业化和现代化。

根据 20 世纪 50 年代以来众多经济学家的研究，先行工业化国家 19 世纪后期以来效率提高的源泉主要是以下三个：(1)“与科学相关的技术”的广泛应用；(2)服务业的迅速发展；(3)信息通信技术向国民经济各部门渗透，改造这些部门的生产经营流程，使它们的效率得到提高。这些源泉的开发，使经济增长越来越多地建立在效率提高的基础上。

3.1 “与科学相关的技术”的广泛应用[①]

在探究现代经济增长中效率提高(“技术进步”)的源泉时，经济学家首先把目光投向 19 世纪中期以后“基于科学的技术”(the science-based technology)的贡献。诺贝尔经济学奖获得者库兹涅茨指出：“从 19 世纪后半叶开始，发达国家经济增长的主要源泉始终是基于科学的技术”；“标志着现代经济时代的划时代创新，在于科学被广泛地应用于解决经济生产领域的问题”。[②] 鉴于新技术的来源不仅仅是科学，而且技术进展往往也对科学的内容和探索方式造成重大影响，后

① 本节与范世涛合写。

② S·库兹涅茨(1966)：《现代经济增长》，戴睿、易诚译，北京：北京经济学院出版社，1991 年，第 7～8 页。

来的经济学家更愿意使用“与科学相关的技术”(the science-related technology)这一概念来描述“现代技术”的突出特点。[①]

本节从厘清科学与技术之间的关系开始,讨论现代技术,即与科学相关的技术兴起的过程,然后讲科学飞速进步和技术创新活动愈益活跃的关键原因,即科学研究和技术创新活动的制度化;最后,对先行工业化国家早期经济增长阶段和现代增长阶段各自具有代表性的通用目的技术(general purpose technology, 简称 GPT)的贡献作了比较分析。

3.1.1 现代技术(与科学相关的技术)的兴起

“科技”是当代汉语中使用频率很高的词汇,如科技园、高科技、科技进步、科技管理、科技创新、科技体制改革等等。李约瑟(Joseph Needham)主持编撰的多卷本巨著《中国的科学和文明》(*Science and Civilisation in China*)在中国也被译为《中国科学技术史》或《中国科技史》。甚至有人根据哈贝马斯(J. Jürgen Habermas)“作为意识形态的技术与科学”[②]的某些中文译文将“技术与科学”译为“科技”,说他提出了“科技是第一生产力”的理论。作为“科学技术”或“科学和技术”缩略语,“科技”一词的流行使人很少思考科学与技术在来源、内容和激励机制上的区别,也很少考虑科学领域的规则与技术领域的规则并不相同。

这种习惯实际上是近期才形成的。在 1949 年以前,虽然偶尔也会在汉语文献中见到“科学技术”一词,但频率很低;至于进而把“科学技术”简化为“科技”的情形,就更加罕见了。当时的作者习惯把科学与技术的区分视为理所当然。直到 1957 年,国家机关还分置“国务院科学规划委员会”与“国家技术委员会”。据于光远考证,1958 年“国务院科学规划委员会”和“国家技术委员会”合并,合并后的机构名称被定为“国家科学技术委员会”,这是在国家层面上设立二者合一的行政管

---

① 如弗里曼(Chris Freeman)和苏特(Luc Soete)在他们著名的创新经济学教科书中说:“既然这种关系是相互作用的,那么人们通常喜欢用‘与科学相关的技术’这个词,而不用‘以科学为基础的技术’,因为后者带有一种过于简化的、思路单向流动的含义。”参见 C·弗里曼、L·苏特(1997):《工业创新经济学》(第 3 版),华宏勋等译,北京:北京大学出版社,2004 年,第 21 页。

② 哈贝马斯(1970):“Technology and Science as Ideology” in J. Harbermas, *Toward a Rational Society*, Boston: Beacon Press, pp. 81~122.

理机构的第一次尝试。随后,“科学”和“技术”这两个名词就开始连在一起使用。用得多了,“科学”和“技术”两个名词就简化成一个名词:“科技”了。[①] 到了改革开放以后,“科技”一词更是加倍风行起来,以至high-tech(高技术)这样的西方词汇,到中国也往往译成“高科技”。[②]

在西方语言中,科学和技术是两个或三个不同的词汇。以英语为例,科学的对应词汇是 science,技术的对应词汇是 technique 或者 technology。其中,词根 tech -源于古希腊语,相当于 skill、art,指的是技能、技艺;而 technology 的词尾- logy 则表明它成了系统整理和研究的有关技艺的学问。虽然现代社会中科学与技术的关系日趋密切,但是它们诞生的背景不同,而且掌握在受过不同训练、怀有不同目标的人的手中,并长期由不同的社会群体发展,直到现在,科学与技术之间的门类区分依然是存在的。

科学作为“求知识”或“求智慧”的活动,曾经长时期属于哲学(后来是自然哲学)的探究范围,不一定与实用的目的相关联。在柏拉图的“理想国”中,哲学家地位高于那些从事手工劳动的人。亚里士多德在《形而上学》中说“探索哲理只是为想脱出愚蠢,显然,他们为求知而从事学术,并无任何实用目的”[③]。直到 17 世纪,牛顿依然将他的著作命名为《自然哲学的数学原理》。作为哲学的组成部分,科学在中世纪主要在教会以及教会建立的大学中探索。所谓“哲学是神学的婢女”,这里的“哲学”就包括了 science。在近代民族国家兴起过程中,科学的研究者开始不仅产生于教会和教会大学,而且愈来愈多地出现在由富有贵族资助的世俗知识分子中。这些世俗知识分子的称呼还是哲学家。既然科学属于哲学的范围,科学就像哲学一样,从总体上看与社会的上层人物关系密切,虽然偶尔也有例外。

与科学不同,技术(technique)作为与生产实践紧密联系的知识,侧重的是生产某种物品或完成某项任务的实用方法。它长期主要由劳动者(如奴隶或工匠)探索,并长期被排斥在正统的自然哲学之外。它们通常与经验积累关系密切,并受到了行会等组织的规定的限制,

---

① 于光远(2001):《三个故事:科学精神的三个侧面》,http://www.yuguangyuan.net/w17.htm。

② 这一概念如此风行,必定有其深刻的原因。推究起来,一是因为科学传统的缺失,二是对近代科学与技术关系的误解。

③ 转引自 D·E·司托克斯(Donald E. Strokes,1997):《基础科学与技术创新:巴斯德象限》,周春彦、谷春立译,北京:科学出版社,1999 年,第 23 页。

常常在圈内保持私密传承的关系，通过学徒制度之类的方法代代相传。这些做法严重限制了技术进步的深度、广度和速度。

在第二次产业革命之前，科学与技术之间的联系是很弱的。虽然第一次产业革命中涌现的某些技术，如瓦特(James Watt)所改良的蒸汽机，是在与苏格兰科学家交流中产生并应用物理学原理的结果，但总体上看，在 1875 年以前，绝大多数技术改进不是来自剑桥或牛津大学所传授的科学知识，而是由基于经验和由没有受过多少科学训练的工匠或企业家进行的，“基于科学的技术”或“与科学相关的技术”并不占支配地位。正如一位作者所说：“工业革命是由坚硬的头颅和灵巧的手指完成的。布莱莫、莫兹利、阿克莱特、克朗普顿以及煤溪山谷的达比斯、格拉斯哥的尼尔森等人在科学或技术方面都没有受过系统的教育。不列颠的工业动力来自非专业人员和那些白手起家的人，如工匠发明家、磨房主和铁匠等。象征着英国霸主地位的水晶宫由一名非专业人员设计决非偶然。在英国工业崛起的过程中，英格兰的大学没有介入，苏格兰的大学也只参与了一小部分；实际上，各种正规教育对英国工业的成功都没有起太大的作用。”①

马克思在论及第一次产业革命和机器大工业的出现时，将这一变革的起因归之于市场“需求总量增加”，而不是科学的发展②。在他看来，手工业这一“狭隘的技术基础”无法使生产过程得到“真正科学的分解”，因而在工场手工业时期以及更早的年代，科学无法“并入生产过程”。

然而同样真实的是：在第一次产业革命中诞生的机器大工业对发展科学和在生产中自觉地运用科学知识提出了强烈的要求。正像马克思所说：“劳动资料取得机器这种物质存在方式，要求以自然力来代

---

① Eric Ashby(1958)：*Technology and the Academics*(《技术与学术》)，London：Macmillan，1958，p. 50，转引自 D·E·司托克斯前引书，第 29 页。此段原文为：“The industrial revolution was accomplished by hard heads and clever fingers. Men like Bramah and Maudslay，Arkwright and Crompton，the Darbys of Coalbrookdale and Neilson of Glasgow，had no systematic education in science or technology. Britain's industrial strength lay in its amateurs and self-made men：the craftsman-inventor，the mill-owner，the iron-master. It was no accident that the Crystal Palace，that sparkling symbol of the supremacy of British technology，was designed by an amateur. In this rise of British industry the English universities played no part whatever，and the Scottish universities only a very small part；indeed formal education of any sort was a negligible factor in its success.”

② 参见马克思、恩格斯(1848)：《共产党宣言》，《马克思恩格斯选集》第 1 卷，北京：人民出版社，1972 年，第 252 页。

替人力，以自觉应用自然科学来代替从经验中得出的成规。”[①]这也就是库兹涅茨这位强调基于科学的技术的广泛运用是现代经济增长的基本特点的经济学家，把早期经济增长向现代经济增长过渡的起点定在18世纪后期第一次产业革命开始时期的原因所在。

在这种条件下，由匠人经验积累产生的技艺（technique）也需要在科学知识的指导下总结成为系统化的technology了。据管理学大师德鲁克（Peter Drucker）的观察，英语中的technology一词出现很晚，直到19世纪，这一词汇才广泛使用。在18世纪的法国启蒙运动中，百科全书编者就曾试图“以有序的和系统的形式和非学徒也能学会而成为‘技术人员’的方式把所有工艺知识集聚在一起”。这样，“生产几乎一夜之间从以手艺为基础转变为以技术（technology）为基础”[②]。事实上，一些现在公认的应用学科（如冶金学）正是经过这样一个技术知识系统化过程而取得科学地位的。1867年出版的马克思的《资本论》把technology称为“这门完全现代的科学”[③]。这是科学界扩大探索的范围而出现的新现象，它不仅扩展了科学的范围，而且为技术与科学建立更密切的联系迈出了重要一步。

马克思指出，如果说“在工场手工业中，社会劳动过程的组织纯粹是主观的，是局部工人的结合”；那么，大工业则具有“完全客观的生产机体”[④]。它不管人的手怎样，“把每一个生产过程本身分解成各个构成要素，从而创立了工艺学这门完全现代的科学”。因而，“社会生产过程的五光十色的、似无联系的和已经固定化了的形态，分解成为自然科学的自觉按计划的和为取得预期有用效果而系统分类的应用”[⑤]；而“现代工业从来不把某一生产过程的现存形式看成和当作最后的形式。因此，现代工业的技术基础是革命的，而所有以往的生产方式的技术基础本质上是保守的”[⑥]。

---

① 马克思（1867）：《资本论》第1卷，北京：人民出版社，1975年，第423页。

② P·德鲁克（1993）：《后资本主义社会》，张星岩译，上海：上海译文出版社，1998年，第29～31页。

③ 《资本论》中译本把technology译为“工艺学”，参见马克思（1867）：《资本论》第1卷，中央编译局译，北京：人民出版社，1975年，第533页。法国18世纪启蒙运动时期的百科全书全名是“百科全书，或科学、艺术和工艺详解辞典”，由狄德罗和达朗贝尔编辑，于1751～1772年间以39卷本的形式面世。该书包括大量技术和工程内容，对法国技术的系统化产生重要影响。

④ 马克思（1867）：《资本论》第1卷，北京：人民出版社，1975年，第423页。

⑤ 同上书，第533页。

⑥ 同上。

如果说大机器工业为科学与生产过程紧密联系起来创造了条件，那么，企业家的追逐利润活动使“科学作为独立的力量被并入劳动”①。因此，到了19世纪后期第二次产业革命开始以后，源源不断涌现的基于科学的技术或与科学相关的技术就逐渐占据了主导地位，成为先行工业化国家经济增长的主要源泉。

所有这一切，使第二次产业革命以后的技术与科学之间的关系发生了很大变化，技术(technology)与科学的关系也越来越密切，终于改变了现代技术的性质。正像罗森堡(Nathan Rosenberg)和小伯泽尔(L. E. Birdzell, Jr.)所说，1875年左右，西方工业技术的前沿，开始从“可见世界里的”机械手艺，如杠杆、齿轮、轴承、滑轮、曲柄等，转向“不可见世界里的”原子、分子、电子流、电磁波、感应、电容、磁力、电量、电压、细菌、病毒以及基因，其结果是改变了西方工业技术进步的来源。②这些新的来源主要得益于技术与科学的关系的变化，技术突破越来越离不开科学的支持。

与科学相关的技术的兴起，使技术进步的广度、深度和速度都较之以往大为提高。“在前现代时期，技术的发明基本上源自于实践经验，而在现代，技术发明主要是从科学和实验中得到的。中国早期在技术上独领风骚，其原因在于，在以经验为基础的技术发明过程中，人口规模是技术发明率的主要决定因素。中国在现代时期落后于西方世界，则是由于中国并没有从以经验为基础的发明方式，转换到基于科学和实验的创新上来，而同时期的欧洲，至少经由18世纪的科学革命已经成功地实现了这种转变。”③

虽然马克思特别看重机器大工业提出的要求这样一个条件，但现代经济学家对技术发展史的研究则表明，与科学相关的技术之所以兴起，最具决定作用的因素，是科学研究和技术创新活动的制度化(institutionalization)，即建立起有利于科学繁荣和技术创新的整套制度。这套制度与科层制有很大不同。仅以科学共同体而言，“由于没有科层制，西方科学家组成了一个科学共同体。这个科学共同体通过

---

① 参见《马克思恩格斯全集》第23卷，北京：人民出版社，1972年，第708页。

② 罗森堡和小伯泽尔(1986)：《西方致富之路：工业化国家的经济演变》，刘赛力等译，北京：三联书店，1989年，第288～289页。

③ 林毅夫(1994)：《制度、技术与中国农业发展》，上海：上海三联书店、上海人民出版社，1994年，第257页。

合作、竞争、集体解决冲突、分工、专业化、信息更新与信息交流，追寻对自然现象的解释这一共同目标，其组织效率之高往往是其他组织方式——科层制或非科层制的——所难比的”①。

3.1.2 科学发展和技术创新的制度化

科学发展和技术创新的制度化是一个复杂的过程，其中有三个关键性的环节：一是促进科学繁荣的制度规范的确立；二是市场制度和产权保护制度的完善；三是企业研究开发机构的普遍建立。

第一，促进科学繁荣机制的制度化。

现代科学，是在伽利略(Galileo Galilei)、培根(Francis Bacon)等人的倡导下通过科学革命发展起来的②。科学研究的先行者清晰地阐明了运用实验来检验和证实科学理论的方法。不过，在17世纪初期，这种科学活动是由少数天才人物分散地进行的。对于促成它成为科学界的群体性活动起了重要作用的，是科学的制度化。

科学社会学奠基人默顿(Robert K. Merton)注意到，近代科学作为有组织的发现知识的活动，是在特定的行为规范(norms of science)与奖励结构(reward system)下进行的，从而开辟了将科学作为一种社会制度安排(social institution)来研究的传统③。

默顿认为，近代科学规范的核心是对独创性的强调。通过优先权(priority)竞争④，科学家组织起发现新知识的竞赛；优先权通过同行在作品中的引用等途径确立，该项新知识发现的重要程度可以由引用的次数来粗略衡量；这种引用还使科学成果累积起来；根据优先权的重要程度和多少，科学家积累声誉，并据此建立成果与报酬之间的联系。优秀的成果与次要的发现之间的区别也由此而筛选出来。

---

① 罗森堡和小伯泽尔(1986)：同前引书，第293页。译文根据英语原文译出，略有改动。

② F·培根(1623)：《新大西岛》，何新译，北京：商务印书馆，1959年。

③ 默顿指出：“科学是一种社会制度，它具有独特的可发挥道德权威作用的规范体系，如果感到有人正在违背这些规范，人们就会特别援引这些规范。从这个意义上讲，关于优先权的论战(这种论战总是异常激烈，而且参与者容易感情冲动)尽管可能会使争论的温度升高，但他们并非仅仅只是脾气暴躁的表现，从本质上讲，他们是对被看作是违反了知识产权制度规范的行为所作出的反应。”见R·K·默顿(1973)：《科学社会学——理论与经验研究》(上、下)，鲁旭东、林聚任译，北京：商务印书馆，2003年，第394页。

④ 优先权指的是某项发现或发明是由谁最先作出的，人们对这项事实的认定和重视就成了发现者或发明者的一项权利。

在科学社会学家的工作基础上，20 世纪晚期兴起的新科学经济学(new economics of science)[①]进一步研究了科学界制度安排对科学活动效率所产生的影响以及科学界制度安排对技术创新活动的影响。经济学家发现，发表行为(publishing)又是优先权的基础。发表实质上是一种将研究结果向社会披露的活动，同时也使科学成果成为社会公共知识的一部分，为所有人共享，从而大大减少了因彼此保守秘密情况下的重复投资以及在技术创新活动中获得互补知识的成本；同时，在发表基础上的优先权竞争还使资助者与被资助者之间的信息不对称问题得到缓解，因为出资人很难监督和度量科学家的天分、机遇、努力程度，却很容易根据发表出来的研究成果以及被引用情况识别出研究者的潜力和重要程度。企业的研究和开发部门在招聘员工的时候也可以通过年轻人在科学界的发表情况判断其是否具备研究和开发的创造潜力。总的来说，科学界以发表为基础的优先权竞争是一套相当有效率的制度安排，其地位大体类似在经济领域价格机制所发挥的作用。只是在这些基础性制度建立起来之后，近代科学才逐渐成为有效率地进行的活动。

值得注意的是，这套激励科学发现的制度必须靠新的组织来建立和执行。这种组织与传统社会常见的等级制的(hierarchical)或科层制的(bureaucratic)组织有很大不同。它是一种自治性的共同体(community)[②]。这种非等级制的自治性团体制定和执行科学家共同遵守的学术规范，建立以科学发现优先权为核心的激励制度，有效地促进了科学进步。

在科学社会学家看来，科学的制度化与宗教改革形成的新教伦理有密切关系。正是宗教改革家发展出来的一套价值观念无意之中促进了近代科学："清教的几乎不加掩饰的功利主义、对世俗的兴趣、有条不紊且坚持不懈的行动、彻底的经验论、倡导自由研究的权利和责任以及反传统主义，所有这一切总括在一起，都是与科学中同样的价

---

① 参见 Partha Dasgupta and Paul A. David(1994)："Towards A New Economics of Science"(《迈向新科学经济学》)，Research Policy, Vol. 23, pp. 487～521; Paula E. Stephan(1996)："Economics of Science"(《科学经济学》)，*Journal of Economic Literature*, Vol. XXXIV(September), pp. 1199～1235.

② 小李克特(Maurice N. Richter, Jr.)指出："我们所谓的科学共同体，是由世界上所有科学家共同组织成的，他们在彼此之间维持着为促进科学过程而建立起来的特有关系"。参见 M·N·李克特(1972)：《科学是一种文化过程》，顾昕等译，北京：三联书店，1989 年，第 138～142 页。

值观念相一致的。"[①]

近些年来,经济学家更深入地讨论了科学制度化的机制,提出了进一步的说明。他们发现,欧洲1500～1800年间大约有2500个科学界社团,其中16世纪成立的就有700个以上,这些社团主要是由富有贵族(包括王室)赞助,很多组织都确定了具有科学含义的目标,但在很长时间里并无出色表现[②]。只是随着这些受资助者为争取资助而公开进行辩论并使同行之间密集的通信网络发展起来之后,"科学共同体"的基本规范才确立下来,科学活动的效率大幅度地提高,其价值也越来越彰显出来。

17世纪末,如伦敦皇家学会(1660)、法兰西学术院(1666)之类的正式学术团体和各种学会在西欧各国普遍建立,各学科的科学协会也纷纷出现,这些学术组织频繁地召集学术会议,出版学术刊物,形成了互通信息的知识网络。这种有着公认学术规范,既有分工又有协作的科学共同体的形成,标志着近代科学制度的确立。

到了19世纪,德国政府支持的自治大学率先将这些现代科学研究活动纳入到大学之中,科学界的规范也同时被继承下来。教授们开拓了如专题讲座、研讨会等新的教学方式,使大学不仅作为传授知识的场所,而且作为创造知识的主力军,大大促进了自然科学、社会科学和人文学科的繁荣。通过学习德国的大学,美国也实现了大学的转型,一批研究型大学建立起来,并结合本国的国情做了有针对性的改进,这些大学为美国的科学发展和在此基础上的技术创新作出了重大贡献。

最后需要强调的是,科学影响技术发展的途径是多种多样的,它不仅仅通过科学研究直接导致技术发明这一条途径,还通过科学界的制度安排对技术进步有着多方面的重大影响。例如,科学共同体公开发表的科学成果为技术创新活动提供了公共知识来源,由于这些知识与很多技术存在互补性,这种免费获得的信息降低了企业的研究开发

---

① R·K·默顿(1973):《科学社会学——理论与经验研究》(上),鲁旭东、林聚任译,北京:商务印书馆,2003年,第ⅩⅩⅩⅨ页。更完整的论述,见R·K·默顿(1938):《十七世纪英格兰的科学、技术与社会》,范岱年等译,北京:商务印书馆,2002年。他有关清教伦理与科学发展的研究显然受到德国社会学家马克斯·韦伯(Max Weber, 1864～1920)有关新教伦理与资本主义发展的研究的影响。

② Paul A. David (2001): "From Keeping 'Nature's Secrets' to the Institutionalization of 'Open Science'"(《从保守"自然的秘密"到"开放科学"的制度化》), Working Papers 01006, Stanford University, Department of Economics, pp. 15～16.

成本；鉴于研究开发过程中巨大的不确定性，科学共同体通过优先权竞争，不仅使研究成果得到累积和筛选，还承担了企业研究和开发部门的人员培养与筛选任务，减少了企业研究开发过程中的风险；科研与教育的联盟也有助于企业界发展一个技术知识的交流网络，这同样为创新提供了支持。

因此，科学不仅通过技术发明而影响技术创新活动，还通过以优先权竞争为基础的科学共同体制度，对企业创新活动发挥着重要的支持作用。

第二，市场规范和产权保护制度的完善大大强化了对企业技术创新的激励。

现代经济增长过程中，具有宏观意义的技术创新往往不是某一个或某几个突发性事件，而是由千百万集群性的技术改进积累和汇合而成的。对众多的企业和个人进行的这种技术改进和革新来说，规则公平的竞争性市场体制乃是将许许多多企业家的努力引导到技术创新的方向，从而使技术改进快速进行的根本条件。19 世纪欧美发达国家已经普遍确立了法治基础上的市场经济制度（包括知识产权保护制度），这为广泛进行的技术创新提供了压力和动力，也为企业家充分利用科学寻求技术改进和在企业内部建立研究开发机构提供了激励创新的制度框架①。

美国是最早产生现代意义上的竞争法的国家，其立法包括反垄断和反不正当竞争两个方面，除大量的判例外，还有《谢尔曼法》（1890）、《联邦贸易委员会法》（1914）、《克莱顿法》（1914）和《鲁宾逊—帕特曼法》（1936）。英国现代竞争立法相对较晚，较全面的反不正当竞争立法完成于 20 世纪中叶，较有代表性的法律有《限制性贸易管理法》、《转售价格法》、《公平交易法》等。1905 年德国对 1896 年的《不正当竞争防止法》重新进行了制定，并多次进行了修改。1957 年又颁布了《反对限制竞争法》，使德国的反不正当竞争法体系更为完善，对德国的经济高速发展起到了重要作用。日本步德国的后尘，其反不正当竞争立法主要有 1934 年的《不正当竞争防止法》，1993 年曾作了较为全面的修改。在此法中具体界定了 12 种不正当竞争行为，加强了对不正当竞争

① 范世涛（2005）：《信息化、结构转变和发展政策》，《比较》第 18 辑，北京：中信出版社，2005 年，第 71～74 页。

行为的处罚力度，除高额罚款外，还有刑事制裁①。

技术创新的成果有两个突出的特点：一个是它具有非竞争性(non-rivalry)，这意味着同一种解决方案或设计可以同时为许多用户采用；另外一个特点是创新过程中的风险和不确定性非常大，创新成本相当高昂，而成功的创新往往容易被模仿，仅仅传统的产权保护制度是不够的。在这种情况下，生产的正外部性比较多，这导致了报酬递增的概念，创新技术的总平均成本大于边际成本②。如果没有对知识产权的严密保护，就不会有多少人愿意进行技术创新。

针对这种情况，第二次产业革命以后，维护创新者的权利的现代知识产权制度在先行工业化国家普遍确立。在知识产权保护的各项制度中，专利法最先问世，英国 1623 年的《垄断法规》(*The Statute of Monopolies*)是近代专利保护制度的起点。继英国以后，美国于 1790 年、法国于 1791 年、荷兰于 1817 年、德国于 1877 年、日本于 1885 年先后颁布了本国的专利法。最早的商标成文法是法国 1809 年的《备案商标保护法令》，1875 年法国又颁布了确立全面注册商标保护制度的商标权法。以后，英国于 1862 年、美国于 1870 年、德国于 1874 年先后颁布了注册商标法。世界上第一部成文的版权法当推英国于 1710 年颁布的《保护已印刷成册之图书法》。其后，法国在 18 世纪末颁布了《表演权法》和《作者权法》，使与出版印刷更为紧密相连的专有权逐步成为对作者专有权的保护，以后的大陆法系国家也都沿用法国作者权法的思路。日本在 1875 年和 1887 年先后颁布了两个《版权条例》，于 1898 年颁布《版权法》，1899 年参加了《保护文学艺术作品伯尔尼公约》，当年在过去版权立法的基础上颁布了《著作权法》。

这样，市场制度的完善，有序竞争的强化，不但为技术创新提供了压力，而且为它提供了动力。

第三，工业研究与开发(R&D)机构的设立。

现代科学依靠实验，即有控制的观察。这种经验主义(empiricism)对于技术而言，意味着经过实验就可以有各种改进，而不必等到被用到生产过程中才能知道结果。在先行工业化国家的工业

---

① 蒋志培(2003)：《论知识产权的概念、历史发展及其法律保护的含义》，http://paper. studa. com/2003/3—25/2003325171642. html。

② 参见夏威尔·萨拉-伊-马丁(Xavier Sala-i-Martin，2001)：《15 年来的新经济增长理论：我们学到了什么?》，黄少卿译，《比较》第 19 辑，北京：中信出版社，2005 年。

化过程中，这种方法也被从事应用研究和开发研究的科学家和工程师们继承下来。到19世纪，已经有成百上千的科学家和工程师从事这类活动。

19世纪的最后25年，工业界开始设立研发(R&D)机构，大量雇佣科学家来解决应用问题。早在这个世纪的70年代，德国的化学工业公司首先开展了有组织的研发工作。美国的工业部门也很快跟了上来，建立了多种多样的工业实验室，进行技术创新信息的收集和技术创新的研究应用；有些实验室属于工业公司所有，有些则是独立机构。有些大公司，例如美国的通用电器公司(GE)、美国铝业公司(Alcoa)等等，本身就是在研究机构的基础上建立的。

随着工业研发的开展，各制造业部门雇佣越来越多的科学家和工程师来进行新材料、新工艺和新产品的研究和开发。根据美国全国研究委员会(The National Research Council)的统计，美国19个制造业行业1921年、1927年、1933年、1940年和1946年研究实验室雇佣的科学家和工程师人数分别为：2775人、6274人、10918人、27777人和45941人①。

这样，受过正规教育和训练的科学家和工程师团队进行的有组织的研究开发活动，便成为现代经济增长中技术进步的基本源泉。

此外，20世纪初各先行工业化国家建立了国民教育体系，也为技师和技术工人源源不断的供给准备了条件。

总之，科学的制度化、产权保护和市场制度的完善以及企业界研发部门的普遍设立，乃是现代技术创新活动常规化和惯例化的基本制度背景。正如诺斯(Douglass C. North)所说，“有效率的经济组织是经济增长的关键”；“有效率的组织需要在制度上作出安排和确立所有权以便造成一种刺激，将个人的经济努力变成私人收益率接近社会收益率的活动”；“一个有效率的经济组织在西欧的发展，正是西方世界兴起的原因所在”②。

---

① D·C·莫韦里和N·罗森堡(1998)：《革新之路——美国20世纪的技术革新》，王宏宇、贺天同译，成都：四川人民出版社，2002年，第26～27页。

② D·诺斯和R·托马斯(1973)：《西方世界的兴起》，厉以平、蔡磊译，北京：华夏出版社，1989年，第1页。

3.1.3 革新技术的广泛运用使经济效率迅速提高

以上这些制度创新，使科学家、技术人员和企业家的创新热情受到极大激发，这使得与科学相关的技术大量涌现并得到了广泛的应用，新工艺、新材料、新能源、新产品层出不穷，经济效率得到大幅度的提高。于是，在新技术得到日益广泛运用的情况下，技术进步也就逐渐取代资本深化，成为增长的基本源泉。

表3.1对先行工业化国家早期发展阶段和现代增长阶段各自具有的代表性的通用技术——蒸汽机、铁路和电力对经济增长的贡献作了比较分析。从中可以看到，在现代经济增长中科学和技术的含量大为增加。

表3.1 代表性通用技术创新对经济增长的贡献 (年%)

	时　期	资本深化	生产方面的技术进步	应用方面的技术进步	总计
蒸汽机(英国)	1780～1860	0.19	—	0.32	0.51
铁路(英国)	1840～1870	0.13	0.10	—	0.23
	1870～1890	0.14	0.09	—	0.23
铁路(美国)	1839～1870	0.12	0.09	—	0.21
	1870～1890	0.32	0.24	—	0.56
电力(美国)	1899～1919	0.34	0.07	—	0.41
	1919～1929	0.23	0.05	0.70	0.98

资料来源：Nicholas Crafts (2001)："Historical Perspectives on the Information Technology Revolution" (Washington: International Monetary Fund, Research Department). 转引自林毅夫、童先安(2003)：《信息化、经济增长与社会转型》，北京大学中国经济研究中心。

专栏3.1

通用目的技术(GPT)

通用目的技术(general purpose technology，或称共用技术，简称为GPT)指满足以下四个条件的技术：改进的空间很大；用途多种多样；经济体的大部分领域都可以采用；与其他技术有很强的互补性①。根据这一定义，信息技术(如印

① 这四个特点的原文是：Wide scope for improvement and elaboration; Applicability across a broad range of uses; Potential for use in a wide variety of products and processes; Strong complementarities with existing or potential new technologies. 见 R. G. Lipsey, C. Bekar and K. Carlaw (1998): "The Consequences of Changes in GPTs"(《通用目的技术变化的影响》), In E. Helpman, ed.: *General Purpose Technologies and Economic Growth*, Cambridge, Mass.: MIT Press, pp. 193～218, p. 43.

刷)、基础材料(如铜、铁)、能源传递系统(如蒸汽机)和运输(铁路和机车)都属于通用目的技术,工厂制(factory system)、大规模生产(mass production)、柔性制造(flexible manufacturing)等组织方式也属于通用目的技术。虽然通用目的技术的例子还有不少,但人们往往把蒸汽机、电力和信息通信技术看作是最具有代表性的通用目的技术。

通用目的技术的意义并非为特定问题提供最终的完美解决方案,而更多起着为其他领域的改进开放机会的使能(enabling)作用。例如,电动机的引入提高了生产效率,但这不仅因为它降低了企业的动力成本,而且因为使工厂可以扩大了选址范围,并重新进行工厂设计。这种创新互补性放大了通用目的技术创新的影响,并在其他领域的技术变化支持下,向整个国民经济扩散。

由于通用目的技术本身的改进潜力巨大,并需要与其他领域的技术变化配合,因而它对经济增长的影响不是一下子实现的,往往要经历比较长的时间。下图表示了电力技术和IT技术在整个经济中的普及过程。在通用目的技术还处于发展早期的时候,它的溢出效应比较有限,不会对经济增长带来显著影响;只是在它扩散到相当范围之后,才能在生产率的统计上表现出重要影响。所以有点自相矛盾的是,任何技术革命都是在一个比较长的时间内表现出其经济潜力的,这一过程比人们原来想像的要缓慢温和得多,因为技术革命包含着一系列的事件,而不是一次性事件。

经济学家对蒸汽机、铁路、电力和信息通信技术做了大量的经验研究和历史比较研究,增进了人们对重大技术变化影响经济增长的具体机制的理解。自从20世纪90年代中期提出来后,GPT已经成为目前经济增长文献中的一个重

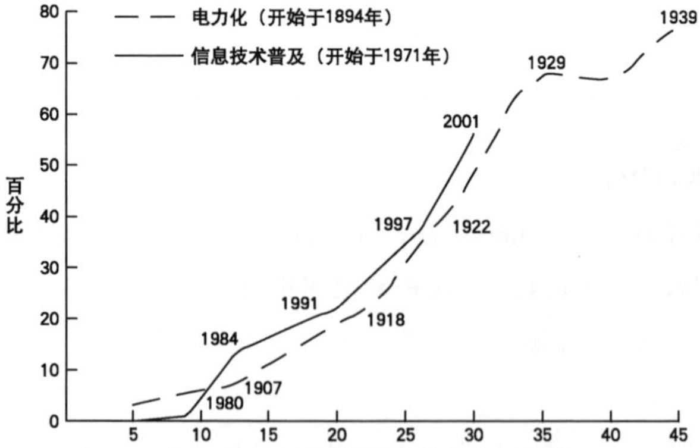

图　电力化和信息技术的普及

资料来源：Boyan Jovanovic and Peter L. Rousseau (2003)："General Purpose Technologies"(《通用目的技术》),www. econ. nyu. edu/user/jovanovi/GPT. pdf。

要概念①。

根据 E. Helpman, ed. : *General Purpose Technologies and Economic Growth*（《通用目的技术与经济增长》），Cambridge, Mass. : MIT Press; Boyan Jovanovic and Peter L. Rousseau (2003): General Purpose Technologies (《通用目的技术》)，www. econ. nyu. edu/user/jovanovi/GPT. pdf 整理。

3.2 服务业的发展提高了经济的整体效率

现代经济增长中效率提高的另一个重要源泉，是服务业的发展。这对成本降低，特别是交易成本降低起了重要的作用。

和人们通常想像的不同，服务业在 19～20 世纪之交加快了发展速度。这种发展是和先行工业化国家进入现代经济增长同时进行的。

3.2.1 工业化中后期服务业的迅速发展

如果说配第在 17 世纪曾经预言，就业人口将从农业转向工业，再从工业转向商业；英、美等国 20 世纪初期的情况却是，劳动和资本在继续流入工业的同时，以更快的速度流入商业和物流、教育和科研、旅游和娱乐、文化艺术、保健以及政府的公共服务等服务业。先行工业化国家的服务业(包括一般服务和政府的公共服务)在就业方面和在增加值方面都很快超过了工业，成为国民经济中份额最大的产业。这使费希尔在 1935 年和克拉克在 1940 年提出的“三次产业”的划分方法在 20 世纪 40 年代得到确立(见本书第 1 章 1.2.4)。

按照“产业三分”的理论框架去总结先行工业化国家产业结构变化的历史，人们发现，英、美等工业化的“第一梯队”国家在进入工业化的后期阶段时，即在 19 世纪和 20 世纪之交，服务业的增长明显加快，其增长速度很快超过了工业；到了 20 世纪中期，服务业不论在就业份额方面还是在产值份额方面都超过了工业，成为国民经济中占比重最

① 参见 T. Bresnahan and M. Trajtenberg (1995): “General Purpose Technologies: Engines of Growth?” (《通用目的技术：增长的引擎?》)，*Journal of Econometrics*, Vol. 65, pp. 83～108.

大的部门(见表 3.2、表 3.3、表 3.4)。

表 3.2 英国和美国的就业结构(1700～1998 年) (%)

		英国	美国
1700	农　业	56	—
	工　业	22	—
	服务业	22	—
1820	农　业	37	70
	工　业	33	15
	服务业	30	15
1890	农　业	16	38
	工　业	43	24
	服务业	41	38
1998	农　业	2	3
	工　业	26	23
	服务业	72	74

资料来源:麦迪森(2001):《世界经济千年史》,伍晓鹰等译,北京:北京大学出版社,2004 年,第 87 页。

表 3.3 英国工业化进程中三次产业产值比重变化情况 (%)

	1831	1851	1871	1881	1891	1901	1924
农　业	23	20	14	10	9	6	4
工　业	34	34	38	38	38	40	40
服务业	42	45	48	52	53	54	56

资料来源:Phyllis Deane and W. A. Cole (1967):*British Economic Growth 1688～1959*(《英国的经济增长(1688～1959)》),Cambridge University Press,转引自任旺兵:《我国服务业现状的国际比较研究》,载国家发改委产业发展研究所《产业研究报告》2004 年第 13 期。

表 3.4 美国工业化进程中三次产业产值比重变化情况 (%)

	1799	1839	1859	1869	1879	1889	1900
农　业	40	35	41	34	30	24	29
工　业	13	16	16	22	20	28	25
服务业	48	50	43	44	50	48	46

资料来源:Seymour E. Harris (1961):*American Economic History*(《美国经济史》). McGraw—Hill Book Company; V. R. Fuchs(1969):"Production and Productivity in the Service Industries", NBER; Colin Clark(1940):*The Conditions of Economic Progress*(《经济进步的条件》). London: Macmillan,转引自任旺兵,同前引文。

作为工业化“第三梯队”的日本，其服务业的增长较之英、美等“第一梯队”国家更快。在工业化中期阶段(20 世纪 50 年代)，服务业就超过了工业，其后，第三产业一直是国民经济中占优势地位的产业。日本在战后初期有过“重化工业化”的说法，但需要注意的是，在日本文献中，这一概念的含义是和我国不同的。在中国，“重化工业化”经常是就重工业在整个国民经济中所占份额而言的；而在日本，即使讲到“重化工业化”，也是指重化工业在工业中所占份额而言的。正如研究日本产业政策的权威学者南亮进所说，“重化工业率，即重工业占制造业生产额的比例”。至于在整个国民经济中，则服务业始终占有最大的份额①。近三十年来的发展，使日本的产业结构进一步向服务业倾斜，目前，第一、第二和第三产业的结构与美国大体类似(见表 3.5)②。

表 3.5　日本工业化进程中三次产业就业比重和产值比重变化情况　(%)

年份	就业比例			国内生产总值		
	第一产业	第二产业	第三产业	第一产业	第二产业	第三产业
1950	48.5	21.8	29.6	—	—	—
1955	41.1	23.4	35.5	19.2	33.7	47.0
1960	32.7	29.1	38.2	12.8	40.8	46.4
1965	24.7	31.5	43.7	9.5	40.1	50.3
1970	19.3	34.0	46.6	5.9	43.1	50.9
1975	13.8	34.1	51.8	5.3	38.8	55.9
1980	10.9	33.6	55.4	3.5	36.5	60.0
1985	9.3	33.1	57.3	3.1	35.1	61.8
1990	7.1	33.3	59.0	2.4	35.7	61.8
1995	6.0	31.6	61.8	1.8	30.3	67.9
2000	6.0	29.5	64.3	1.3	28.4	70.2

资料来源：Statistics Bureau，MPHPT(Ministry of Public management，Home Affairs，Posts and Telecommunications，公共管理暨内务、邮政与电信通讯部)，Cabinet Office(日本内阁府)：http://www.stat.go.jp/english/data/handbook/c03cont.htm#cha3-1，Table 3.2.

---

① 南亮进(1990)：《中国的经济发展——与日本的比较》，景文学、夏占有译，北京：经济管理出版社，1991 年，第 113～117 页。

② 由于日本的后期工业化是在第二次世界大战后进行的，经济结构没有受到战时经济的影响，它的服务业超越工业成为占优势地位的产业较之英、美两国提前了。

作为工业化"第四梯队"的韩国，情况与日本类似，第三产业占GDP的比重在整个工业化过程中一直高于第二产业；从就业结构来看，韩国第三产业的比重也一直比第二产业为高（参见图3.1和图3.2）。

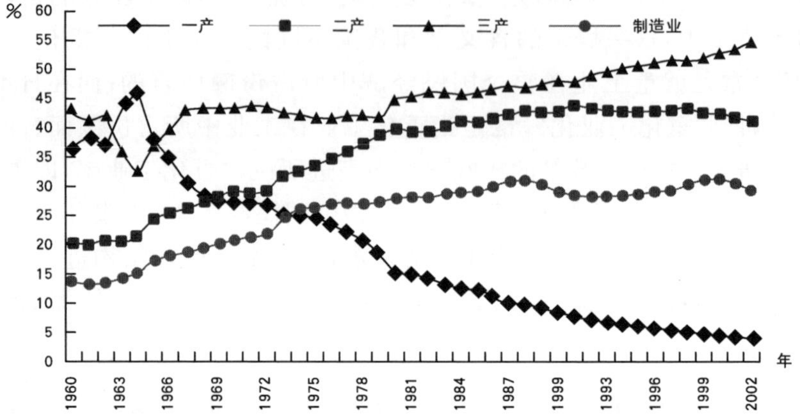

图3.1 韩国工业化过程中三次产业的产值比重（%）

资料来源：韩国政府网站；世界银行《世界发展指数2004》。

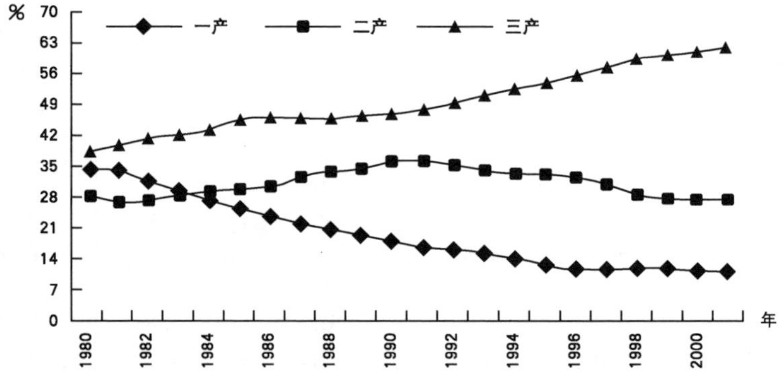

图3.2 韩国工业化过程中三次产业就业比重的变化（%）

资料来源：韩国政府网站；世界银行《世界发展指数2004》。

韩国20世纪70年代的"重化工业运动"，是我国主张以重化工业的发展带动整个经济发展的论者喜欢谈论的话题。他们以此为根据，论证"重化工业化的阶段难以逾越"[①]。事实上，韩国政府1972～1980

① 参见"21世纪北京圆桌论坛(2005)"：《"重化工业化"道路与南北经济转型之辩》，《21世纪经济报道》，2005年8月29日。

年发动“重化工业运动”，是朴正熙(Park Chung-Hee)总统出于对朝鲜半岛军事形势将要严重恶化判断作出的政治决断。“重化工业运动”造成的严重通货膨胀和贫富分化导致了70年代末期韩国的社会政治动荡。在朴正熙总统被韩国中央情报部部长刺杀以后，韩国政府花了很大的代价纠正“重化工业运动”的偏差和克服由它带来的严重后果(见专栏3.2)。

专栏3.2

金万堤论韩国20世纪70年代的“重化工业运动”

1987年6月，刚刚卸任的韩国副总理金万堤①在世界银行组织的“计划与市场在经济发展过程中的作用专题研讨会”上对韩国20世纪70年代的“重化工业运动”进行了全面的评论。他认为：

1961年，朴正熙政府上台执政，他决心使国家政权成为经济增长进程中的一个积极力量，而不让它变为经济发展的障碍；其做法主要是使价格制度趋于合理；同时他们把实际利率提高到可以产生重要的积极作用的程度。此外，政府在放宽进口方面，也采取了重大的步骤，从而降低了工业资金投入的成本，提高了本国工业产品的竞争能力。

这些改革所带来的成果是令人瞩目的。在政府的外向型市场政策的鼓励下，1962年至1967年期间出口产品增加了近40%；这一时期人均国民生产总值以平均每年6.9%的惊人速度递增，而在此之前的年代里，人均国民生产总值每年只增加0.7%。

头两个五年计划的成功，大大地鼓舞了韩国的政策制定者；于是他们开始在下一个10年中花费更大的力气进行组织机构的建设。他们所做的最重要的工作之一，就是发展二级金融市场。

另一项重要的改革是在农业方面进行的。1969年至1970年间，朴正熙开始实行一项全面振兴农业的纲领，或称新村运动，这一纲领重点着眼于提高农产品的产量和扩大乡镇非农产业；它的执行，迅速地提高了农业的增长率及农民的生活水平。

然而就在这同一时期，政府的那些制定经济计划的人们，却偏离了他们在60

① 金万堤(Kim Man-Je)原为韩国西江(Sogang)大学教授，1972～1982年任韩国政府主要思想库——韩国开发研究院(KDI)首任院长，1982～1986年任韩国副总理兼企划院长官。

年代改革时所实行的那种成功的方针路线。造成这种偏离的一个最重要的因素就是，政府鼓励发展重工业和化学工业的进口替代的政策；这一政策于1972年即第三个五年计划开始贯彻。

政府要实现这些宏大的计划，就必须改变以前的做法，不再像过去那样依赖市场的力量。加速工业的转变，需要政策提供强大的财政支持；因而政府全部贷款中有1/3～2/3被作为"政策性贷款"，用来资助发展重化工业生产。政府将商业银行国有化，以保证对利润率的考虑不致妨碍那些被视为必然加重工业机构的政策的执行。在70年代开始对那些能够促使某些特定工业发展的领域中的资源配置进行干预，有时甚至还干预一些企业的资源配置。

政府加强干预，造成了许多损害宏观经济的结果。对资本密集的重工业和化学工业的过多投资，提高了技术工人的工资，并且使实际工资增加过快的问题不久波及到国民经济的其他部门。此外，对工业的各种鼓励，特别是对农业的补贴，增加了政府的赤字，以致只能用加速货币发行的办法来部分地弥补这种赤字。在这种情况下，通货膨胀开始加剧，批发物价指数在1972年至1980年期间，平均每年上升20.1%；而在60年代，平均每年上升的数字仅为12%左右。

通货膨胀并不是惟一的恶果。单位劳工成本的迅速上涨，极大地削弱了产品的竞争能力，从而威胁了作为推动韩国经济增长原动力的出口业。1979年它的出口自开始实行鼓励出口政策以来第一次下降。另外，由于国内的储蓄和增发的货币无法完全满足政府这些新做法所需的费用，对国外贷款的需求便显著地增加；到80年代，韩国已经成为世界上第四个最大的债务国。由于发展重工业和化学工业必然要依赖一些大型联合企业；因此，这一做法严重损害了收入分配。其突出的表现是：在这个过程中，基尼系数从0.35提高到0.39。

1980年韩国发生了严重的经济危机，通货膨胀率达到了35%，国民生产总值的负增长率为5.2%。这在很大程度上是上述有害倾向造成的恶果。加之，在这一年里，国际国内都发生了一些事先没有预料的事情：石油价格和利率上涨到了无人敢于问津的程度、农业极度歉收，朴正熙总统被暗杀后政治方面发生了动乱；所有这一切自然都加剧了这次经济危机。不过，有一点很清楚，政府在整整10年中过度忽视了市场的力量，因而也必然要受到惩罚。

本届政府是在这次经济危机中上台的。80年代初期，政府开始进行大规模的调整。调整的重点之一是制定一项稳定价格的纲领，这一改革纲领的第二个重点是放开市场，允许企业家贯彻他们自己的决策。不仅如此，韩国社会不断发展的多元性，也要求政府在制定经济计划时，更多地进行一些协商并做出某种妥协；因此，在韩国，计划不是政府用以加强对经济控制的工具；而是一种确定社会经济发展方向以及协调人们对下一步工作的看法的途径。

然而，政府绝没有放弃帮助市场顺利运行的职责。现政府制定了反托拉斯和反垄断的立法。政府支持中小型工业发展的政策有利于实现更大的平等。政策也十分注意强调工业生产中人的能力发展的重要性。

国家可以发挥重要作用的另一个关键的领域是，发展社会的和人民生活必需的基础设施。近几年来一批旨在增加社会福利的各类机构已经建立并且扩大。作为社会保障网络重要组成部分之一的全国医疗保险制度已经扩大，全国人口有一半以上都已享受到这一保险；目前，政府正集中力量进一步扩大这一制度，从而使农业工人和城市里的个体经营者都能享受到这种保险。第二个重要的方案是全国性的养老金制度；此项制度将于1988年开始试行，以便使老年人能得到更多的保障。

根据金万堤(1987)：《政府在经济发展中的作用——南朝鲜的经验教训》(《经济社会体制比较》1987年第4期)编写。

库兹涅茨采用另一种方法来分析产业结构与发展水平的关系。他在1971年的著作《各国的经济增长》中，将全球57个国家和地区按照各自1958年的人均GDP水平划分为8个组别，分别考察其产业结构。其中，印度、泰国在第Ⅱ组，韩国、中国台湾在第Ⅲ组，菲律宾、马来西亚、巴西在第Ⅳ组，日本在第Ⅴ组，意大利、阿根廷在第Ⅵ组，德国在第Ⅶ组，第Ⅷ组包括英国、丹麦、法国、澳大利亚、加拿大和美国。在1958年这个时间断面上的不同国家和地区处于不同的发展阶段，所以根据它们的产业结构的不同特征，可以对产业结构与发展水平的相关关系作出估量。

在原书中，库兹涅茨将电力、煤、气等公用设施和运输、通讯这两大产业划入I(工业)部门。然而按照克拉克原来的划分，即目前各国通行的划分，它们应当属于S(服务)部门。我们若按照后一划分标准对库兹涅茨的分类作出调整，将公用事业和交通、通讯划归第三产业，就可以看到，在1958年这个时点上，无论是在高收入的发达国家，还是低收入的发展中国家和地区，无论A(农业)部门的比重是高是低，S(服务)部门在GDP中的份额都高于I(工业)部门的份额(见图3.3)①。

① 感谢高世辑同志向我指出这一点

表 3.6 不同发展阶段上的产业结构

	组别(按照人均 GDP)							
	Ⅰ	Ⅱ	Ⅲ	Ⅳ	Ⅴ	Ⅵ	Ⅶ	Ⅷ
国家数	6	6	6	15	6	6	6	6
人均 GDP(美元)	51.8	82.6	138.0	221.0	360.0	540.0	864.0	1382.0
主要部门份额(%)								
A	53.6	44.6	37.9	32.3	22.5	17.4	11.8	9.2
I	18.5	22.4	24.6	29.4	35.2	39.5	52.9	50.2
S	27.9	33.0	37.5	38.5	42.3	43.1	35.3	40.6
I 中								
制造业	7.7	10.4	12.6	16.2	18.1	23.9	31.3	31.2
电力、煤、气	0.5	0.7	0.8	1.1	1.6	2.1	2.6	2.4
运输和通讯	5.2	5.9	5.8	5.9	6.5	7.0	9.3	7.8
调整后(将公用事业、运输和通讯归服务业)								
A	53.6	44.6	37.9	32.3	22.5	17.4	11.8	9.2
I′	12.8	15.8	18.0	22.4	27.1	30.4	41.0	40.0
S′	33.6	39.6	44.1	45.5	50.4	52.2	47.2	50.8

资料来源:S·库兹涅茨(1971):《各国的经济增长:总产值和生产结构》,北京:商务印书馆,1985 年,第 111 页,表 12。

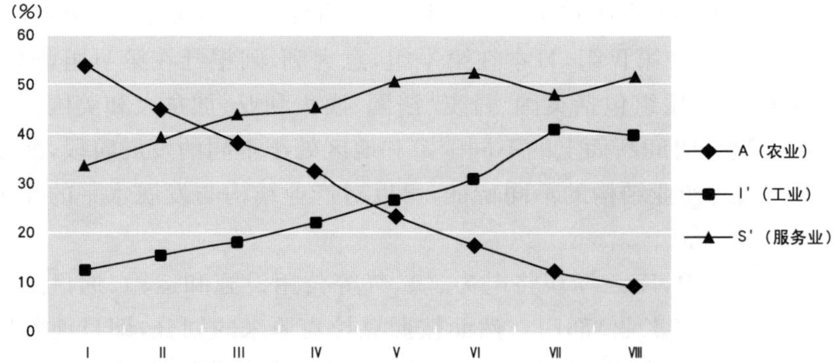

图 3.3 不同发展阶段上的产业结构

注:根据表 3.6 数据整理。图中罗马数字表示在 1958 年这个时点上处于不同发展阶段的国家和地区的分组,如第Ⅷ组代表当时最发达的 6 个国家,如美国、英国、丹麦等,所反映的产业结构是这些国家的平均值;而当时中国台湾、韩国在第Ⅲ组,日本在第Ⅴ组,德国在第Ⅶ组。

3.2.2 生产性服务业的快速发展及其影响

按照通常的行业分类办法,服务业可以划分为为消费者提供服务的消费性服务业(consumer services),和为生产者提供产前、产中和产后服务的生产性服务业(producer services)。这种划分是理解工业化的最新进展情况的一个关键性概念。因为生产性服务业的服务活动是制造业的关键性的投入,也是制造业效率改进的基本源泉。

按照麻省理工学院(MIT)经济学家的分类,生产性服务业可以进一步分为以下三类:

第Ⅰ类指专门用于提高制造品价值的服务公司(如贸易公司,设计与产品开发研究所、货物转运商和环境检测实验室);

第Ⅱ类指专门用于改善消费性服务的服务公司(如医院的餐饮、专门从事房地产诉讼的律师事务所);

第Ⅲ类指既为制造业也为消费者服务的服务公司,如银行、电信、电力和广告等(参见图 3.4)。①

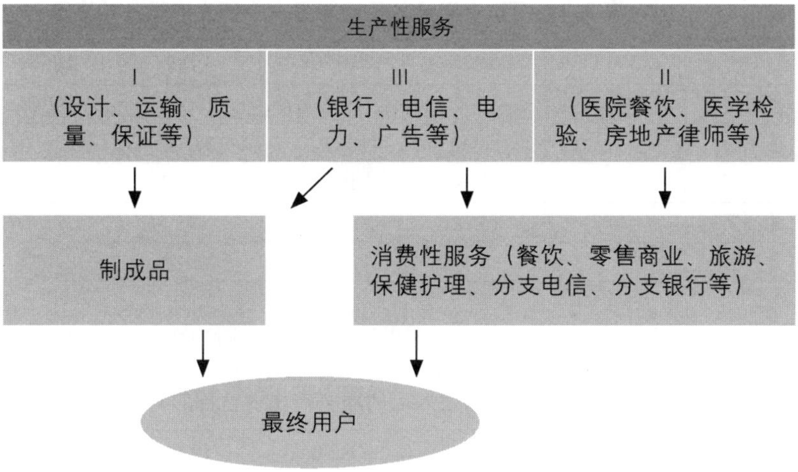

图 3.4　生产性服务业

现代服务业发展中最值得注意的现象,是生产性服务业的快速发展。这种发展由来有自,根源在于现代经济增长中分工的高度深化。我们知道,从斯密开始,经济学就把分工看作经济发展的基本推动力。然而,由于分工和协作是同一事物的两个不同的侧面,随着分工的深化,分工各参与者之间的交易就会变得更加频繁,加入交易的人员数

① S·博尔格(Suzanne Berger)和R·李斯特(Richard K. Lester, 1997):《由香港制造——香港制造业的过去·现在·未来》,侯世昌等译,北京:清华大学出版社,2000 年,第 31～32 页。图 3.4 见该书第 32 页,表式略有变动。

量也会日益增加，从而处理这种交易关系的生产性服务活动也会大大增加，生产性服务业因而迅速增长，并出现了服务业向其他产业，首先是制造业渗透、融合的现象。

服务业与制造业的融合有两种基本互动形式：一种是企业中两种业务的“纵向整合”（vertical integration），另一种是制造业“外购”（buying-in）服务业产品。

意大利经济学家罗梅（Valentina Romei）根据对英、美、法、德、意等国投入产出表的分析考察了生产性服务业的发展以及服务业与制造业融合的进程。他指出，服务业产出中作为中间投入品售予其他生产者的部分在全部生产投入中所占的比重和它在服务业全部产出中所占的比重，都是不断增加的（见表 3.7 和表 3.8）。

表 3.7　用作中间投入品的服务占全部生产投入的比重　（%）

	1911	1935	1950s	1959	1960s	1970s
法　国	—	—	—	19.53	19.95	28.18
德　国	—	—	—	24.46	—	28.05
意大利	9.01	11.60	10.68	19.62	—	25.60
英　国	—	16.42	24.02	—	21.95	—
美　国	—	—	23.95	31.20	29.04	29.48

资料来源：Valentina Romei(2004)：“The Growth of Intermediate Services in Europe，1911 - 1990”(《1911～1990年欧洲用作中间投入品的服务的增长》)，Table1，http://dev3.cepr.org/meets/wkcn/1/1660/papers/。

表 3.8　用作中间投入品的服务产出占全部服务产出的比重　（%）

	1911	1935	1950s	1959	1960s	1970s
法　国	—	—	—	—	—	38.8
德　国	—	—	—	31.57	—	37.51
意大利	11.78	—	18.78	22.56	—	22.05
英　国	—	14.55	—	—	32.06	33.40
美　国	—	—	27.54	36.79	—	37.23

资料来源：Valentina Romei(2004)：同上文，Table2。

罗梅还指出，20 世纪 70 年代，英、美、法三国对服务业全部的需求中，来自其他生产者的中间需求占 37%；到了 80 年代，这个比率进一步提高到 43%。

随着生产性服务业的发展和对生产提供服务的增加，服务业与制造业的边界变得模糊起来，出现了服务业与制造业融合生长、组成一个服务业与制造业一体化的生产体系的趋势。麻省理工学院（MIT）的经济学家用服务增强型产品（service-enhanced）一词来概括这个趋势，认为“今后几十年内，在世界制造业的竞争中取得成功的关键，是能够把有形的产品同无形的属性结合在一起，从而生产出最令人满意的产品”①。他们指出，制造业的这种变化的特点，是产品愈来愈融生产和服务于一体。对消费者来说，制造品的价值越来越依赖产品的创意、便利、可靠性、创新性、时尚、按客户的要求定制等属性，这些属性并没有体现为具体产品，但却可以归类为服务。借助信息技术，新的设计、客户定制、集成制造系统、产品开发、市场营销、物流、供应链管理、质量管理、测试和认证、金融服务等方面的服务活动成为制造业增长的基本来源。

OECD和欧盟的一份研究报告也指出，欧盟各国制造业中与服务有关的员工数达到员工总额的40%；据OECD成员国统计，制造业增加值中服务业务创造的增加值高达25%～30%，甚至50%②。全球最大的制造业公司通用电气（GE）收入总额中服务业收入所占比重，2003年为62.44%，2004年为63.32%③。通用汽车公司（GM）下属金融服务公司2004年利润达到29.1亿元，占GM全部利润的80%④。

由于现代制造业已包含许多服务内容，例如研究开发、原材料和零部件采购、产品设计、物流管理、品牌营销、售后服务、金融服务等等，甚至以服务作为主要内容，有些原来的制造业企业甚至因为主业已经改变为从事服务而被重新归类为服务业企业⑤。这样，后期工业化又被称为“服务业-工业化”（service-industrialization）。

---

① S·博尔格（Suzanne Berger）和R·李斯特（Richard K. Lester, 1997）：前引书，第34页。

② Dirk Pilat and Anita Wolf (2005): “Measuring the Interaction between Manufacturing and Services”（《对制造业与服务业互动关系的度量》），OECD科学、技术和工业理事会工作论文，DSTI/Doc(2005)5。

③ 见通用电气公司收入合并报表。

④ 肖莹莹：《欧美市场处境艰难，通用汽车西方不亮东方亮》，《经济参考报》，2005年4月11日。

⑤ 著名的电脑制作商宏碁现在就被看作一家服务业企业。在服务业务带动下，2003年宏碁营业收入增长100%，在《天下》评比的台湾服务业500强中，从13名跃升到第4名（参见官振萱：《冷冷王振堂要烧热宏碁》，《天下》第301期，2004年6月15日）。

3.2.3 为什么服务业发展能够对提高效率起重大作用?

服务业比重的上升是否有利于社会整体效率的提高,曾经是一个大有争议的问题。

1967 年美国经济学家鲍莫尔(William J. Baumol)在一篇研究经济增长的论文中提出两部门宏观经济增长模型,其中一个部门是"进步部门"("progressive" sector),另外一个部门是"停滞部门"("nonprogressive" sector,或"stagnant" sector),如制造业等进步部门的生产率增长相对快速,而市政服务、教育、表演艺术、饭店和休闲等很多服务部门都具有"停滞部门"的特征。从整体上看,相对于制造业这样的"进步部门",服务业劳动生产率难以提高;正如在表演艺术市场上,三百年前的莫扎特四重奏要四个人演,三百年后依然要四个人;因而服务业比重的上升将拖累整个经济的增长。这就是著名的鲍莫尔病(Baumol's cost disease 或 Baumol's disease)[1]。此论一出,引起了社会上的极大关注,媒体和学界纷纷发表意见,担忧发达国家服务业超越制造业的发展会引起"产业空洞化"(industrial hollow-out)。

不过,这一讨论并没有持续太久。特别是 90 年代美国迎来了历史上仅次于第二次世界大战后到 60 年代的增长黄金时代。"鲍莫尔病"一方面与现行统计方法大大低估了服务业产出增长有关[2],另一方面从 1995 年以后的统计数字也可以看出,服务业劳动生产率领先于制造业部门的生产率增长。根据波斯沃斯(Barry P. Bosworth)和崔普雷特(Jack E. Triplett)的研究,从 1995 年到 2001 年,美国 27 个服务部门的劳动生产率以年均 2.6%的速度增长,超过了商品生产部门的 2.3%;而且,这种增长并未集中在少数部门,在其研究的 27 个服务部门中的 24 个行业都在同一时段实现了劳动生产率增长,其中更有 17 个部门的劳动生产率出现了加速增长,电信、批发业和零售业、金融是发展最快的部门[3],这意味着服务业的成本病问题并非必然,也有经济

---

[1] 见 W. Baumol(1967):"Macroeconomics of Unbalanced Growth: The Anatomy of Urban Crises"(《非平衡成长的宏观经济学:对城市危机的剖析》),*American Economic Review*, Vol. 57, No. 3, pp. 415～426。

[2] 见 Z. Griliches(1994):"Productivity, R&D, and the Data Constraint.",*American Economic Review*, Vol. 84, No. 1, pp. 1～23。

[3] Barry P. Bosworth and Jack E. Triplett (2003):"Productivity Measurement Issues in Services Industries: 'Baumol's Disease' Has Been Cured"(《服务业的生产率测算:"鲍莫尔病"已治愈》),*The Brookings Institution*, September 1, 2003。

学家认为美国的"鲍莫尔病"已经治好了。

20世纪晚期经济学的新突破更为讨论服务业发展的效率效应提供了新的理论依据。新制度经济学提出了总成本是制造成本(诺斯把它叫做 transformation costs,即转形成本)①和交易成本(transaction costs)的总和的原理。根据这一原理,就能清楚地说明服务业发展对降低成本、提高效率的意义。随着分工的深化,分工参与者之间的交易会愈来愈频繁,交易的范围也会愈来愈广阔,因此用于交易的资源也会愈来愈多。诺斯指出,到20世纪70年代,美国国民收入里有近一半用于交易②。服务业正是处理交易活动的,所以服务业的发展不但有利于降低制造成本,更为重要的作用在于降低交易成本。

生产性服务业的首要功能,是为市场交易提供基础设施(infrastructure)。随着现行工业化国家的经济发展,早期市场经济逐步成为现代市场经济,市场制度变成日益精巧和复杂的系统。市场交易需要由一定的基础设施,包括交通运输、邮电通信、批发贸易、金融、合同和治理结构的安排以及与之相关的律师、会计师等中介机构等等来支撑。以上这些活动,都属于服务业的内容。所以市场经济愈是发展,服务业也愈是发达;反过来说,服务业愈是发达,市场也就愈能更有效地运转。

理论经济学家所分析的这种情况,无论在制造业中还是在商业中都真实地存在。

拿制造业来说,宏碁(Acer)集团的创始人施振荣用"微笑曲线"③来描述现代制造业的价值链。

从图3.5可看到,在价值链两端(研究开发、材料采购、产品设计、品牌营销、物流管理、金融等服务)的附加价值和盈利率高,而中段(加工、组装、制造等传统的制造业行业)的附加价值和盈利率低。因此,成功的企业总是尽力向价值链的两端延伸,以便提高附加价值和盈利率。

---

① 按照马克思在《资本论》中的说法,可以把它叫做"实现'人和自然之间的物质变换'(马克思(1867):《资本论》第1卷,北京:人民出版社,1975年,第202页)的成本"。

② D·诺斯(1990):《制度、制度变迁与经济绩效》,刘守英译,上海:上海三联书店,1994年,第38页。

③ "微笑曲线"是施振荣在1992年的《再造宏碁——开创、成长与挑战》一书中提出的,用以说明20世纪60年代以来IT产业价值链各环节产值结构的变化。他据此制定了宏碁超越代工(OEM)和自创品牌的新战略。参见施振荣(1992):《再造宏碁:开创、成长与挑战》,台北:天下远见出版公司,2004年(第二版),第296~298页。

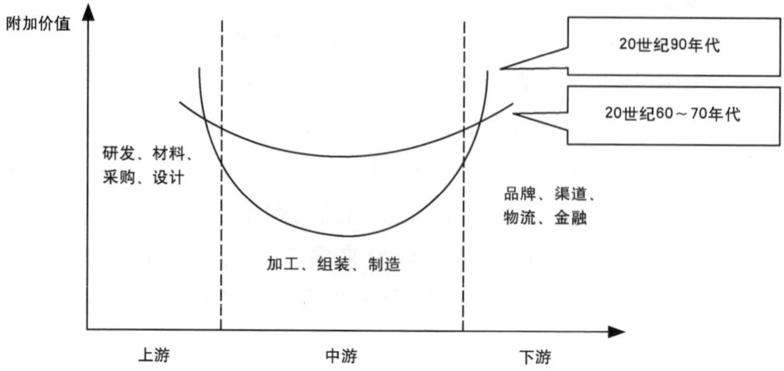

图 3.5　微笑曲线

拿商业来说，香港利丰集团的董事会主席冯国经指出，在综合物流从原料到消费的整个价值链中，制造环节产生的价值只占 1/4，而 3/4 都是交换环节产生的，因此后者最具降低成本的空间，被称为能够提供更高附加价值和盈利率的“软三元”①。

甚至对于农业来说，19 世纪末叶以后先行工业化国家农业科学的进步和农业技术的发展大大提高了农业的生产效率。同时，商业以及包括现货市场和期货市场在内的市场基础设施的发展，大大有利于解决所谓家庭农场与大市场的对接问题。因此，与服务业和制造业一体化所起的作用相类似，服务业与农业的一体化也对提高农业的效率和农户的收入水平起了重大作用②。

这样，与服务业的发展相适应，工业化的概念也大大拓宽了。它不仅意味着工业的发展，还意味着用现代技术改造各个产业（产业化）和产业之间的融合。于是，industrialization 常常被理解为“产业化”，而非“工业化”③。服务业的发展不但能够降低加工成本，更重要的是它能够降低交易成本。随着分工的深化和交易成本在社会总成本中比重的提高，服务业对于降低成本的作用愈来愈突出，建立强大有效

① 利丰研究中心编(2003)：《供应链管理：香港利丰集团的实践》，北京：中国人民大学出版社，2003 年。

② 参见许善达(1985)：《论美国农业生产率增长因素及给我们的启示》，载《经济研究参考资料》杂志，1985 年第 64 期。

③ 也有的经济学家主张继续保持对工业化(industrialization)的原有定义。鉴于包括三次产业的广义工业概念与汉语习惯的狭义工业概念不一致，而广义的工业化概念也与国外学术界原有的工业化概念不一致，他们把制造业的服务化和服务业的高度发展称为“去工业化”(deindustrialization)，或者用一个含有贬义的说法“产业空洞化”(industrial hollow-out)来描述(参见范世涛前引文)。

的服务业就成为提高社会整体经济效率的基本手段。

3.3 现代信息通信技术(ICT)渗入和改造各产业部门

人们常常把我们生活的或正在进入的这个时代称为信息时代[①]，因为信息技术(information technologies，简称 IT)或信息通信技术(information and communications technologies，简称 ICT)的快速发展和对各产业部门的渗透，正是我们这个时代的突出特征[②]。本节即简要介绍现代 ICT 快速变革及其广泛渗透和改造对经济效率的影响。

我们从信息通信技术的三次创新浪潮开始，随后介绍信息通信技术在经济中扩散所带来的影响，最后讨论为什么信息技术革命有时被称为一个“服务业的故事”。

3.3.1 信息技术创新的三次浪潮

信息通信技术革命的科学基础源远流长，甚至可以追溯到 17 世纪末莱布尼茨(Gottfried W. Leibniz)发明二进位制的时期。但是作为一场产业革命，人们通常把它的起始点定在 1958 年得克萨斯仪器公司(TI)开发出集成电路之时。从那时到现在，信息通信技术领域的创新活动一直极为活跃，其中涉及的重大事件和重要人物非常之多，整个过程相当复杂。为简便起见，我们以代表性的创新为主要标志，将信息通信技术创新浪潮划为三个前后相继的阶段，其中前一个阶段的创新领域通常在下一阶段继续保持活跃。

第一个阶段是从 20 世纪 50 年代末到 70 年代末，这个时期信息通信技术的突破可以半导体集成电路产业为代表。自从 1946 年宾夕法尼亚大学开发出第一台电子管电子计算机，1947 年贝尔实验室发明晶体管以后，计算机的性能一直快速提升，计算成本迅速下降，其核心器件由原来的真空管发展到半导体集成电路，计算机芯片上集成的晶体管数量成几何级数增长。1965 年，当时还是一家重要的半导体公司仙

---

① 对于这一新时代，还有不同的称呼，如“后工业社会”、“第三次浪潮”、“大趋势”、“知识经济”、“网络社会”、“信息社会”、“数字经济”等等。

② 欧洲通常使用 ICT 概念，以表现现在通信技术完全建立在信息技术的基础上；而美国的文献则依然主要使用 IT(information technology)。一般说来，欧洲的 ICT 产业定义得比美国更为宽泛。

童公司(Fairchild)电子工程师的摩尔(Gordon E. Moore)①在《电子学》杂志上发表文章预言,半导体芯片上集成的晶体管和电阻数量将每年翻一番。后来,他虽然对翻番所需要的时间修正为 18 个月,但这个被称为摩尔定律的法则成为半导体产业研究开发路线图(roadmap)的基准,在迄今为止的 40 年时间里一直大体上有效。表 3.9 是英特尔(Intel)公司开发的有代表性的芯片上集成的晶体管数:

表 3.9 从中央处理器(CPU)看"摩尔定律"的作用

	年份	晶体管数量(支)
4004 处理器	1971	2,250
8008 处理器	1972	2,500
8080 处理器	1974	5,000
8086 处理器	1978	29,000
286 处理器	1982	120,000
386 处理器	1985	275,000
486 DX 处理器	1989	1,180,000
Pentium 处理器	1993	3,100,000
Pentium Ⅱ处理器	1997	7,500,000
Pentium Ⅲ处理器	1999	24,000,000
Pentium 4 处理器	2000	42,000,000

资料来源:INTEL 公司网站。

经过数十年的快速技术进步,目前一条主流的大规模芯片生产线生产的芯片上电路线的宽度仅为 0.09 微米,涉及数百道工序,再也不可能如当初那样由小公司来生产了。这个产业的分工也越来越细密,大体可以分为设计开发、芯片生产和封装测试三个大的行业。在集成电路生产规模化的关键时期,日本和韩国以及后来的东南亚国家通过大规模投资,成功进入这一行业,至今还在世界半导体市场上占有重要地位。中国台湾则在 20 世纪 80 年代以代工(OEM)形式加入这一行业,成为世界著名的电子元器件生产基地。

在这一时期,赫赫有名的硅谷在美国加利福尼亚州西海岸一片 20

① 摩尔 1968 年 7 月与人一起创立了 Intel 公司,担任执行副董事长,于 1975 年出任董事长和 CEO,1979 年 4 月出任董事会主席和 CEO,一直到 1987 年,才任专职董事会主席,目前为董事会名誉主席。

世纪 50 年代还盛产大樱桃的地区诞生，成为世界 IT 产业之都。

专栏 3.3

硅谷为什么成为创新者栖息地？

硅谷是指从旧金山向南到圣何塞纵深约 100 公里的一块面临太平洋的平坦谷地，这里本来以农业为主，直到 20 世纪 50 年代还盛产樱桃。斯坦福大学位于硅谷的中心。

在 20 世纪 60～90 年代，信息技术的每一次重大进步几乎都和硅谷有关：集成电路（国民半导体、英特尔、AMD）、个人电脑（苹果）、工作站（惠普、太阳微系统）、三维图像（硅谷图文）、数据库软件（甲骨文），还有网络计算器（3Com、思科），都是由在硅谷诞生成长的公司领军的。硅谷在不断的创新中也在发生变化，20 世纪 60 年代硅谷的主导产业是半导体，70 年代是处理器，80 年代又是软件，90 年代则是互联网。

硅谷持续的优势来自多种因素，而远不是任何个人或单个公司，更确切地说，“硅谷作为一个成功的高技术企业聚集地区的优势在于它有一种使创业精神转换为科技创新的环境条件”：(1)成熟、有利企业发展的游戏规则；(2)各种知识的高度集中、互相交叉；(3)高质量、流动性很强的专业人士队伍；(4)注重结果的奖励机制；(5)对承担相对较高风险给予奖励并且容忍、理解失败；(6)开放的商业环境；(7)大学、科研机构与企业界的良性互动；(8)企业、政府、非赢利机构之间的合作；(9)高质量的生活环境；(10)非常专业化的商业服务配套环境。正因环境条件适宜，高技术创业公司（startups）得以在这块栖息地上迅速繁衍和茁壮成长。

斯坦福大学对硅谷的发展起了重要作用。除了强大的研究力量，大学允许教师作为咨询顾问参与到产业界，担任企业的董事，甚至短期离职（如果符合学校利益的话），还鼓励创业，其工业园区当年以象征性的 1 美元的价格出租给创业公司；但大学并没有“校办工厂”或“校办企业”，也不参加所投资企业的管理，其技术专利办公室只是帮助教授申请专利。大学的资金主要来源于校友和成功企业家对学校的捐赠，学校几十亿美元的基金交给一个资本管理公司做多样化投资以分散风险，其中只有很小部分投在风险投资公司。在这个意义上，学校并不“经商”。

硅谷的业绩引起各国的关注，并希望建立自己的“硅谷”，最简单的办法，就是采用“硅”字命名，如爱尔兰的“硅沼”、苏格兰的“硅峡”、英格兰的“硅泽”、越南的“硅滩”、以色列的“硅壑”，等等。但目前仅我国台湾地区的新竹和印度的班加罗尔等少数地区取得了较大的成功，其共同特点是与硅谷联系密切，在某种意义上是硅谷的延伸。

根据李钟文等主编(2001):《硅谷优势——创新者和创业者的栖息地》(北京:人民出版社,2002年)和A·L·萨克森宁(1994):《地区优势:硅谷和128公路地区的文化与竞争》(上海:上海远东出版社,1999年)两部著作编写。

第二个阶段是20世纪整个80年代,这一时期的突出事件是个人计算机的商业化与软件成为相对独立于硬件的产业。随着超大规模集成电路和微处理器技术的进步,计算机进入家庭的技术难关在70年代中期以后渐次攻克。在微软公司(Microsoft)1981年为国际商用机器公司(IBM)的个人计算机开发操作系统之后,相对独立于硬件的软件产业开始迅猛发展,并与个人计算机的快速普及相互呼应。虽然80年代以后计算机技术上的很多进展与软件相关,但相对集成电路的创新速度,软件的优势似乎主要体现在多样化方面,它自身的流程化标准化操作要晚得多,直到世纪末才被普遍采用,这已经是20年后的事了。目前,在需求调查、框架设计、任务分解等高端领域,发达国家继续保持着领先地位,而劳动密集型的编写代码(coding)、测试等低端环节,则越来越转移到发展中国家,其中印度从中大为获益,成为世界重要的软件出口(主要是软件服务和软件代工)国家。

第三个阶段是20世纪90年代以来至今,这一时期的技术创新浪潮可以互联网的商业化和数码化的多媒体技术为代表。90年代初互联网在技术上实现了数码化,同时开始摆脱了非赢利性应用的束缚,迅速在各个领域,特别是商业领域扩展。与其互补的图形界面、万维网、浏览器和非对称密码技术也很快商业化,层出不穷的电子商务模式被创造出来。与此同时,多媒体技术的进步使几个大型产业,如电视、摄影和电影复制品(如DVD)行业向数码化经济转型。目前,射频标签技术(RFID)的引入更进一步扩展了互联网的功能[①],越来越多的生产和服务环节卷入到网络化和数码化过程中。发达国家政府在上世纪最后几年,先后推出了鼓励电子商务发展的政策,美国政府也发

① 射频标签是一种含有物品惟一标识体系的编码的标签。这种惟一标识体系包括产品电子代码EPC、泛在识别号UCODE、车辆识别代码VIN、国际证券标识号ISIN,以及IPv6等等,目的是使用一种统一标准的电子产品代码,使产品在不同领域都能被辨识。

布了几份数字经济(digital economy)报告。

专栏 3.4

部分国家的信息化战略

信息化是在信息通信技术革命背景下的社会转型过程。近十多年来,一些国家和地区连续制定实施了信息化战略,以加快这一转型。这些战略把未来世界看作是一个有线与无线网络汇集的世界,通过泛在(ubiquitous)网络和数字化消费产品可以使信息通信技术与国民生活实现无缝结合。这种认识背后的技术基础在于,宽带和移动通信网络已经趋于成熟,无线技术(如 Wi-Fi、WiMAX 及射频标签)已经取得突破性进展。以下分别简要介绍欧盟、英国、日本和韩国这个方面的情况。

2000 年 3 月,欧盟 15 国领导人举行的特别首脑会议上确定了十年经济发展规划,即"里斯本战略",要使欧盟在 2010 年前成为世界上最有竞争力的知识经济体。为实现里斯本战略的目标,欧盟把信息社会政策看作使欧洲经济现代化的最重要手段,因为"信息通信技术的影响是工业革命以来最为重大的变化",驾驭这一转型是"中枢性的经济和社会挑战"。

为此,欧盟在 2000 年制定和实施了"电子欧洲—2002",推动"服务所有人的信息社会"建设。从列出的 11 个关键性领域行动清单看,焦点集中在三个方面:一是价格低廉、快速、可靠的互联网接入;二是投资于人和技能;三是刺激使用互联网。到 2002 年底,"电子欧洲—2002"开列的 65 个目标中的绝大多数提前完成,互联网的家庭渗透率翻了一番,电信监管框架和电子商务法律框架到位,网络接入价格下降,几乎所有的公司和学校都联网了。

随后,欧盟延续制定了"电子欧洲—2005",将该计划延伸到 2010 年,中期目标是到 2005 年,欧洲在廉价的宽带接入和信息安全基础设施的基础上提供现代的在线公共服务和动态的电子商务环境。但从实施情况看,虽然宽带网络接入率大幅提升,但并没有转变为经济增长率和就业增加率。其中原因,2004 年的"电子欧洲—2005"中期评估报告有所分析。报告认为,"电子欧洲"计划应获得增加就业等方面的目标,为此目标,需要将供给驱动转变为需求驱动的动力,ICT 应当更贴近公民的需求和期望,确保公民"更便捷地"参与到各种社会、经济、文化活动中去,需要强调改进服务,需要将少数的个案成功快速转化为大范围的成功。

英国过去的努力已经使英国在数字电视领域和宽带市场方面在西方七国集

团中成为一个领先国家，但在以下几个方面需要特别加强：一是利用ICT使公共服务现代化，使公共服务个性化、高效率和快速回应；二是在全球竞争中占据技术的前沿；三是让互联网使人人受益。该国信息化战略是使英国转型为国民感到舒适的数字化国家。为此目标，政府规划了七个行动计划：(1)利用数字化使学习转型；(2)为地方机构建立“数字化挑战奖”，奖励在公平或是卓越方面表现突出的地方政府及其合作伙伴；(3)使英国成为使用互联网最安全的地方；(4)制定公共服务转型战略；(5)制定管制战略；(6)方便残疾人和其他弱势群体接入网络；(7)为新颖的宽带内容创造适宜的环境；(8)2008年对数字鸿沟问题进行评估。

日本政府2000年通过了《IT基本法》，作为信息化政策的基本根据，随后由首相府的IT战略本部提出了《E-Japan战略》，战略目标是2005年实现3000万家庭宽带上网和1000万家庭实现超宽带上网。

E-Japan战略目标在2003年提前完成后，日本决定把工作重点转向推进宽带平台的实际使用上，于该年7月制定了“E-Japan战略Ⅱ”，目标是“在2006年以及2006年以后日本将继续成为世界最先进的ICT国家”，该计划选出了医疗、饮食、生活、中小企业金融、知识、就业和行政服务等七个领域为战略重点，并在同年设立评价调查会，请民间人士对IT战略提供建议。该计划将在2005年结束。

2004年8月公布的以发展泛在网络社会(U-Japan)为中心主轴的《平成17年度政策纲要》是确定今后方针的基础。U-Japan目标是到2010年把日本建成一个“利用ICT实现随时、随地、任何物体、任何人(anytime，anywhere，anydevice，anyone)均可连接的泛在(ubiquitous)网络社会”。按照U-Japan政策，2010年所有国民可无缝使用有线上网和无线上网的高速或超高速网络。由于无线上网的作用会进一步增强，并导致频率资源短缺，因此要从根本上高效推动频率开放战略。

韩国金融危机后，韩国把国家发展的战略重点转向信息化，由总统主持“信息化战略会议”，先后出台“信息化促进法”、“信息化促进计划框架”、“韩国21世纪信息化计划”。通过不到10年的大力推动，韩国进入了世界最高水平的IT强国行列。2002年4月政府出台了第三个信息化基础设施计划(2002～2006)，即E-Korea计划，总目标是将韩国建成全球IT领先者，借此为每一个韩国人创造一个终生学习的机会和上网的环境，促进政府利用在线办公提高办公效率和质量，增强政府的透明度和公众的参与能力，并加大应用信息技术改造传统产业的力度。

鉴于宽带和移动通信网络趋于成熟，以及无线技术(如无线射频标签技术)取得突破性进展，2004年韩国也与日本一样，提出了“U-Korea促进战略”，将未来的网络世界看作是有线与无线汇集的世界，通过泛在网络的建设和数字化消费产品使技术更为人性化，并与生活紧密结合。按照“U-Korea促进战略”，到2007

年，韩国将建设成一个泛在的信息社会，使国民能够通过任意的信息设备接入网络从而实现人所称道的"e 生活"，并成为东北亚的信息技术枢纽。

根据 E -Europe 2005 (europa. eu. int/informationsociety/eeurope/indexen. htm)；Shiro Uesugi(2005)：From E-Japan to U-Japan：Japan's ICT Policy Movements (apseg. anu. edu. au/pdf/apsegseminar/ap05suesugi. pdf)等资料编写。

在创新基础上的持续高速增长使 ICT 部门成为一个庞大复杂的产业。表 3. 10 为美国商务部所定义的 IT 部门，欧洲对 ICT 部门的定义更为广泛。①

表 3. 10　美国商务部定义的 IT 产业

硬件业	软件/服务业
计算机和设备	计算机编程
计算机和设备批发贸易*	软件包
计算机和设备零售贸易*	软件批发贸易*
计算和办公机器	软件零售贸易*
光磁记录工具	计算机集成系统设计
电子管	计算机处理、数据编制
印刷电路板	信息恢复服务
半导体	计算机服务管理
中性电子元器件	计算机租赁
工业测量仪器	计算机维护和修理
测量电流的仪器	计算机有关的服务
实验室分析仪器	
通信设备业	**通信服务业**
家用视听设备	电话和电报通信
电话和电报设备	电缆和其他电视服务
广播和电视通信设备	

* 来自计算机制造商的分支机构销售额中的批发和零售。

资料来源：美国商务部，Digital Economy 2003 (https://www. esa. doc. gov)，Box A－2. 1.

同时，ICT 部门的创新潜力依然巨大。从研发(R&D)情况看，这些部门的 R&D 投入明显高于其他领域。美国 IT 行业的 R&D 密度

① 经济与合作组织(OECD)的 ICT 部门大体相当于 NAICS(The North American Industry Classification System)的信息部门(the information sector)。

（R&D 支出除以行业销售额）是国家平均水平的三倍，而 2001 年全部公司 R&D 开支中，IT 公司占据了 31%（如表 3.11 所示）。这意味着 IT 部门的创新将继续活跃。

表 3.11　美国的 IT 部门研究开发支出　（10 亿美元）

行　业	1997	1998	1999	2000	2001
总 R&D 开支（包括联邦）	212.4	226.9	244.1	264.6	281.1
公司 R&D	133.6	145.0	160.2	180.4	181.6
IT R&D，总计	35.2	38.4	36.2	46.9	56.5
计算机和外围设备	7.7	8.3	4.1	5.2	5.2
通信设备	2.8	8.4	5.8	11.1	15.2
半导体、其他部件	14.0	9.1	10.6	12.8	14.2
其他电子元件	0.5	0.6	0.8	0.3	0.3
IT 设备，总计	25.0	26.4	21.3	29.4	34.9
软件出版	7.2	9.2	10.9	12.6	13.0
计算机系统设计	3.0	2.9	4.0	4.9	8.7
IT 服务，总计	10.2	12.0	14.9	17.5	21.7
公司 R&D 中的 IT 份额（%）	26.4	26.5	22.6	26.0	31.2

资料来源：美国商务部（2003）：Digital Economy 2003（https://www.esa.doc.gov），Table 1.6.

3.3.2　计算机生产率悖论：ICT 是否提高了经济效率

持续的技术进步必然带来经济效率的改进，但恰恰在这一点上，经济学家们在 20 世纪 80 年代发现了与直觉不一致的现象。与鲍莫尔提出服务业的“成本病”相类似，他们指出，计算机的普及应用并没有带来生产率改进！1987 年，也就是个人计算机在美国快速普及的时期，索洛惊讶地发现，“除了生产率统计，人们到处都能看到电脑”；这和人们所想的截然不同，这就是著名的“计算机生产率悖论”，或“索洛悖论”（Solow's paradox）①。

对这一看来与常识相矛盾的现象，经济学家做了大量的理论和经验研究。著名经济学家大卫（Paul A. David）在 1990 年的一篇文章中，用电动机在工业上的广泛应用滞后于电力的发明来解释由时滞导

① “You can see computers everywhere but in the productivity statistics.”参见 Robert Solow（1987），“We'd Better Watch Out”，*New York Book Review*，July 12，1987，p. 36。

致的 ICT 对生产率的影响。这是对有关索洛悖论的最为系统的理论解释。他指出,从重大的技术变革到能显著度量,需要很长的时间。1899 年,美国家庭使用电灯的只有 3%,电动机在工厂使用的发动机份额也只有 5%,大约花费了 20 年的时间,电气化才达到 50%的水平。他把这种通用目的技术在度量显示上的滞后主要归因于网络外部性。后来的发展证明他当时的观察是非常有洞察力的[①]。另外的一个重要方面,是格利奇斯(Zvi Griliches)对索洛悖论的数据基础方面的解释。他指出,现有统计数据使生产率度量受到了相当的限制,比如服务部门在美国经济中已经占有绝对优势,而国民经济核算体系是诞生在一个相对忽视服务业的时代,何况服务业的度量经常使用的是投入数据而难以精确度量产出,这必然对结果有重大影响;另外,在质量改进等方面,如何反映技术进步,也是现有核算的一个重要限制[②]。

大致说来,到 20 世纪最后的几年,在改进数据来源和度量方法的基础上,开始有越来越多的证据支持 ICT 部门对生产率的积极作用;索洛本人也在 2000 年表示这一悖论已经解决[③]。以美国为例,随着从 20 世纪 70 年代中后期信息技术在各产业中的广泛运用,美国经济在 20 世纪 90 年代经历了历史上最长的繁荣时期,到现在为止,经济学界已经普遍接受了信息通信技术对美国经济效率改进起了重要作用的意见。其他发达国家在统计体系上尚不如美国完备,信息通信技术的发展和创新也不如美国活跃,在生产率计量上消除这个悖论的时间稍晚一些,但结论是相似的[④]。

信息通信技术带来的经济效率改进可以从 ICT 部门本身的快速发展和 ICT 在各个部门的快速普及两个方面对经济增长的贡献作出说明。

表 3.12 显示了美国的 IT 部门对实际经济增长的贡献,其中所谓

① Paul A. David(1990): "The Dynamo and the Computer: An Historical Perspective on the Modem Productive Paradox"(《电动机和电脑: 对于现代生产力悖论的历史透视》), *American Economic Review*, Vol. 80, No. 2, pp. 355~361.

② Zvi Griliches(1994): "Productivity, R&D, and the Data Constraint"(《生产率、研究开发和数据限制》), *American Economic Review*, Vol. 84, No. 1, pp. 1~23.

③ 参见国务院信息化工作办公室政策规划组(2004):《信息通信技术与经济增长: 国际研究综述与启示》,打印稿,第 189 页。该报告是目前国内有关索洛悖论的最为完整的综述。

④ 迄今为止,只有美国的数据能够基本满足 IT 对服务业生产率影响的度量分析需要,所以这样的研究目前还仅限于美国。

的 IT 产业，大体与表 3.10 包括的范围一致。

表 3.12　IT 部门对于实际经济增长的贡献　（%）

	1997	1998	1999	2000	2001	2002*	2003*
(1) 实际 GDP 的变化	4.5	5.0	4.2	4.7	0.1	2.3	2.9
(2) IT 的贡献	1.5	1.6	1.5	1.1	0.1	0.1	0.8
(3) 其他所有行业	3.0	3.4	2.7	3.6	0.0	2.2	2.1

* 估计值基于人口普查和美国经济分析局的数据。
资料来源：美国商务部(2003)：Digital Economy 2003 (https://www.esa.doc.gov)，Table 1.1.

至于 IT 应用部门的情况，从表 3.13 可以清楚地看出，IT 密度高的部门的表现显著优于整个经济，当然也优于 IT 密度相对比较低的部门。其中的 IT 密度高的部门的定义，可见下节表 3.15 列出的部门。

表 3.13　1989～2001 年美国的 GDP 平均增长　（%）

行　业	1989～2001	1989～1995	1995～2000	2000～2001	1990～2001
IT 密度高的行业群	4.41	3.13	6.76	0.29	5.68
IT 密度偏低的行业群	2.44	1.80	3.68	0.17	3.09
所有行业	3.41	2.45	5.20	0.23	4.37

资料来源：美国商务部(2003)：Digital Economy 2003 (https://www.esa.doc.gov)，Table 4.1.

总之，信息通信技术的快速创新及其广泛应用确实带来了经济效率的改进，但这一过程要比人们原来想像得要更为复杂。信息技术革命最重要的进展来自信息的收集、存储、传输、处理方面。在信息通信技术快速发展的早期阶段，它的积极影响还较为有限，在生产率统计上不能明显显现。只是在它发展到一定程度并与各个经济领域的技术相互结合时，它对经济整体效率改进的强大影响才明显地表现出来。换句话说，信息通信技术(ICT)的迅猛发展固然有助于整个经济的效率改进，但这一过程相当复杂，并耗时甚久。这意味着它还具有很大的潜力，能够在相当长的一段时间内发挥作用。

3.3.3　ICT 革命是一个“服务业的故事”

经济学家在研究了美国服务业的生产率之后发现，“在美国，信息技术革命都是一个服务业的故事”[①]。把信息技术革命看作是一个“服务业的故事”，这显然是和国内通常的习惯有距离的，我们更习惯把这次革命及其重大意义归结为一个“制造业的故事”。经济学把它叫做“服务业的故事”的根据是：

首先，从信息通信产业的兴起来看，它得益于现代经济增长中前面两个潮流（与科学相关技术的广泛运用和服务业的兴起）的汇合。以信息通信技术革命的策源地硅谷为例，早期的政府采购、大学、风险投资、股票市场和期权市场、律师和会计师事务所都在其中扮演了非常重要的角色，这些因素在统计上都属于服务部门。[②]

其次，就信息技术的供应而言，随着产业的成熟，美国企业越来越多地通过外包和直接投资在国外进行制造，其本土的信息产业则越来越向服务部门倾斜。其实，这也是世界信息产业的总体格局。根据《欧洲信息技术观察》(2004)，2003 年，世界电子信息产品制造业的比重为 25%，而软件、IT 服务和电信服务业所占的比重则达到了 71%（见图 3.6）。

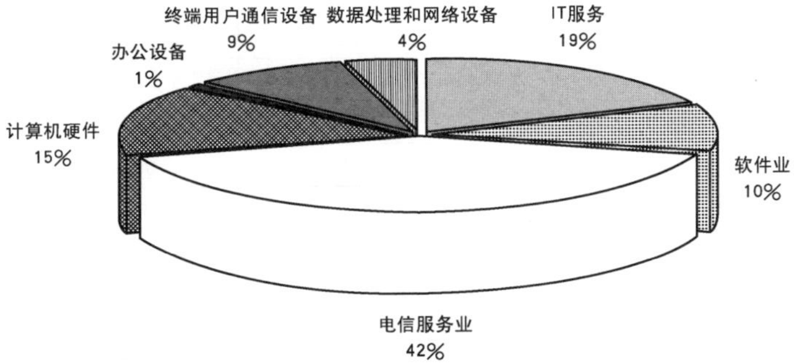

图 3.6　2003 年世界 ICT 产业的构成(%)

资料来源：European Information Technology Observatory 2004，转引自石怀成主编，《世界信息产业概览》，北京：世界图书出版公司北京公司，2005 年，上册，第 3～4 页。

我们还可以注意到，任何一种产品创新在工艺上相对成熟之后，

---

① 引文的英语原文是：As with labor productivity growth and multifactor productivity growth, the IT revolution in the United States is a service industry story. 参见 Jack E. Triplett and Barry P. Bosworth (2004)：Productivity in the U. S. Services Sector：New Sources of Economic Growth(《美国服务部门的生产率：经济增长的新来源》)，Washington，DC：Brookings Institution Press，2004，p. 2.

② 李钟文等主编(Chong-Moon Lee etc. ed.，2000)：《硅谷优势：创新与创业精神的栖息地》，北京：人民出版社，2002 年。

发达国家就通过外包、直接投资等方式转移到新兴工业化国家或是发展中国家，而发达国家本身则越来越集中于设计、研究开发和市场等方面，集成电路、电子元器件、个人计算机组装、软件等等，无一例外。在这个过程中，IT 产业的国际化特征是相当明显的，几乎没有一个国家的信息通信产业体系是完整和自足的，这个行业的生产过程是一个全球化的体系。

第三，就 ICT 的使用而言，服务部门的 IT 投资最为密集。

根据美国经济分析局在上个世纪 90 年代中期的计算，服务部门使用了近 80%的计算机投资。如表 3.14 所示：

表 3.14 美国经济中的计算机投资 (%)

产业	1979	1989	1992
农业	0.1	0.1	0.1
采矿业	2.4	1.1	0.9
制造业	29.4	20.3	20.2
建筑业	0.1	0.3	0.2
非服务业合计	32.0	21.8	21.4
交通	1.3	2.0	1.8
服务	1.5	1.4	1.5
公用设施	1.2	2.8	2.8
贸易	19.9	16.3	20.8
金融	32.5	38.7	37.8
其他服务业	11.6	17.0	13.9
服务业合计	68.0	78.2	78.6

说明：本表中的计算机由标准产业分类中的 OCAM(Office, Computing, Accounting Machinery，即办公、计算和会计器具)代表。

资料来源：美国经济分析局(BEA)，转引自国务院信息化工作办公室政策规划组(2004)：《信息通信技术与经济增长：国际研究综述与启示》(打印稿)，第 51 页，表 5。

同时，美国商务部的分析排列出的 IT 资本密集使用部门大部分属于服务业。根据该部门的分析，总净资本等于 IT 设备(ITEQ)、非 IT 设备(Non-ITEQ)和建筑物的加总。如果某一行业平均 ITEQ/FTE 与总 ITEQ/FTE 相比大于 1，就表明该部门的 IT 密集程度高于整个经济。结果表明，电报电话业 IT 投资密集程度遥遥领先于其他部门，看来，欧洲通常使用 ICT 的概念确实有其现实基础。

表 3.15　美国经济部门应用信息技术(IT)密集度排列

行业	标准产业分类代码	行业平均 ITEQ/FTE 与总的平均 ITEQ/FTE 的比例(1989～2001)	占名义 GDP 的平均份额的累积总数(%)(1989～2001)
占名义 GDP50%份额的 IT 密集程度最高的行业			
电报电话	481,482,489	22.21	2.82
非储蓄类机构	61	11.41	3.55
输送管道,除天然气	46	9.96	3.65
广播和电视	483,484	9.70	4.49
电、气和卫生服务	49	6.22	8.08
油和气提炼	29	5.80	8.66
石油和煤炭产品	13	3.59	10.11
化学制品和相关产品	28	3.23	12.67
运输服务	47	2.27	13.11
储蓄机构	60	2.17	17.48
持股和其他投资业	67	2.13	17.69
证券和商品经纪人	62	2.12	19.30
电影	78	2.00	19.73
烟草制品	21	1.99	20.00
金属采矿	10	1.98	20.10
保险公司	63	1.73	22.17
铁路运输	40	1.71	22.59
仪器和相关设备	38	1.51	23.56
批发贸易	50,51	1.44	32.73
航空运输	45	1.35	33.92
电子和其他电气设备	36	1.19	36.40
纸张和相关产品	26	0.93	37.35
印刷和出版	27	0.85	38.93
工业用机器和设备	35	0.83	41.35
商业服务	73	0.79	47.20
其他交通运输设备	37(不含 371)	0.77	48.28
原生金属业	33	0.57	49.15
煤矿业	12	0.57	49.35

注：国民经济分析局的标准产业分类(简称 SIC)中的两位数产业定义过于宽泛和笼统,有时两位数行业中有的三位数和四位数的行业 IT 密集,而另外的三位数或四位数行业不是这样,所以对在两位数层次上的 IT 密度高和 IT 密度不高的行业都赋予了同样的两位数排列。

资料来源：美国商务部(2003)：Digital Economy 2003(https://www.esa.doc.gov),Appendix 4.B.

第四，最为重要的，密集使用IT资本使服务业发生了深刻转型，其劳动生产率和全要素生产率增长开始领先于其他部门。

根据崔普雷特和波斯沃斯最近对美国的54个行业(其中包括被列为服务部门的全部29个行业)的研究，服务业在1995年到2001年间劳动生产率以年均2.6%的速度增长，超过了物质产品生产部门的2.3%；排除数据不充分的两个行业，服务部门的27个行业中有24个实现了劳动生产率增长，这24个实现劳动生产率增长的行业，又有17个部门的劳动生产率出现了加速增长。全要素生产率是一个比劳动生产率远为综合的指标，在这个方面的结果也是类似的，服务业的全要素生产率在1977～1995年间每年增长0.3%，而在1995～2001年之间则为1.5%。在这一过程中，服务业IT投资解释了IT对美国劳动生产率贡献的80%，在全要素生产率方面，也有类似的结果。所以，服务行业不仅是ICT的第一大用户，也是促进服务业效率改进的关键因素之一。

表3.16　1995～2000年间美国服务业劳动生产率加速增长　(%)

平均值	劳动生产率加速度	劳动生产率加速的贡献因素		
		全要素生产率	IT资本对劳动生产率加速的贡献	非IT资本对劳动生产率加速的贡献
22个服务行业	1.4	0.9	0.2	0.1
15个服务行业	3.0	1.7	0.3	0.1

说明：表中的加速度是相对1977～1995年这一时段而言的。
资料来源：Bosworth and Triplett(2003)："Productivity Measurement Issues in Services Industries: Baumol's Disease Has been Cured," *The Brookings Institution*, September 1, 2003, Table 3.

ICT导致服务业效率大幅提高是与服务业的转型同步进行的。信息技术的采用使服务业的劳动分工得以深化，这种趋势的标志之一就是服务贸易的迅速发展，基于IT的服务可以在分离的国家进行了，离岸(off-shore)服务贸易和基于网络的服务(IT-based services)概念应运而生，并成为目前国际贸易和投资政策的热点问题。这一转型的核心是服务业与制造业的趋同趋势，或者用弗里曼(Chris Freeman)和苏特(Luc Soete)的话说，"从根本上说，信息通信技术(ICT)使服务业更具贸易性并且更像制造业，使工业和服务业更加趋向一致”[①]。

其中，由于政府部门是一个信息高度密集的服务部门，使用IT技术也更加具有提高效率，增加透明度和可问责性的潜力[②]，所以，自美国政府在1993年明确提出电子政府（E-government，国内通常译为“电子政务”）理念之后，它也快速发展并向世界扩散。目前，联合国和很多国际组织也定期发布报告，报道各国政府利用信息技术在提高政府部门的透明度及生产率方面的进展情况。

从上述四个方面来看，经济学家说“信息通信技术（ICT）革命是一个服务业的故事”有充分的证据支持。其实从理论的角度看，信息技术（IT）革命与服务部门关系特别密切并不奇怪。既然服务部门是一个受到信息成本极大约束的部门，而信息技术革命通过信息处理手段和信息传播方式的革新使服务部门发生转型，并进而大大推动发达市场经济国家生产率的提高，就是自然而然的事情了。当然，我们并不能因为这一点，就怀疑信息通信技术革命对于传统制造业乃至更为传统的采掘业也有着重大意义。

---

① C.弗里曼和L·苏特(1997)：《工业创新经济学》(第3版)，华宏勋等译。北京：北京大学出版社，2004年，第510页。

② 参见E. Talero and P. Gaudette (1995)："Harnessing Information for Development"(《为发展而利用信息》)，Discussion Paper No. 313，The World Bank.

4

我国工业化的曲折道路和粗放增长模式存在的问题

产业结构的调整和优化，正是增长方式由外延向内涵转变的症结所在。问题在于，何谓“产业结构升级”以及产业结构由谁来调整和向什么方向调整。

虽然先行工业化国家早在19世纪后期就已走上了主要依靠效率提高实现经济增长的新型工业化道路，但是它们的早期工业化的增长模式一直在中国具有强大的影响。1949年中华人民共和国成立以后，采用苏联式的“社会主义工业化路线”，更是把投资驱动增长的做法推到了极端。改革开放以后，情况才开始有所改变。不过，虽然中国领导多次作出决定，要根本转变经济增长方式，但是由于体制问题和政策问题没有得到根本解决，经济增长模式的转变常有反复，根本转变的目标迄今尚未实现。最近几年更出现了以过度投资为突出特征的“重化工业化”浪潮，给中国经济的持续稳定发展造成了严重威胁。

4.1 改革开放前的经济增长模式

正如前面两章指出的，先行工业化国家的经济增长模式在第一次产业革命后不久就开始向现代经济增长转化，人力资本积累、技术进步和效率提高在增长中的作用愈来愈大，到19世纪后期现代增长全面展开。不过，即使在西方国家的经济理论界，人们清楚地认识到早期经济增长模式已经转变为现代经济增长模式，也是20世纪50年代以后的事情。因此，先觉的中国人在19世纪后期从中世纪的昏睡中苏醒过来，发出救亡图存的呼唤时，影响他们、并被他们奉为典范的，显然只能是早期经济增长模式和传统工业化的道路。

4.1.1 早期增长模式在中国影响深远

中国人是在西方国家刚刚从早期经济增长转入现代经济增长的历史时期形成自己的工业化思想的。因此，把中国变为像当时的西方列强那样的工业国，就成为19世纪末和20世纪初先进的中国人提出的发展目标。

在传统的中国社会，平民百姓按照身份和职业，被划分为士、农、工、商，统治者的政策强调以农为本，工商为末，实行“强本抑末”、“重农抑商”的政策[①]。19世纪之末，在西方国家炮舰的冲击下，已经有些先觉的人开始突破“强本抑末”、“重农抑商”的传统教条，寻求富强之道[②]。但直到中国的北洋舰队在1895年的甲午战争中全军覆没之后，维新派才提出把发展工商业作为实现富强的主要手段。震惊于西方国家坚船利炮的强势，在工商两业之中，又把发展工业当作强国的根本。维新派的领袖梁启超在1896年写道，中国“他日必以工立国者也”[③]。维新派的另一位领袖康有为也在1898年上书光绪皇帝，主张“成大工厂以兴实业”，要求把中国“定为工国”[④]。虽然戊戌(1898)年的“百日维新”以失败告终，但维新派要变中国为工业国的思想却得到各界人士越来越多的认同。由于时代的限制，维新派所谓“定为工国”的工业化，只是指西方国家在早期增长阶段进行的狭义工业化，也就是实现资源从农业到工业的转移，使机器大工业取代农业成为主导产业，从“农业国”转变为“工业国”。

在西方各国进入现代发展阶段以后，我国有些学者在讨论工业化问题时的眼界已经不再局限于工业。例如，我国学者张培刚在他1946年的哈佛大学博士论文中就已突出强调了农业发展对工业化的重要作用[⑤]。但是，直到20世纪中期，我国发展经济学家对工业化的认识大体上仍旧局限在狭义工业化的范围之内。

1949年以后，一方面由于同西方学术界的隔绝，我国经济界和经济学界对于五六十年代以后有了突破性进展的现代发展经济学知之甚少，甚至全无了解；另一方面在苏联的强大影响下，我国经济学界和经济界全盘接受了苏联在20世纪20年代确立的工业化观念。这种观念连同苏联政治经济学把生产活动局限地定义在“物质生产领域”即工农业范围之内，而把服务业活动排除在外并定义为“非生产劳动”的

---

① 虽然在司马迁《史记·货殖列传》中说“夫用穷求富，农不如工，工不如商”，但太史公只是一个被皇上“倡优畜之”的史官，他的这种经济思想在我国传统社会中从来不是主流。

② 参见戴金珊(1998)：《中国近代资产阶级经济发展思想》，福州：福建人民出版社，第9～26页。

③ 梁启超(1896)：《变法通议·论译书》，《饮冰室合集》第1册，北京：中华书局，1989年(影印版)，第70页。

④ 康有为(1898)：《请励工艺奖创新折》，《康有为政论集》上册，北京：中华书局，1981年，第290页。

⑤ 见张培刚(1949)：《农业与工业化》，武汉：华中工学院出版社，1984年。然而即便如此，张培刚在论文中采用的工业化概念仍然是狭义的。他在论文中列举了 John D. Black, Colin Clark, Wassily W. Leontief 等人把 industry 一词“用于一切经济活动”的广义用法以后，仍然把工业定义为“制造业，以有别于农业以及商业与运输”。

观念，长时期地影响着我国的经济理论和经济政策。例如，由于接受了苏联观念，中国部门领导一直把实现工业化的基本标志界定为工业总产值在工农业总产值中占优势地位，重工业产值又在工业总产值中占优势地位。由于这是我国最初几个五年计划的基本指导思想和对群众进行“社会主义工业化”宣传教育的重要内容，苏联的这一套“工业化”观念在我国的影响非常深远，以致直到最近的工业化问题讨论中，还有论者以经济学家的名义对工业化作出这样的界定：“经济学家认为，工业化(industrialization)即以机器化大生产代替手工劳动，是工业特别是制造业不断发展与提升的过程。其主要表现是：工业产值在工农业产值中的比重以及工业人口在总人口中的比重不断上升，同时农业产值的比重以及农业人口的比重不断下降的过程。如果一个国家的工业部门的产值和就业人口的比率在国民经济中占优势地位，则被认为是实现了工业化。”[①]

4.1.2　传统的“社会主义工业化”模式在中国

从政治路线的层面说，毛泽东在1945年中国共产党第七次全国代表大会上这样表述取得政权以后的经济目标：“在新民主主义的政治条件获得之后，中国人民及其政府必须采取切实的步骤，在若干年内逐步地建立重工业和轻工业，使中国由农业国变为工业国。”[②]中华人民共和国建立后，1949年起临时宪法作用的中国人民政治协商会议《共同纲领》和1954年《宪法》都把逐步实现国家的社会主义工业化，“变农业国为工业国”规定为国家目标。

1953年第一个五年计划(1953～1957)开始以后，中国全面接受了苏联“优先发展重工业”的工业化路线作为经济建设的指导方针。毛泽东主席亲自主持写作的纲领性文件《关于党在过渡时期总路线的学习和宣传提纲》[③]指出：在革命胜利后，共产党和全国人民的基本任务，就是要改变中国的落后状况，使中国“由落后的贫穷的农业国家，变为

① 姜渭渔、周勤(2004)：《中国进入重化工时代大型系列报道之一：基本判断：重化工业时代来临》，《中国科技财富》，2004年4月号。

② 毛泽东(1945)：《论联合政府》，《毛泽东选集》第3卷，北京：人民出版社，1991年，第1081页。

③ 中共中央宣传部(1953)：《为动员一切力量把我国建设成为一个伟大的社会主义国家而斗争——关于党在过渡时期总路线的学习和宣传提纲》，见《社会主义教育课程的阅读文件汇编》，第1编上册，北京：人民出版社，1957年，第341～374页。

富强的社会主义的工业国家。这就需要实现国家的社会主义工业化，使我国有强大的重工业可以自己制造各种必要的工业装备，使现代化工业能够完全领导整个国民经济而在工农业生产总值中占居绝对优势，使社会主义工业成为我国唯一的工业。”这份文件还根据斯大林的社会主义工业化理论，强调指出：“实现国家的社会主义工业化的中心环节是发展重工业”；“我国第一个五年计划的基本任务是集中主要力量发展重工业，建立国家工业化和国防现代化的基础”。①

当时人们根据斯大林 1933 年《第一个五年计划的总结》中的说法②，认为建立起完整的工业体系，使工业总产值占工农业总产值的比重达到 70%以上，重工业产值占工业产值的比重达到 60%以上，就是我国工业化要实现的基本任务。

根据“过渡时期总路线”，我国在 1953～1957 年的第一个五年计划期间集中人力、物力、财力建设苏联帮助我国新建和改建的 156 项重点工程项目，其中绝大部分是重工业项目；重工业投资占五年工业投资总额的 85%。当时预计，大约经过三个五年计划，中国就可以实现国家上述发展工业和重工业的任务，以及实现对农业、手工业和资本主义工商业的社会主义改造，“把中国建成为一个伟大的社会主义国家”。

然而，第一个五年计划头几年的执行结果并不能令人满意。虽然我国工业、特别是重工业获得了高速度的发展。然而由于重工业畸形发展和经济结构严重恶化，国民经济处于很不稳定的状态。特别是 1955 年批判“右倾保守思想”和“掀起社会主义高潮”的政治运动以后，“对农业、手工业和资本主义工商业的社会主义改造”提前完成，1956 年的经济建设出现了“冒进”倾向。这次“冒进”主要体现在基本建设投资规模过大、职工工资总额增长过快和农业贷款增长过快等三个方面。针对存在的“冒进”倾向，周恩来、陈云等领导人提出了既“要反保守，也要反冒进”的口号。在这种情况下，毛泽东也在 1956 年提出了

---

① 国务院副总理兼国家计划委员会主任李富春在关于第一个五年计划的报告中指出：“社会主义工业化是我们国家在过渡时期的中心任务，而社会主义工业化的中心环节，则是优先发展重工业。”（见《中华人民共和国第一次全国人民代表大会第二次会议文件》，北京：人民出版社，1955 年，第 160～161 页。）

② 斯大林在 1933 年所作的《第一个五年计划的总结》中认为，苏联的第一个五年计划（1928～1932）四年完成，已经使苏联“由农业国变成了工业国，因为工业产值的比重和农业产值的比重相比，已经由五年计划初（1928 年）的百分之四十八提高到五年计划第四年度（1932 年）的百分之七十”。见《斯大林全集》第 13 卷，北京：人民出版社，1956 年，第 164 页。

“在优先发展重工业的同时、加快轻工业和农业的发展”的方针①。但是在毛泽东1957年批判“反冒进”和1958年提出“大跃进”的要求以后，又进一步对钢、煤等重工业提出了奇高的增长指标，发动了“以钢为纲”、“大炼钢铁”的全民运动②。“大跃进”运动的主要特点，就是集中人力、物力、财力资源发展以钢铁工业为代表的重工业，以为只要“钢铁元帅升帐”，就能带来“一马当先，万马奔腾”的局面，加速实现工业化。1956年在“反冒进”的气氛下，薄一波在中共第八次全国代表大会上提出了著名的“二、三、四”经验法则。他认为，根据前几年的实践经验，在以后若干年内，中国国民收入中积累部分的比重，以不低于20%或者略高一点为宜，这“既可以保证我国工业建设有较高速度的发展，又可以保证我国人民生活的逐步改善”③。可是“大跃进”一来，这些比例关系完全被突破了。1958～1960年的平均积累率高达39.1%；轻工业产值在工业总产值中的比重由55%下降为34%。这场企图以海量投资带动经济高速增长的“大跃进”运动造成了我国经济情况极度恶化以及巨大的财富乃至生命损失。然而，即使造成了这样大的灾祸，传统的工业化战略却始终没有得到纠正。经济增长主要依靠投资、特别是重化工业投资，成为从第一个五年计划（1953～1957）到开始改革开放的几十年中我国经济发展的基本特征（参见表4.1）。

表4.1　中国基本建设投资的分配　（%）

	1953～1957	1958～1962	1963～1965	1966～1970	1971～1975	1976～1980
农　业	7.1	11.3	17.7	10.7	9.8	10.5
工　业	42.5	60.4	49.8	55.5	55.4	52.6
其中：重工业	36.1	54.0	45.9	51.1	49.6	45.9
轻工业	6.4	6.4	3.9	4.4	5.8	6.7
地质勘探	2.4	1.2	0.4	0.5	0.7	1.3
建筑业	3.7	1.3	2.1	1.8	1.6	1.8

① 毛泽东（1956）：《论十大关系》，载《毛泽东选集》第5卷，北京：人民出版社，1977年。

② 对钢铁工业的分外重视，是传统工业化道路的重要特点。斯大林早期在1933年就说过：“钢铁工业，即国家工业化的基础”。（见斯大林（1933）：《第一个五年计划的总结》，《斯大林全集》第13卷，北京：人民出版社，1956年，第163页。）

③ 薄一波（1956）：《正确处理积累和消费的比例关系——在中共第八次全国代表大会上的发言》，《薄一波文选》（1937～1992），北京：人民出版社，1992年，第249页。薄一波讲到的另外两种比例关系是：（1）国民收入中国家预算的比重，不低于30%，或略高一点；（2）国家预算支出中基本建设支出，不低于40%，或略高一点。

续　表

	1953～1957	1958～1962	1963～1965	1966～1970	1971～1975	1976～1980
交通、邮电、电信	15.3	13.5	12.7	15.4	18.0	12.9
商　业	3.6	2.0	2.5	2.1	2.9	3.7
科学、教育、卫生	7.6	3.8	5.7	2.8	3.1	5.4
城市公用事业	2.5	2.3	2.9	1.8	1.9	4.1
其　他	15.3	4.2	6.2	9.4	6.6	7.7

资料来源：丸山伸郎(1988)：《中国工业化与产业技术进步》，高志前、梁策、王志清译，北京：中国人民大学出版社，1992年，第59页，表2-7。

林毅夫(Justin Y. Lin)、蔡昉、李周把中国当时采取的增长模式和工业化道路叫做“赶超战略”。他们在《中国的奇迹：发展战略与经济改革》一书中对由这种战略造成的产业结构扭曲、低经济绩效和福利损失进行了详细的分析①。他们指出，在1953～1978年间，中国在高积累(平均积累率为29.5%)下实现了“工农业总产值”高达年均8.2%(国内生产总值的年均增长率为6.0%)的高增长(见表4.2)。

表4.2　1953～1978年经济增长基本指标　(%)

	社会总产值	工农业总产值	国内生产总值	国民收入	积累率
“一五时期”	11.3	10.9	9.1	8.9	24.2
“二五时期”	−0.4	0.6	−2.2	−3.1	30.8
1963～1965	15.5	15.7	14.9	14.7	22.7
“三五时期”	9.3	9.6	6.9	8.3	26.3
“四五时期”	7.3	7.8	5.5	5.5	33.0
1976～1978	8.1	8.0	5.8	5.6	33.5
1953～1978	7.9	8.2	6.0	6.0	29.5

注：增长速度按可比价格计算，积累率按现价计算。
资料来源：国家统计局；转引自林毅夫等(1999)：《中国的奇迹：发展战略与经济改革》(增订版)，第69页。

但是，在几十年“工农业总产值”高速增长的情况下，中国并没有实现经济现代化，也没有改变自己在低收入国家中的位次；相反，与原

① 林毅夫、蔡昉、李周(1999)：《中国的奇迹：发展战略与经济改革》(增订版)，上海：上海人民出版社、上海三联书店，2003年，第28～66页。

来起点大致相同的亚洲"四小龙"拉开了相当大的距离。他们指出，究其原因，一则是由于产值增长的数字并不能反映实质性的经济增长；更重要的是，传统工业化道路造成了畸形的产业结构和低下的经济效率。

世界银行1984年经济考察团的大型考察报告《中国：长期发展的问题和方案》①根据钱纳里和塞尔奎因(Moshe Syrquin)的"常态模型"(normal pattern)来比照分析中国的经济结构。这份考察报告开宗明义地指出：中国经济从需求方面看的最大特点，是积累比重过高(约占国民生产总值的30%)。这在低收入国家中是独一无二的，比中等收入国家的平均数也高得多(见图4.1)。

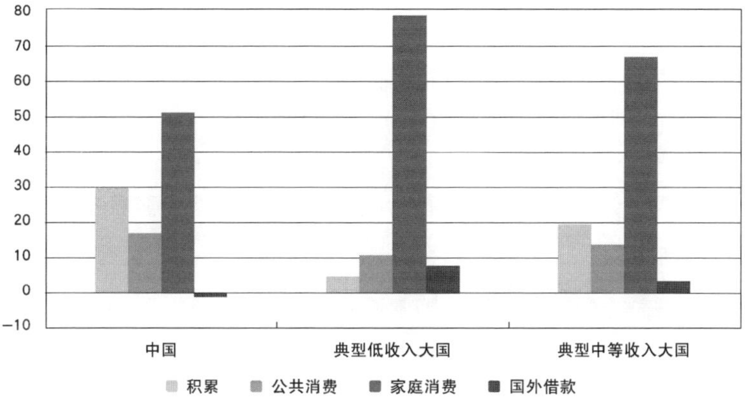

图4.1　中国：1981年国内生产总值的需求结构(%)

资料来源：世界银行1984年经济考察团(1984)：《中国：长期发展的问题和方案》(主报告)附件五，《从国际角度来看中国的经济体制》，北京：中国财政经济出版社，1985年，第10页。

从生产结构方面看，考察报告指出：中国与众不同的需求格局使得它的生产格局也与众不同。由于需要生产大量投资货物，因此与积累比例高相对应，制造业的比例比典型的低收入国家高得多，而与典型的中等收入国家相类似。与此对比，农业在总生产中的比例，与典型的低收入国家相类似，这是因为需要把有限的资源中相当大一部分用来养活人口。尽管中国的制造业比例很大，但基础设施(电力、运输、建筑)所占比例却与其他低收入国家相似(见图4.2、图4.3)。

① 世界银行1984年经济考察团(1984)：《中国：长期发展的问题和方案》(主报告)，北京：中国财政经济出版社，1985年。

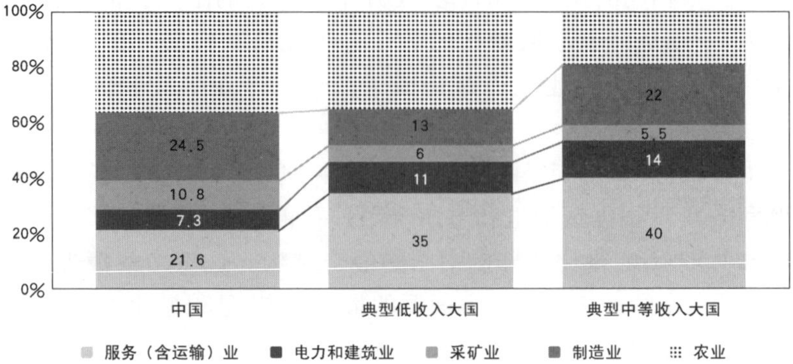

图 4.2　中国：1981 年国内生产总值的部门结构（%）

资料来源：同图 4.1，第 14 页。

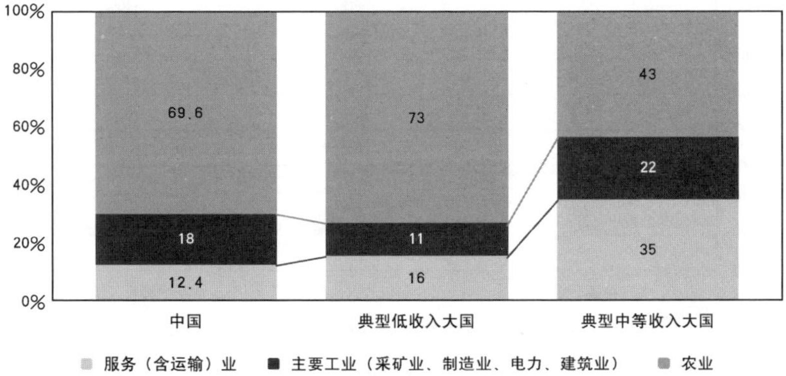

图 4.3　中国：1982 年劳动力总量的部门结构（%）

资料来源：同图 4.1，第 17 页。

根据钱纳里和塞尔奎因的"常态模型"，世界银行的考察报告指出，中国产业结构存在着严重的扭曲。中国的产业结构扭曲，首先表现为服务业严重落后。和其他发展中国家相比，中国服务业（包括商业）在产值和就业中所占比例非常小。1980～1981 年度服务部门产值在中国国民生产总值中所占比重为 21.6%①，这不但大大低于当时典型中等收入大国的平均水平（40%），也大大低于当时典型低收入大国的平均水平（35%）（见图 4.2）。

① 在上述"主报告"中，这一数字为 17%，经与该考察报告的附件五《从国际角度来看中国的经济体制》核对，加上运输业，此一数字应为 21.6%。

世界银行的考察报告指出，重点放在工农业总产值翻两番不应意味着忽视基础设施和服务业，因为这两个部门对提高工农业生产效率至关重要。虽然要比较世界各国的经济效率是很困难的，但是现有的资料还是相当有力地说明，中国的经济效率比较低。能源等中间投入的耗费很高。报告认为，中间投入耗费和高积累率看来是造成工业产值占国民生产总值比例偏高的两项重要原因。资源配置结构偏离资源禀赋的比较优势，加上激励机制的阙如，使中国经济的整体效率低下，人民也没有从高速增长中得到多少实惠。实际上，在1957～1978年的20年中，人民生活水平提高甚微，农民生活几乎没有改善①。

直到1976年"文化大革命"结束，高指标、高积累、低效率的增长模式一直持续，农业、农村和农民受到严重损害，轻工业发展滞后、服务业十分落后的状况也一直没有改变。

专栏4.1

毛泽东论中国工业化

毛泽东的工业化思想对中国的经济发展进程产生了巨大的影响。

他和其他19、20世纪之交成长起来的先进中国人一样，认为富强之道在于发展工业。在1945年的中共第七次全国代表大会上，他指出："没有工业，便没有巩固的国防，便没有人民的福利，便没有国家的富强"；因此，在革命取得胜利以后，"中国人民及其政府必须采取切实的步骤，在若干年内逐步地建立重工业和轻工业，使中国由农业国变为工业国"。

中华人民共和国建立以后，怎样实现工业化的问题提到了中国领导人的面前。毛泽东对这个问题的回答是："为了使我国变为工业国，我们必须认真学习苏联的先进经验。"根据苏联经验，确定了"以工业化为基础、首先建立重工业"的经济方针。

对于这一方针，在我国国内不是没有不同意见的。30年代"中国乡村建设运动"的领导人之一梁漱溟在1953年9月11日政协常委会讨论过渡时期总路线的会议上，就对这一方针提出了质疑。他说："今建设重点在工业，精神所注更在

① 据国家统计局报告，1957～1978年的20年中，虽然中国国民收入增长了1.96倍，全国居民消费水平指数只提高了44.0%，年均提高1.8%；其中，城镇居民消费水平年均提高2.6%，农村居民消费水平年均提高1.5%(见《中国统计年鉴》，历年)。

此，生活之差，工人九天，农民九地。农民往城里跑，不许他跑。人力财力集中城市，虽不说遗弃吧，不说脱节吧，多少有点。”①梁漱溟的言论，当即受到毛泽东严厉尖刻的批驳，被指为“用笔杆子杀人”，“帮助了帝国主义和封建主义”。从此，其他与优先发展重工业不同的工业化思想也都受到批判②。

接着，毛泽东在他亲自主持制定的《关于党在过渡时期总路线的学习和宣传提纲》中用了大量篇幅论证重点发展工业和优先发展重工业的正确性。他说，“实现国家的社会主义工业化，就可以促进农业和交通运输业的现代化，就可以建设和巩固现代化的国防”；“实现国家的社会主义工业化的中心环节是发展国家的重工业，以建立国家工业化和国防现代化的基础”。“过渡时期总路线”把“实现国家工业化”和“对农业、手工业、资本主义工商业的社会主义改造”，规定为“党在过渡时期的总任务”。毛泽东当时考虑用3个五年计划的时间实现这一“总任务”。第一个五年计划(1953～1957)的基本任务，则被规定为“集中力量发展重工业”。

不过1956年“小跃进”对国民经济稳定造成的消极影响给了人们以教训，使毛泽东也感到片面强调重工业发展的偏颇。这使他在1956年的《论十大关系》讲话中提出了“在优先发展重工业的前提下更多地发展农业和轻工业”的问题。他指出，“重工业是我国建设的重点。必须优先发展生产资料的生产，这是已经定了的。但是决不可以因此忽视生活资料尤其是粮食的生产”；“我们现在的问题，就是还要适当地调整重工业和农业、轻工业的投资比例，更多地发展农业、轻工业。这样，重工业是不是不为主了？它还是为主，还是投资的重点。但是，农业、轻工业的比例要加重一点。”他还在1958年的《关于正确处理人民内部矛盾的问题》讲话中郑重提出，需要探索中国的工业化道路问题，主要是指重工业、轻工业和农业的比例问题。我国的经济建设是以重工业为中心，这一点必须肯定。但是同时必须充分发展农业和轻工业。

不过，毛泽东的这一探索并没有进行到底。相反，他在1958年的“大跃进”运动中提出了“以钢为纲”的方针，并给工业、特别是重工业的增长提出了完全脱离实际的高指标。1964年，他提出“备战、备荒、为人民”的方针，主张“农轻重次序要颠倒一下，吃穿用每年略有增加就好”，决定集中力量大搞“三线”地区以“备战”为目标的基础工业、特别是军事工业建设。这样，他在1956年萌芽的想法就完全

---

① 梁漱溟(1953)：《一九五三年九月八日至十八日一段时间内的事情》，《梁漱溟全集》，第七卷，济南：山东人民出版社，1989年，第13页。

② 如方显廷认为“中国工业化之程序，应先自轻工业入手，而渐及于重工业”的两篇文章，《吾人对于工业化应有之认识》(1935)与《中国之国民所得》(1946)，就被收录到《中国资产阶级经济思想批判参考资料》(中国人民大学经济系政治经济学教研室编，北京：中国人民大学，1958年，第1～13页)中供批判之用。

翻转过来了。

根据毛泽东的有关著作编写。

4.2　改革开放以来调整经济结构和改善增长方式的探索

在“文化大革命”结束后的“拨乱反正”过程中，朝野上下痛定思痛，对过去走过的发展道路进行了反思，认识到沿着这条高指标、高投入、低效率的外延（粗放）增长道路，中国是无法顺利实现工业化和现代化的目标的。

于是，中共中央和国务院在1979年作出了用三年时间做好国民经济“调整、改革、整顿、提高”的工作部署，压缩工业基本建设规模，加强农业和提高轻工业的比重。1981年在“进一步调整国民经济”的过程中，又正式提出，要“走出一条速度比较实在、经济效益比较好、人民可以得到更多实惠的新路子”①。

4.2.1　1979年和1981年的两次结构调整和效率改进

经过1979年和1981年的两次调整，我国经济结构有了一定的改善，经济效率有了一定的提高。

首先，以往受到破坏的农业有所发展，发展滞后的轻工业也有所加强。这样，长期存在的农产品严重短缺、农民极度贫困的问题有了很大缓解；消费类工业品不仅扭转了长期存在的供应短缺，随后还开始出现部分品种的供过于求的现象。

其次，服务业发展较快。在逐步放宽非国有企业的市场准入以后，以消费性服务为主的服务行业如商业、餐饮、旅馆业等增长迅速，以生产性服务为主的行业如外贸、运输、金融业等也有所增长。因此，服务业在GDP中所占比重由80年代初期的21.6%提高到1985年的28.5%。

但是，这两次调整都仅仅针对传统增长模式所造成的结果进行，并没有涉及产生这些消极后果的本源。而且，第2次调整开始不久，一

① 《今后经济建设的方针》，《人民日报》1981年12月2日。

位理论权威和意识形态主管就在中共中央的机关刊物《红旗》杂志上发表长篇论文，提出一些经济学家怀疑优先发展重工业的方针，是一种否定“马克思再生产理论基本原理”的“偏向”，必须“纠偏”①。这样，虽然经过两次调整，我国的产业结构有所改善，效率有所提高，但是过了不久，一切又回到了原状。

由于以上原因，15 年以后，1996 年第八届全国人民代表大会通过的《国民经济和社会发展的“九五”计划和 2010 年远景目标纲要》再次把“实现经济增长方式从粗放型向集约型转变”规定为“九五”(1996～2000)的一项基本工作任务。第十个五年计划(2001～2005)又把经济结构调整和经济结构升级规定为五年经济发展的“主线”。2002 年中共“十六大”进一步明确提出“走出一条科技含量高、经济效益好、资源消耗低、环境污染少、人力资源优势得到充分发挥的新型工业化路子”②的要求。

4.2.2 传统工业化道路的体制基础仍未消除

通观改革开放以来 20 余年中消除先行工业化国家早期增长模式和社会主义传统工业化道路影响的工作，虽然取得了一些成绩，但还是存在重大的不足。主要的问题是，过多注重于改变这种增长模式和工业化道路所造成的高耗费、低效率等方面的结果，而没有着重于消除造成这种结果的体制和政策方面的原因。对于作为传统工业化道路基础的思维定式和制度安排，更没有能够作系统的清理。

与传统工业化道路相配套的体制和政策留在我国当前经济中的遗产，主要表现在以下四个方面：

第一，把数量扩张作为主要目标的旧思想和老做法没有彻底改变。虽然我国的国民经济核算体系从 1995 年起已经从只核算物质生产活动的“物质产品平衡表体系”(MPS)改变为把国民经济的生产、流通、消费作为一个有机整体进行核算的“国民账户体系”(SNA)，但是，把 GDP 的高增长和“物质生产领域”产值增长速度赶超发达国家作为应当不惜一切代价实现的国家目标，以及把增长速度作为衡量

---

① 参见邓力群(1982)：《马克思主义再生产理论的基本原理必须坚持》，载《红旗》杂志，1982 年第 5～7 期；邓力群(2005)：《邓力群自述：十二个春秋》，香港：大风出版社 2006 年版，第 351～352 页。

② 江泽民(2002)：《全国建设小康社会，开创中国特色社会主义事业新局面——在中国共产党十六次代表大会上的报告》。

各级党政领导干部“政绩”的主要标准等老习惯和老做法并没有根本改变。

第二,各级政府继续保持着过多的资源配置权力和对企业微观经济决策的干预权力。虽然我国已在20世纪末初步建立了社会主义市场经济体制,但市场在资源配置中的基础性作用仍然发挥得很不够,土地、矿藏、贷款等重要资源的配置权力仍然在很大程度上掌握在各级政府官员手中,或者受党政领导决策的影响。这就使各级政府官员有了运用这种动员和支配资源的权力来实现自己“政绩”目标的可能。

第三,财政体制的缺陷使各级政府官员有动力和能力进行过度投资营建“形象工程”和“政绩工程”。把许多应当由中央政府掌握的事权和财权,例如实现九年义务教育的责任和财源,下放给地方政府的分散财政体系,使各级地方政府都要努力取得更多的收入来弥补日益增大的支出,包括营建“改变城市面貌”的“形象工程”和“迎接重化工业时代”的“政绩工程”的支出。同时,以生产型增值税(VAT)为主、在中央预算和地方预算之间按75∶25的比例分成的税收体制使各级政府努力运用手中的资源配置权力集中力量营建产值大、税收多的简单加工工业和重化工业的重大项目。

第四,要素价格的严重扭曲鼓励高资源投入、低经济效率项目的扩张。在传统的工业化模式下,国家为了鼓励缺乏效率的重化工业的快速发展,通常把要素价格压得很低,造成高资源和资本投入、低效率企业的盈利假象①。目前,要素价格严重扭曲情况依然存在。土地、矿藏、淡水、能源、资金、劳动、外汇等价格的市场化程度不高,主管机关往往在“支持产业发展”的名义下,给这些生产要素规定偏低的价格②,人为地压低了外延增长实际付出的成本,鼓励了紧缺资源的浪费以及实际效益很差的产业的扩张。根据国际能源机构迈尔斯(Norman Myers)和肯特(Jennifer Kent)的研究,由于能源价值不能反映其真实成本和稀缺程度,我国的能源消耗至少增加了9%(见表4.3)。

① 林毅夫、蔡昉、李周(1999):《中国的奇迹:发展战略与经济改革》(增订版),上海:上海人民出版社、上海三联书店,1999年,第28～66页。

② 只不过为了支持出口导向政策,本币的外汇汇率由进口替代时的本币高估转为低估。

表 4.3　能源定价反映全部成本之后对国民经济和能源消耗的影响

国家	平均补贴（占参考价的%）	补贴的成本（10亿美元）*	取消补贴的影响		
			经济效率的提升（占GDP的%）**	能源消费的降低（%）	二氧化碳排放量的下降（%）
伊朗	80.4	3.6	2.2	48	49
委内瑞拉	57.6	1.1	1.2	25	26
俄罗斯	32.5	6.7*	1.5	18	17
印尼	27.5	0.5*	0.2	7	11
哈萨克斯坦	18.2	0.3	1.0	19	23
印度	14.2	1.5	0.3	7	14
中国	10.9	3.6	0.4	9	13
南非	6.4	0.08	0.1	6	8
总体	21.2	17.2	0.7	13	16

注：*：以1997年金融危机之前的价格与汇率为基础计算。
**：补贴能够提高消费者盈余增加额与厂商的盈余增加额的总和。消费者盈余的定义是：消费者对单位商品愿意支付的价格和实际支付的价格之间的差额；厂商盈余的定义是：厂商出售单位商品实际收到的金额与其愿意接收的价格之间的差额。消费者与厂商的盈余增加的总和小于转移支付的数额（补贴额），就意味着补贴政策造成了社会福利的净损失，因此取消补贴将提高经济效率。
资料来源：国际能源机构和N. Myers and J. Kent (2001)：*Perverse Subsidies: How Tax Dollars Can Undercut the Environment and Economy*（《补贴的谬误：纳税人的金钱是怎样损害环境和经济的》），Island Press；转引自世界银行中国代表处首席经济学家陈光炎（2004）：《可持续发展战略：深圳与中国——在2004深圳发展论坛的演讲》打印稿，2004年10月22日。

由于与传统工业化道路相适应的制度和政策遗产仍然广泛存在和继续发生作用，那种依靠高投资、高消耗维持高增长的做法就很容易自动死灰复燃。

我国的第十个五年计划（2001～2005）提出要以结构调整和结构升级作为主线。从经济学角度看，这一口号无疑是正确的。这是因为，所谓产业结构优化，无非是指资源配置结构的优化；而资源配置结构的优化，乃是经济效率提高最基本的内容。所以也可以说，产业结构的调整和优化，正是增长方式由外延向内涵转变的症结所在。问题在于，何谓"产业结构升级"以及产业结构由谁来调整和向什么方向调整。在现代经济中，资源配置不外有两种基本方式：一种是以市场作为稀缺资源的基础性的配置者，通过自由市场上能够灵活地反映各种资源的相对稀缺程度的价格体系进行配置，另一种是由政府充当稀缺资源的基本配置者，通过它们的行政命令进行配置。在前一种情况下，市场竞争所形成的、能够反映资源相对稀缺程度的价格在资源的自由交换中使其流向可以获得最高效率的地方；而在后一种情况下，资源配置则是反映行政官员的意志和要求。如前面所说，在我国资源配置方式的转变还远未完成、各级政府还保留着很大的配置权力的条件下，各级政府的领导人往往把“结构调整”理解为由他们按照“提高政绩”的方向进行配置，把“结构优化”理解为把资本和其他资源优先投入产值大、利税收入高的简单加工装配工业或重化工业。这样，许多地方便不顾本地是否具有发展这类工业的基本条件和比较优势，运用自己手中的资源配置权力，使本地经济实现“重型化”或“重化工业化”。于是在世纪之交很快形成了大规模投资、“铺摊子、上项目”的全国性热潮。

主流媒体为我们描绘了我国经济进入“重化工业化阶段”后的光辉灿烂的图景：“中国经济正在进入重化工业化阶段，如果抓住了重化工业化这一机遇，中国经济就完全可以维持 20 年的高增长，中国的经济就基本上完成了工业化。”“中国进入重化工时代既是中国经济有史以来最伟大的结构变革，也将因此而改变整个世界的经济格局。这是用和平方式重塑中国与世界的艰苦卓绝的长征，这个过程至少延续 15～20 年。过程之中，中国经济出现 10%以上幅度的高速增长将毫不奇怪；过程结束之时，中国经济总量居于世界首位亦在预料之中。”①不少地区也纷纷宣布，本地区已经“开始进入以重型化产业为主导的新一轮快速增长周期”；本地区的“‘重化’故事已拉开大幕”；本地区“经济由‘轻’转‘重’，步入加速重工业化阶段”；作为支撑，本省经济发展的重要路径之一——“重化工业难以回避”。② 各地热衷于赶上“重化工业化”这趟车，过去产业结构较“轻”的地区或较“重”的地区都没有例外：经济结构原来较“轻”的地区认为，“产业发展绕不过重化工业这一阶段”，“我省必须改变过于‘轻型化’的产业结构，以重型化为方向推进产业结构的战略性调整”；原来结构较“重”的地区则认为，“我国经济的发展已经开始进入重化工业阶段”，“这对我省长期以来一直偏

① 《成为新一轮国际产业的首选地——中国经济重化工业化》，《香港商报》，2004 年 2 月 26 日；《中国进入重化工时代》，《中国科技财富》，2004 年第 4 期。

② 参见《新型工业化路子怎么走，专家为广东把脉》，《南方日报》，2003 年 8 月 29 日；《寻找重化工业时代的浙江特色》，《浙江日报》，2004 年 3 月 19 日；《广东经济由‘轻’转‘重’，步入加速重工业化阶段，固定资产投资理性增长》，《经济日报》，2004 年 4 月 16 日；《把脉江苏发展道路，15 位专家畅所欲言——重化工业：江苏绕道行还是顺流上》，新华报业网，2005 年 10 月 30 日讯。

重的工业结构，以及国有经济偏高的所有制结构，是一次重大的战略性机遇”。[①] 就像一篇报道所说的，“事实上，自十五届五中全会决定我国走新型工业化道路以来，我国经济增长方式已经出现明显的‘重型化’特征。各省市纷纷有了从轻工业向重化工业转型的愿望和趋势”。[②] 就这样，“走新型工业化道路”被诠释成了“走重化工业道路”、“重型化道路”或“以制造业为核心的重化工业道路”。[③]

4.3 工业化道路和增长模式偏差的消极后果

这种工业化道路依靠高投资和高消耗实现了产值的高增长，同时也带来一系列消极后果。

4.3.1 经济整体效率下降

依靠高投资、高消耗带动的重化工业化热潮已经带来了一系列负面效应。它的最综合的表现，就是不能按照“扬长避短、发挥优势”的原则配置资源，造成国民经济的整体效率下降。

正如前面所说，有效地配置资源的基本要求是按照本国资源禀赋的现实状况，扬长避短，发挥优势。对于中国资源禀赋的基本情况，人们是普遍具有共识的，这就是：人力资源丰富、自然资源紧缺、资本资源紧俏、生态环境脆弱。其中最为突出的是，普通人力资源极其丰富，而自然资源的人均占有量大大低于世界平均水平（见表 4.4）。而且，这些稀缺程度很高的资源，绝大部分是像土地、淡水等不能经由国际贸易取得的非可贸易资源。有些重要的资源，如石油能源虽然是可贸易的，但由于它所具有的重要战略性质，要大规模地取得，也受到国际政治的重大限制，因此也应当看作准非可贸易品。这些非可贸易品和准非可贸易品的短缺，构成了对增长的硬约束。

---

① 《广东：重化工强劲增长说明了什么?》，《南方日报》，2003 年 9 月 11 日；《重化工业阶段与贵州工业发展的战略选择》，《贵州日报》，2004 年 11 月 6 日。

② 《重化工业之争》，《中华工商时报》，2005 年 2 月 24 日。

③ 《重化工业强劲增长说明了什么》，《南方日报》，2003 年 9 月 11 日；《重型化是中国经济必经阶段》，《北京晨报》，2003 年 12 月 14 日；《中国进入重化工业阶段》，《商务周刊》，2005 年 8 月 22 日；《不走重化工业道路对我们不利》，《第一财经日报》，2005 年 3 月 21 日。

表 4.4 我国人均资源占有情况与世界平均水平的比较

资源种类	我国人均占有水平	与世界人均水平的比率(%)
耕地	0.1 公顷	42
淡水	2257 立方米	27
森林	0.12 公顷	20
矿产保有储量潜在总值	0.93 万美元	58
其中:		
煤炭(探明可采储量)	98.94 吨	53
石油(剩余储量)	2.7 吨	11
天然气(探明可采储量)	769 立方米	3

资料来源:中国科学院资源环境科学信息中心:《我国能源发展战略研究》,2004 年。

在这样的资源禀赋条件下,如果我国具有良好的稀缺资源配置机制①,其产业结构就会以发展低能耗、低资源投入、又能发挥中国人力资源丰富和中国人心灵手巧的优势的产业为方向,从而能够以最小的资源消耗生产最大的价值。然而在前面谈到的体制和政策环境下,中国的经济发展极易走上旧型工业化道路,重点发展高资本和其他资源投入、高环境损失、低就业和低盈利的产业,陷入"扬短避长"的误区。在这种情况下,虽然个别企业、个别部门或局部地区能够在短期内获得一定的增长和盈利,却给整个社会造成严重的福利损失。

这种"扬短避长"做法的表现之一,是把具有高度稀缺性的短线资源投入赢利性很低的生产活动,造成了很大的资源浪费。

例如,近年来我国一些地方大量增产电解铝、硅铁、电石等高能耗、高污染产品,不但供应国内市场,还大量出口换取外汇。出口高能耗、高污染产品,等于出口能源和损害国内生态环境。正如前面所说,我国是一个能源高度紧缺、生态环境十分脆弱的国家,而能源和生态环境又不是一种可贸易品。在这种情况下,虽然出口企业由于能够享受资源定价优惠而获得盈利,其实对于以国家整体来核算的社会财富不但没有增加,相反还有所减少,正负相抵得到的是社会财富的净损失。

以电解铝的生产为例。电解铝产业是一种资源高度密集的产业。

① 中国之所以选择市场经济体制,正是因为市场制度是一种所谓"最不坏的"稀缺资源配置机制,能够通过反映各种资源稀缺相对程度的相对价格,使资源从低效企业和部门流向能够以更高效率利用资源的企业和部门。

由于电能、氧化铝等物质在总成本中所占比重高达90%以上，而这些物质资源又在我国高度稀缺，我国企业的电解铝生产成本便天然地高于资源富集国家。这样，电价只要达到每千瓦时0.35元左右，绝大部分电解铝生产企业就会无钱可赚。上世纪90年代，当工业用电价格达到每千瓦时0.40～0.50元水平时，电解铝工业出现了全行业亏损。于是，政府在90年代末出台了对电解铝工业的电价优惠政策，许多地方决定给予电解铝生产企业每千瓦时0.25元左右的电价优待。可以说，本世纪初以来我国电解铝工业的迅猛发展，是在优惠电价的保护和刺激下发生的①。

在电价优惠的支持下，电解铝生产盈利颇丰，于是各地纷纷上马电解铝厂，我国电解铝的年生产能力由90年代末300万吨左右，猛增为2002年的546万吨、2003年的800万吨和2004年的970万吨。2003年我国出口铝锭125万吨，比2002年猛增50万吨。每出口1吨电解铝，相当于出口1.52万千瓦时当量的一次能源②；因此，增加50万吨出口等于多消耗了75亿千瓦时的电能。我国氧化铝资源不足，为了增产电解铝，需要大量进口氧化铝；由于我国企业大量进口，氧化铝的国际市场价格和国际运费分别上涨130%和140%；扣除氧化铝原料和原料国际运费的提高造成的成本增加，全年出口企业账面赢利仅增加了人民币8亿元。即使不算电价扭曲造成的成本低估，只要剔除多占用75亿千瓦时电能所发生的机会成本(约100亿元)③、大量不可再生资源消耗和由于燃煤的污染问题没有完全解决而造成的极大环境代价，电解铝行业获得8亿元的盈利是靠超过100亿元的国民财富损失换来的，乃是一件显而易见的事情。可是在账面盈利的刺激下，各地继续投入大量资金建设电解铝生产企业。目前，全国电解铝年生产能力已经高达1030万吨，在建、拟建规模还有500万吨。显然，这种过度投资和资源驱动的经济增长是绝对无法持续的。到了2005年，大部分电解铝企业已经陷于亏损的困境。

---

① 《电解铝盲目建设存在五大不良后果》，新华网2003年8月19日电。

② 也称天然能源，是指直接取自自然界没有经过加工转换的各种能量和资源。

③ 2004年仅浙江一省就缺电750亿千瓦时以上，一半以上的企业平均每月停电11.32天，因缺电造成的直接经济损失达1000亿元，相当于每度电的机会成本为1.33元(1000亿元/750亿千瓦时)，经济更为发达的上海则达到8.36元(《全国电荒造成惨重损失，大缺电三分天灾七分人祸》，《中华工商时报》，2004年12月22日)。按每千瓦时电能的机会成本为1.33元计算，仅多消耗75亿千瓦时电能一项，带来的成本提高即超过100亿元(1.33元/千瓦时×75亿千瓦时)。

这种“扬短避长”做法的另一方面表现，是没能尽量利用我国长线资源方面的优势，使我国在人力资源方面的潜力得到充分发挥。

第一，我国有数以亿计的农村富余劳动力需要由效率较低的传统农业向效率较高的现代工商业转移。他们是足以大幅度提高我国经济整体效率的重要资源。但是，要使这种资源的潜力充分发挥出来的首要前提，是创造足够多的城镇工作岗位，使他们能够有工作做，否则这种资源只能被部分闲置。因此，在产业发展中一个重要的问题，就是使产业结构有利于为这些需要转移的劳动力创造尽可能多的工作岗位和就业机会。我们知道，在不同种类的产业中，服务业创造就业岗位的能力最强；在不同规模的企业中，小企业创造就业岗位能力最强。所以，按照我国资源禀赋条件，应该大力发展在计划经济下一直发展不足的服务业和小企业。然而，旧型工业化道路恰好是与这种正确的产业发展方向相对立的。根据早期增长模式的要求，重点发展的是工业，特别是重化工业中的大型企业。这些就使我国大量劳动力处于就业不足的状态。丰富的人力资源利用不足，意味提高经济效率的潜力未能得到发挥。

以服务业的发展而言，在传统工业化道路重工抑商的理论和政策的影响下，我国服务产值历来严重偏低。世界银行早在前引 1984 年的考察报告中就已指出：“按照一般的发展格局，就业人员的转移主要是从农业转向服务业，工业人数的增加则比较缓慢，因为工业的劳动密集性不像服务业那样强。”我们在这里还要补充地说，重化工业的劳动密集程度更差，从而创造就业岗位的能力更弱。由于在上世纪 70 年代末期和 80 年代初期的经济调整，我国服务业曾经有过一段较快的恢复和发展时期，上述考察报告提出，“目前中国服务部门的规模特别小，这就对它的发展前途提出了这样的问题：服务业将继续保持其异常小的规模，还是会像过去几年那样异常快地发展？”

世界银行考察报告在分析中国的情况后强调，为了提高中国国民收入的增长率，需要加快商业以及其他为个人服务和为其他工商业服务的服务业，即我们在前面说过的消费性服务业和生产性服务业。①

经过嗣后多年的结构调整，到 20 世纪与 21 世纪的世纪之交，中国

① 世界银行(1984)：《中国：长期发展的问题和方案》，北京：中国财政经济出版社，1985 年，第 38～39 页。

第三产业增加值提高到占 GDP 的 34%左右。但是,这不仅仍然低于世界各国的平均水平(60%),还低于低收入国家的平均水平(45%)①(见图 4.4、图 4.5)。

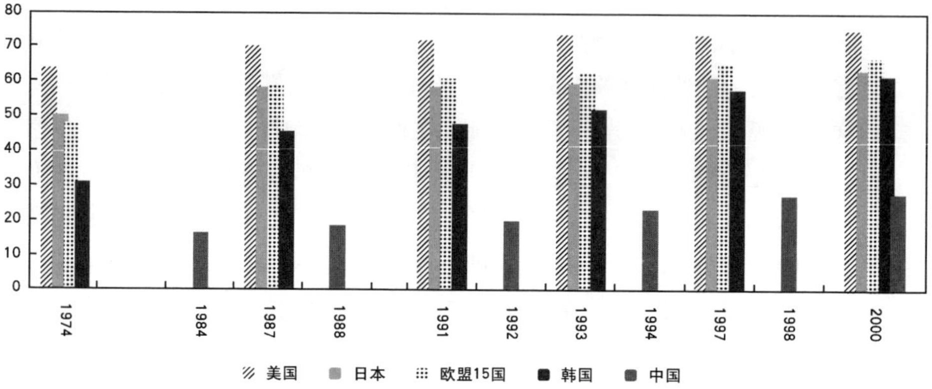

图 4.4　中国与世界部分国家服务业就业比重的对比

注：表中数据均按当年价格计算。

资料来源：OECD 历史统计资料,1970～2000、1960～1997，http://www. oecd. org;中国数据来源于国家统计局:《中国统计年鉴》(各年)。

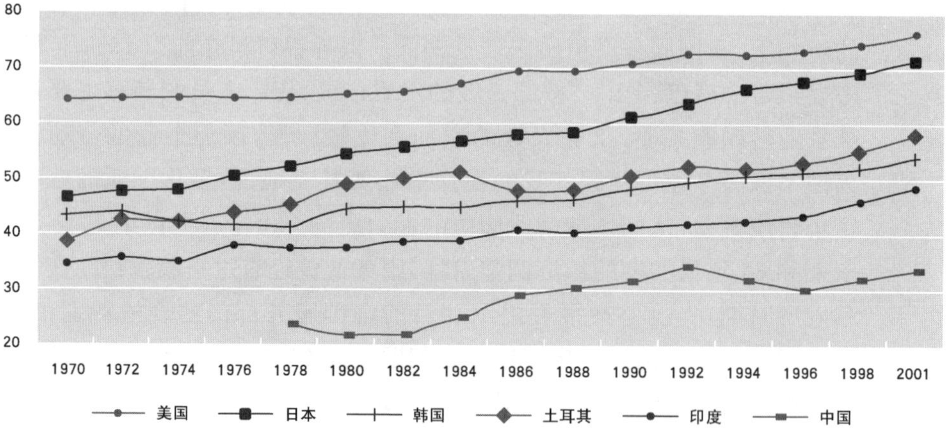

图 4.5　世界部分国家服务业占 GDP 比重变动情况

资料来源：联合国统计司，http//unstats. un. org//unsd，2004 年 7 月 4 日;中国数据来源于国家统计局;《中国统计年鉴》(各年)。

① 我国服务业在 GDP 中所占比例偏低,有统计上的技术原因。然而即使将这一因素剔除,我国服务业比重过低仍是一个不争的事实。因为和其他国家比较,我国最为落后的正是生产性服务业。参见岳希平、张曙光、许宪春编(2005):《中国经济增长速度：研究与争论》,北京：中信出版社,2005 年。

最近几年在投资驱动和片面追求产业结构重型化的浪潮中，我国服务业占GDP的比重不升反降，产业结构扭曲现象日益突出(见表4.5)。

表4.5 1980年以来我国第三产业比重变化情况 (%)

	1980	1984	1990	1994	2000	2001	2002	2003	2004	2005上半年
产值比重	21.4	24.7	31.3	31.9	33.4	34.1	34.3	33.4	31.9	31.3

资料来源：国家统计局：《中国统计年鉴》(2005)，北京：中国统计出版社，2005年；国家统计局：《中国经济景气月报》总第66期，2005年9月。

第二，我国人力资源丰富，虽然存在平均受教育年限短、文化技术水平普遍偏低的缺点，可是，我国人口基数大，拥有丰裕的专业人才资源，而且中华民族素有重视教育的传统。因此，就绝对数量而言，中国人中能够承担技术创新重任的科学研究和工程技术人员并不在少数。2001年，中国高校注册学生数达到1510万人，居世界第一位；受过高等教育的人数约为5000万，几乎是美国全部就业人口的一半，比英国、法国、意大利、德国这四个国家中任何一个的所有就业人口都多，也超过西班牙的全部人口①。就以发展高技术(Hi-tech)和新技术产业而言，中国虽然不能一步登天，全面实现整个国民经济的高技术化，但在有条件的地方努力实现技术升级和产品升级，例如在制造业中尽量向自主研发、品牌营销等具有较高附加价值的上下游延伸，仍是我们必须力争做到，也是完全能做到的。但在前面讲过的体制环境和政策环境下，许多地方和企业从追求短期效益出发，宁愿依靠大量投入廉价的劳动力、资本和自然资源生产技术含量不高的产品，以数量扩张取胜，而不愿或不能在人力资本积累和自主技术开发上做出更多的努力并在这方面取得较大的进展。例如，北京是世界上技术力量最密集的城市之一，如果能够发挥其智力资源的潜力，北京的经济发展前景是不可限量的。但是在实施把中关村高新技术开发区建设成为高技术创新基地和高技术产品的生产基地的方针几年以后，却无奈地发现，

① 见United Nations Educational, Scientific and Cultural Organization (2003), "Synthesis Report on Trends and Developments in Higher Education since the World Conference on Higher Education (1998～2003)"(联合国教科文组织《关于世界高等教育大会后(1998～2003)高等教育趋向和发展的综合报告》)，2.1.1，http://portal.unesco.org/education/en/ev.php-URL-ID=20031&URL-DO=DO-TOPIC&URL-SECTION=201.html；同见陈志武(2004)：《为什么中国人出卖的是"硬苦力"》，《新财富》，2004年9月号。

发展高技术产业很难在短期内实现 GDP 和财政收入的高增长。于是在 GDP 增长指标和财政收入的压力下只好把经济发展的重点转向技术含量不高、但产值很大的一般加工业。

由于以上原因，我国制造业企业往往只能像陈志武教授所说的那样，“卖硬苦力”，从事施振荣的“微笑曲线”价值链中附加价值和盈利率最低的简单的加工、装配活动，而把研发、设计、品牌营销、金融服务等服务性业务的丰厚利润拱手让给别人。

4.3.2 稀缺资源高度紧缺

这种违背经济原则的过度投资和“重化工业化”浪潮带来的问题几乎触目皆是，首当其冲的是造成了土地、淡水以及煤、电、油、运以及其他稀缺资源的高度紧张。

采取大量耗费资源的增长模式使我国本来不宽裕的土地、淡水等资源瓶颈迅速绷紧。采用早期增长的外延(粗放)增长模式，使我国的稀缺资源极不经济地被耗费。

2003 年我国 GDP 约占世界 GDP 总量的 4%，而资源消耗在世界资源总消耗量中所占的比例却远远高于上述 GDP 的比例(见表 4.6)①。

表 4.6 2003 年我国资源消耗量占世界总消耗量的比重 (%)

原油	原煤	铁矿石	钢材	氧化铝	水泥
7.4	31	30	21	25	40

资料来源：马凯(2004)：《树立和落实科学发展观，推进经济增长方式的根本性转变——2004 年 3 月 21 日在中国发展高层论坛上的发言》，人民网：http://www.people.com.cn/GB/jingji/8215/32688/32689/2403665.html。

世界各国工业化过程中电力消耗对 GDP 增长的弹性系数一般在

① 当然，由于中国目前处在现代化的初期阶段，大规模的基础设施建设使我国同单位的 GDP 产出需要耗费较多的钢材、水泥等原材料；另外，由于汇率等原因，我国 GDP 占世界总量的比重可能低估，我国单位 GDP 的实物消耗量可能高估。即使考虑到这些，我国经济增长中的高投入、低产出的问题依然很严重。例如，印度在过去几年以不足 GDP20%的投资率获得了 6%～8%的经济增长，而我们以 GDP 近 50%的投资才达到 7%～9%的 GDP 增长(参见马凯(2004)：《树立和落实科学发展观，推进经济增长方式的根本性转变——2004 年 3 月 21 日在中国发展高层论坛上的发言》，人民网：http://www.people.com.cn/GB/jingji/8215/32688/32689/2403665.html)。

0.8～1.0之间；日本在1960～1970年加速工业化的阶段，能源弹性系数也不过为1.21，过去40年我国的这一弹性系数也在0.8～1.0之间，可是近几年这一系数高达1.6，而且还有大部分省份拉闸限电。[①]这种异常状况的出现，显然与我国产业结构出现了较大偏差，高耗能的重化工业发展过快有直接的关系[②]。我国石油蕴藏量不丰富，一次能源主要依靠原煤。2000年我国生产原煤9.98亿吨，"十五"前3年，原煤产量以平均15%的速度递增仍然不敷需要。这促使一些煤矿进行超能力的掠夺式开采，同时许多安全设备达不到要求的煤矿带病运转，造成事故频发，吨煤死亡率成为世界之冠[③]。与此同时，有识之士呼吁多年的限制大排量汽车生产和消费的措施，为了支持汽车产业的发展，迟迟不能出台。目前我国已成为仅次于美国的世界第二大石油消费国，2004年进口原油1.23亿吨，占国内消费总量四成[④]。石油这种战略性资源对外依存度的持续提高，将严重影响我国的经济安全。

与此同时，许多地区以大力发展高耗能工业作为振兴本地经济的重要措施。据新华社报道，近年来西部一些省份大办"高载能工业园区"，计划把本地区建成"世界级"的高耗能产品基地，结果使一些能源生产基地也严重缺电、缺煤[⑤]。中国对世界能源的巨大需求已经引起了能源价格猛涨。据中国人民银行的统计，2004年国际市场煤炭价格较上年同期上升41.7%，原油价格上涨30.2%[⑥]。中国工程院院长徐匡迪院士指出，如果中国走传统工业化的老路，其能源消耗将是中国和世界难以承受的。[⑦]

---

① 电力弹性系数=电力消耗量的年增长率/国民经济增长率。如果电力消耗的弹性系数大于1，表示电力消耗的增长速度要高于经济的增长速度；小于1，则表示电力消耗的增长速度要低于经济的增长速度。一般高收入国家的电力消耗弹性较低，大多数高收入国家的电力消耗弹性系数小于1，而低收入国家的电力消耗弹性较高，往往大于1。

② 汪恕诚(2005)：《C模式：自律性发展——2005年6月3日在〈中国水利〉杂志暨节水型社会建设高层论坛上的讲话》，打印稿。

③ 人们往往把我国煤矿矿难频发的原因仅仅归结为矿主黑心和执法不严。其实传统增长模式造成的能源高度紧俏也是一个不可忽视的原因。试想，在我国40%煤矿没有达到安全标准的情况下，如果这些煤矿严格按照法律的规定，一律停止生产将发生什么情况？

④ 《傅自应部长助理在中国五矿化工进出口商会铁矿石分会成立大会上的讲话》，商务部网站：http://fuziying.mofcom.gov.cn。

⑤ 储国强、刘军、熊聪如：《警惕我国成为世界高耗能产业转移中心》，新华网北京2004年12月8日电。

⑥ 《2004～2005年产业形势分析预测：2005年能源瓶颈仍延续》，《上海证券报》2005年1月20日。

⑦ 徐匡迪(2004年3月23日)：《中国须走新型工业化道路——在中国国际钢铁大会上的演讲》，见新华社上海2004年6月6日电。

土地、淡水等资源更是难于通过国际贸易取得的“不可贸易品”。在目前的增长模式下，这部分资源瓶颈已经对一些地区的经济发展形成硬制约。例如，我国人均占有土地大大低于世界平均水平，而且人口分布不均匀，94％居住在46％的国土上，因此必须惜土如金。可是，在最近几年的“形象工程”和“政绩工程”中，大手大脚地耗用土地资源的现象极为严重。据国土资源部2004年报告，最近几年各级政府建立各级开发区6866个，占用土地3.86万平方公里（57.9万亩）①。由于土地批租采取协议批租、领导“拍板”的方式，批租价格过低，形成半卖半送或明卖暗送，结果造成了土地资源利用上的严重浪费。巨型楼堂馆所、巨型广场、大面积的开发区遍地开花，只盖一层厂房、动辄占地上千亩的“花园工厂”随处可见。

4.3.3 生态环境迅速恶化

由于我国粗放的城市建设和产业发展，特别是高能耗、高水耗、高污染和大量占用土地的重化工业的发展带来的不可再生资源浪费和环境破坏问题没有得到有效的控制，一些地方的基本生产和生活环境遭到破坏。

在我国推进工业化的过程中，环境破坏日益严重②。据有关方面报告，我国主要污染物排放量已超过环境自净能力。工业固体废物产生量由1990年的5.8亿吨上升到2000年的8.16亿吨；日污水排放量在1.3亿吨左右，七大水系近一半河段严重污染。许多城市空气污染严重，酸雨面积已占全国面积的1/3；全国水土流失面积达3.6亿公顷，约占国土面积的38％，每年新增1.5万平方公里；沙漠化面积达174万平方公里，占国土面积的18.2％，每年新增3436平方公里。90％以上的天然草场退化，每年增加退化草原2.5万公顷；北方河流资源开发利用率大大超过了国际警戒线（30％～40％），其中黄河、淮河、辽河达60％，海河达90％。流域生态功能严重失调。华北平原出现了

---

① 国土资源部：《2003年我国耕地净减近四千万亩》（新华社北京2004年2月24日电），新华网：http://news.xinhuanet.com/zhengfu/2004-02/24/content-1328752.htm.

② 中国所吸收的FDI中有相当一部分是发达国家向外转移的高耗能、高污染工业，这些工业的产品最后大量出口到发达国家，使发达国家完成了污染的转移。参见Jared Diamond（2005）：*Collapse：How Societies to Fail or to Survive*（《崩塌：社会怎样在失败或存活间进行选择》），London：Penguin，2005. 其中第370页有关于外资向中国转移污染密集型产业（Pollution—Intensive Industries，PII）的数量。

世界上最大的地下水位下降漏斗。[①] 据世界银行 1997 年统计，我国仅空气和水污染造成的损失，就相当于 GDP 的 3%～8%。[②]

经济"重型化"对我国本已十分脆弱的生态环境造成了极大的影响。华北平原是一个严重缺水的地区，但是近几年来，北京、天津两市和河北、山西等省都在大力发展高度耗水的煤、钢、汽车等工业。河北一省就有投资建成 7500 万吨钢的生产能力，而且相当一部分是高耗费和高成本、高污染的小冶炼装置[③]。即使规模较大、技术条件较好的钢厂，生产 1 吨钢也需耗水 16 吨。在地上水不能供应的时候，就用地下水来弥补。据美国桑德拉国家实验室报告，2000 年在海河流域取水量为 550 亿吨，比它的可持续供应量 340 亿吨超过了 210 亿吨。这些缺额由开采地下水来弥补。2001 年 8 月发布的一份中国地质环境监测院地下水测量报告显示，华北平原的水位下降得比早先报道的要快。超采已经大大掏空了浅层蓄水层。这就迫使掘井者转向深层蓄水层。该报告说，河北省深层蓄水层的平均水位在 2000 年一年里下降了 2.9 米；该省一些城市的水位更是下降了 6 米。由于深层蓄水层是不能再补充的，随着华北平原深层蓄水层的耗尽，该地区正在丧失最后的水储备，最后一块安全垫将会消失。[④]

正如胡锦涛在 2004 年 9 月的中共十六届四中全会的讲话所指出："如果不从根本上转变经济增长方式，能源将无以为继，生态环境将不堪重负。那样，我们不仅无法向人民交代，也无法向历史、向子孙后代交代。"[⑤]

有的经济学家提出，目前西方国家正在对中国施加压力，要求我们限制高能耗、高污染产业的发展。为了中国的利益，我们应该顶住西方国家这种要求，尽力发展一切有市场需求的产业。"最好的情况是，不仅中国人需要的重化工产品都在中国生产，世界上所需要的重

① 韩保江(2004)：《中国发展的忧患之思》，载《瞭望》周刊，2004 年 2 月 16 日。乔国栋、翟津玉：《环境形态严峻，中国准备放三颗环境监测卫星》，《中国经济时报》，2005 年 4 月 29 日；周玮：《环保局局长：十大措施对我国严峻环境形势》，新华社北京 2005 年 6 月 6 日。

② 联合国开发计划署 UNDP(1999)：《中国人类发展报告》，北京：中国财经出版社，1999 年，第 67 页。

③ 河北省采取这种"以钢为纲"发展重化工业的战略所造成的其他消极后果，还可参看胡鞍钢(2004)：《从黑色发展到绿色发展：谈河北经济增长方式的转变》(《2004 年 7 月 25 日对河北省决策咨询委员会议提出的咨询意见》，打印稿)。

④ 布朗(Lester Brown)：《B 模式：拯救地球，延续文明》，北京：东方出版社，2003 年，第 24 页。

⑤ 转引自盛华仁：《健全环境保护法制，依法防治水污染——在全国人大环境与资源保护工作座谈会上的讲话(摘要)》，2005 年 1 月 10 日，人民网：http://www.people.com.cn/GB/14576/15097/3108571.html。

化工产品也在中国做，然后出口到世界各地，为了世界生产，用全世界的资源，中国需要这样的战略去创造就业机会，以解决几亿农民进城的问题。”①

上述议论似乎合乎经济学上的“最大化原则”，其实“差之毫厘，谬以千里”。首先，“经济原则”所要求的最大化，不是产值的最大化，而是“净产值”或“净净产值”（“利润”）的最大化。第二，这种“最大化”，是在资源和环境约束下进行的，不计成本、不顾环境的增产是不可持续的。最后也是最重要的，我们不是为生产而生产，生产的目的是为了人，为了人民的幸福。如果增加了产出和外汇收入却损害了环境，这是得不偿失的；而目前有些地方却大肆进行高污染产品生产，破坏了当地基本生存条件，严重危害人民健康。

限制高能耗和高污染产业的发展，不但是世界人民的利益所在，更是中国人民的利益所在。事实上，我们目前遇到的问题，并不是西方国家力图阻挠我国高能耗、高污染产业的发展，而是当我国政府为了本国人民的利益采取措施限制高能耗、高污染产品的生产和出口时，受到西方一些进口国的反对和抵制。例如，2004 年初当中国政府鉴于我国已成为世界焦炭的主要生产国和出口国，而一些集中生产焦炭的地区出现生态环境严重恶化的情况，采取措施限制焦炭的生产和出口时，欧盟连续三次对我国发出通牒，要求中国对欧盟保持 450 万吨的焦炭年出口量②。如前所述，我国所吸引的外资中，有相当一部分是从发达国家转移过来的高耗能、高污染的所谓 PII 产业。正是我们承担了大量的污染和高能消耗，以低廉的利润生产出价廉物美的产品满足了发达国家的消费需求，而我们完全有能力以更低的能耗、更少的污染、更有效的增长实现现代化的目标。

4.3.4 服务业发展受到抑制

前已述及，在传统社会主义政治经济学和传统工业化道路的相关理论和政策的影响下，我国服务业产值历来严重偏低。经过改革开放以来多年的结构调整，到 20 世纪与 21 世纪的世纪之交，中国第三产业占 GDP 的比重不仅仍然低于世界各国的平均水平，还低于低收入国

---

① 《不走重化工业道路对我们不利》，《第一财经日报》，2005 年 3 月 21 日。

② 参见《欧盟再逼中国增加焦炭出口》，《新快报》2004 年 5 月 28 日和《欧盟与中国就焦炭贸易问题达成协议》，新华网，2004 年 5 月 30 日。

家的平均水平。

除增加就业的效应，服务业的发展还对国民经济整体效率的提高起重要作用。20世纪服务业发展的一个重大趋势，是生产性服务业的发展快于消费性服务业。生产性服务业有多方面的发展。其中一个，是以综合物流管理作为关键环节，把供应链（supply-chain）串联起来的供应链管理（SCM）。现代制造业价值链中服务性质的活动，如研发、设计、供应链管理、品牌营销、售后服务、金融和其他中介服务通常占有附加价值和利润的绝大部分。这大大深化了专业化分工，从而促使成本的大幅度降低和效益的大幅度提高。所以人们常说，21世纪的竞争不是单个企业之间的竞争，也不是产业集群（clusters）①之间的竞争，而是供应链之间的竞争。

正因为如此，世界银行1984年经济考察报告在分析了中国服务业发展水平偏低的情况下强调，为了提高中国国民收入的增长率，需要加快为商业以及其他工商业服务和为个人服务的各种服务行业，即生产性服务业和消费性服务业的扩展。它指出，这种扩展能够在以下方面提高经济效率：（1）改善经济机制和管理体制。为了通过更多地依靠市场、强化竞争、更好地按用户需求来安排生产等办法来达到降低成本、提高质量的目的，商业和服务业是必不可少的。（2）减少资金消耗。商业系统设施的改进和反应能力的加强，能节约流动资金，其他部门货不对路的滞销产品也会减少，也不需要过多的原材料和半成品。同时，这种改进和加强，能够促进专业化生产，使企业得以扩大规模和降低资金成本；同时，农业投资的收益也会增大。（3）生产性服务业企业可以更充分地利用专用设备和专业人员。这在经营设备租赁业务的企业是十分明显的。此外，广告与市场研究、法律、会计、设计、工程、维修、数据处理等服务业企业，甚至配餐、清洁等普通服务外包企业所提供的专业服务价格低而质量高，也能节约成本。最后，银行等金融机构对于作出较好的投资决策也能有所贡献。（4）促进物质资源的节约使用。各部门生产的"服务密集"程度的提高，可以促进"物质密集"

① 在我国许多地区的起飞阶段出现了是县、乡为单位的产业集群或称"块状经济"，例如浙江绍兴的轻纺工业、海宁的皮革制品、嵊州的领带、永康的五金、温州的制鞋和打火机、乐清的低压电器、诸暨的抹业等等。这些以专业市场为依托的产业集群曾经是我国中小企业开拓国内外市场的重要基地、然而由于供应链受到地区范围的限制，分工难以进一步深化，当我国国内市场形成并逐步融入全球市场时，这些产业集群就遇到愈来愈大的困难。

程度的降低：服务行业可以起到刺激和促进质量提高的作用，设计和咨询公司能够为生产企业提供必要的信息，商业部门和广告—市场研究公司的配合能够促进顾客和生产者之间的信息交流，这些都使企业比较容易、也更有必要去改进产品。在当时世界银行1984年经济考察团为中国1981～2000年经济发展设计的低、中、高三个方案中，高方案(“平衡方案”)更加着重服务部门的发展。由于服务部门的发展加快，这个方案能以更少的投资达到20年“翻两番”所要求的国民收入增长率。①

由于我国在往后的年代里未能实现服务业的高速发展，加之其他方面提高经济效率措施的不足，就只得依靠投资率的提高支撑经济增长，这导致了一系列的消极后果。

4.3.5 增加了解决就业问题的难度

我国农村有超过1.5亿的富余劳动力需要转移到城镇非农产业中就业，城镇每年还有1500万以上的新增劳动力需要就业。因此，增加就业是关系经济持续发展和社会稳定的一项重要任务。近年来城市建设和工业建设大量占用耕地，每年增加成千上万失地农民，有报道说，目前全国失地农民总数已达2000万人②。大量农民从土地上解放出来，这本是工业化和城市化过程中必然发生的情况。问题是城市非农产业能否提供足够多的新工作岗位以吸收农村的富余劳动力和城市的新增劳动力。理论分析和实践经验都表明，服务业和小企业是新工作岗位的主要创造者，资源密集和资本密集型的重化工业创造新工作岗位的能力很差，就业容量很低。采取先行工业化国家早期经济增长模式，强调重点发展资本和资源密集的重化工业，势必造成就业状况的恶化。

我国自上世纪90年代后期以来，随着产业结构的重型化和资本深化，在投资大幅度增长的同时，就业对GDP增长的弹性系数(就业人口的增长率对GDP增长率的比值)急剧下降。1962年美国经济学家奥肯(Arthur M. Okun)根据西方国家的经验数据总结出被经济学界普遍认同的奥肯定律。奥肯定律确认，失业率与增长率呈反向变化。但在我国产业结构扭曲的条件下，就业表现与奥肯定律完全相反。近年来我国GDP高速增长，就业弹性却不断下降(见表4.7)。

---

① 世界银行1984年经济考察团(1984)：《中国：长期发展的问题与方案》(主报告)，北京：中国财政经济出版社，1985年，第50～55页。

② 新华时评：《城镇开发不能对失地农民“一脚踢”》，新华网北京2003年3月8日电。

表 4.7 中国就业弹性的变化

	GDP 年增长率(%)	就业人口年增长率(%)	就业弹性
1980～1990	9.5	4.3	0.453
1991～2000	10.0	1.1	0.110
2001～2004	9.1	0.9	0.098

注：GDP 增长率按可比价格计算(1978=100)。
资料来源：国家统计局：《中国统计年鉴》(2005)，北京：中国统计出版社，2005 年。

这就使就业问题变得更加尖锐。我国的城镇登记失业率在 2000 年以前不到 3%，2000 年到 2003 年期间节节攀升，2003 年已上升到 4.3%，就业问题进一步凸显(见图 4.6)。在某些过去轻、小工商业企业发展较快、因而就业问题解决得比较好，后来又转而重点发展重化工业的地区，这种情况也已经出现。这不能不引起严重关注并及时加以克服。

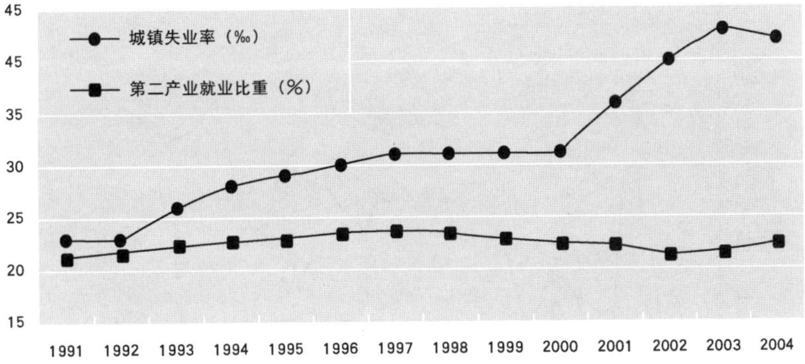

图 4.6 1991～2004 年我国第二产业就业比重及城镇失业率
数据来源：《中国统计年鉴》(各年)。

有的经济学家用以下理由论证优先发展重工业的必要性。他们说，不优先发展重工业，发挥重工业对其他关联产业的拉动作用，就不能实现工业的高速增长。而没有工业的高速增长，就无法解决就业问题。

其实马克思在这个问题上说得很对，走先行工业化国家的早期工业化道路，随着有机构成的提高(资本深化)，必然出现"相对过剩人口"即失业人口增加和工人工资无法提高等现象。所以过度投资和集中力量发展重化工业，只会使失业问题变得更加严重。这其实是"重化工业化"的支持者也承认的：重工业部门每亿元投资提供 0.5 万个就业的机会，只有轻工业的 1/3；在“轻工业为主的阶段”，GDP 每增长一个百分点能安置 300 万人就业，而在“重化工业阶段”则降为 70 万人[①]。既然根据其他国家和我们自己的经验，解决就业问题主要要靠发展服务业和中小企业，而不能靠重工业和大企业，鼓吹为了解决我国的就业问题而去进行产业结构的“重型化”，岂不是南其辕而北其辙吗？

4.3.6 结构扭曲导致金融系统风险累积

对于像中国这样的发展中国家而言，资本是一种十分宝贵的稀缺资源，必须高度珍惜和最有效地加以利用。然而随着 20 世纪 90 年代中期许多地方兴起投资驱动的“重型化”之风，正像发展经济学在分析早期增长模式时揭示的那样，这种靠过度投资拉动的增长造成了投资率的节节上升。我国投资在 GDP 所占的份额由改革开放初期的 25% 左右，提高到 2004 年的超过 44%，大大超过了世界各国经济发展史上的最高水平[②]和我们自己经济发展史上的最高水平（见图 4.7）。

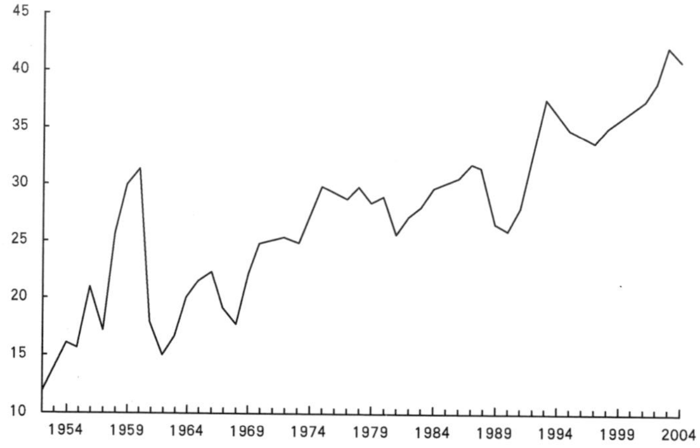

图 4.7 中国投资率的不断提高

资料来源：CEIC。

① 见刘世锦(2003)：《我国正在进入新的重化工业阶段及其对宏观经济的影响》，载《国务院发展研究中心调查研究报告》，第 199 号(总第 2048 号)，2003 年 12 月 16 日。

② 这个数字大大超过了带有过度投资倾向的日本在高速增长时期的最高水平。据单伟建提供的数据，美国即使在上个世纪之交的高速工业化时期和战后恢复时期，其投资率也从来没有超过 20%。在日本，其投资率达到的最高水平是上世纪 60 到 70 年代的 32%(见 Weijian Shan："China's Yuan is Overvalued"(《人民币是高估的》)，*The Wall Street Journal* (*Asia Edition*)(《华尔街日报(亚洲版)》)，2005 年 6 月 23 日)。

投资率的超速提高，造成了一系列消极后果：

第一，造成了投资与消费结构的扭曲。

以消费和投资的结构而论，本来我国存在投资率偏高、消费率偏低的问题，因此，“十五”计划要求2001年把居民消费率提高到50%左右、固定资产投资率降到35%左右；然而实际上在这个五年计划的前4年中，投资率非但没有降低，反倒提高了，消费率非但没有提高，反倒降低了（见表4.8）。

表4.8 中国的投资率与消费率 （%）

	资本形成率（投资率）	其中：固定资本形成率（固定资产投资率）	最终消费率（消费率）	其中：居民消费率
2000	36.4	36.5	61.1	48.0
2001	38.0	37.3	59.8	46.6
2002	39.2	38.9	58.2	45.3
2003	42.4	42.2	55.4	43.3
2004	44.2	43.8	53.0	41.4

资料来源：中经网数据中心：《中经网统计数据库》，2005年10月25日，http://ibedemo.cei.gov.cn/index/showdoc.asp?blockcode=DBjjnj_gdp&filename=200510252771。

投资比例的不断提高在促成生产能力高速膨胀的同时，压缩了消费的比重，这造成了产能不断增加而国内市场的最终需求不足的情况，厂商销售困难，盈利下降，只能靠出口的数量扩张支撑。目前中国经济对于进出口贸易的依存度已经达到70%左右。如此之高的外贸依存度（贸易大国美国和日本，也只有23%左右），对于一个像中国这样的大国来说，是异乎寻常的。它使本国经济易于受到外国经济波动的影响，也容易加剧中国与外国的贸易摩擦。

第二，对提高人民生活水平和缩小贫富差距产生负面影响。

就像马克思在分析资本主义国家早期工业化过程时所指出的那样，不变资本对可变资本比率，即资本对劳动比率的提高，会抑制劳动者生活的改善。并且，在按要素分配的条件下，资本分配比重的提高会加剧收入分配差别的扩大。我国近年来在这两方面存在的问题，不能不说与投资驱动的“重化工业化”有一定关系。

第三，降低了投资效率。

正如索洛正确指出的那样，哈罗德-多马增长模型所描绘的依靠投资驱动的增长，将不可避免地引起投资回报率降低（见本书第 2 章 2.1.5）。自从 20 世纪 90 年代后期兴起投资和产业“重型化”浪潮以来，中国经济在投资率迅速增长的同时，投资效率则呈下降趋势。增量资本产出率（ICOR）由 1997 年以前的 2～3 倍，提高到 1997 年以后的 5～7 倍（见图 4.8）[①]

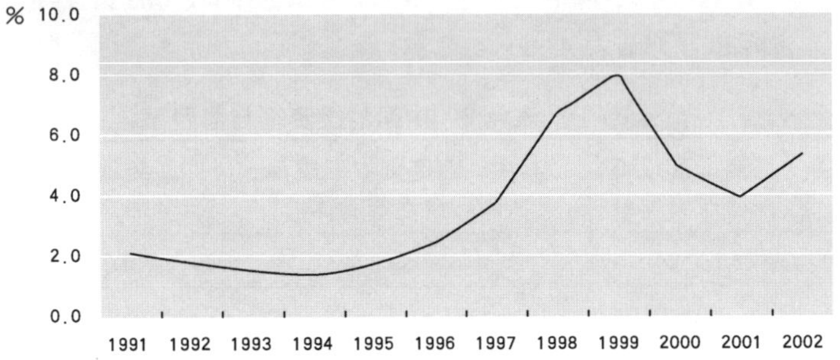

图 4.8　增量资本产出率（ICOR）的提高

注：ICOR＝全社会固定资本投资/GDP 的增量，即“资本边际生产率”的倒数，ICOR 越大，投资效率越低。

资料来源：CEIC。

张军教授在对 20 年来中国经济增长的道路进行细致的分析以后确切地证明，20 多年来中国的工业化是按照资本驱动的经济增长模式进行的。这种模式下的过度投资造成了投资效率下降的恶果。

张军指出，中国经济的资本形成是由地方政府的局部增长目标决定并在一个非一体化的经济环境中相互竞争的结果。他还引用秦朵和宋海岩 2002 年的论文，表明中国的投资总量远远高于在一体化市场体制下的最优均衡值[②]。改革开放以前，中国的投资率曾经一度达到 30％以上的高位。改革开放后有所下降。1992 年以后，投资率再度开始攀升。而到了世纪之交，投资率达到 40％甚至更高的高水平。过度

---

① 国家发改委前主任马凯指出，美国、德国、法国、印度等国 GDP 中用于投资的占 10％～20％，我国为 40％～45％；上述国家每增加 1 亿元的 GDP 需要投资 1～2 亿元，我国最近几年约为 5 亿元。（见马凯(2004)：《树立和落实科学发展观，推进经济增长方式的根本性转变——2004 年 3 月 21 日在中国发展高层论坛年会上的发言》，人民网：http://www.people.com.cn/GB/jingji/8215/32688/32689/2403665.html）。

② Qin and H. Song (2002)："Excess Investment Demand and Efficiency Loss During Reforms: The Case of Provincial-level Fix-Asset Investment in China"（《改革中的过度投资需求和效率投资驱动的损失：中国的省级固定资产投资》），打印稿。

投资导致投资效率下降，增量资本产出率(ICOR)上升。①

有这样一种判断："和计划经济下的投资膨胀不同，最近这次重化工业投资热潮是由企业进行的，投资成败由企业负责，因此没有危险性。"这种说法只能使人们对可能发生的风险掉以轻心，而不会有实际的帮助。这是因为，如果投资决策是由投资人在正常的市场环境下自主作出并且自负盈亏责任，无论他们的决策正确与否，都不会对宏观经济造成冲击，政府也没有必要对企业的这种微观决策行为进行干预。问题在于，近来无论是私营企业还是国有企业，其大规模投资所需要的资金往往主要来自银行；而且贷款项目选择受到党政领导意图等多方面的影响。通常的情况是，党政领导的办公会议决定了要发展哪几个"支柱产业"，要搞哪几个大项目，然后就来盘算财政、银行、股票市场能够筹集多少资金。这样，目前许多重大项目的投资是按照领导机关的意图、用国家银行的贷款进行的，固定资产投资的增长曲线和银行贷款的增长曲线高度拟合(见图 4.9)。

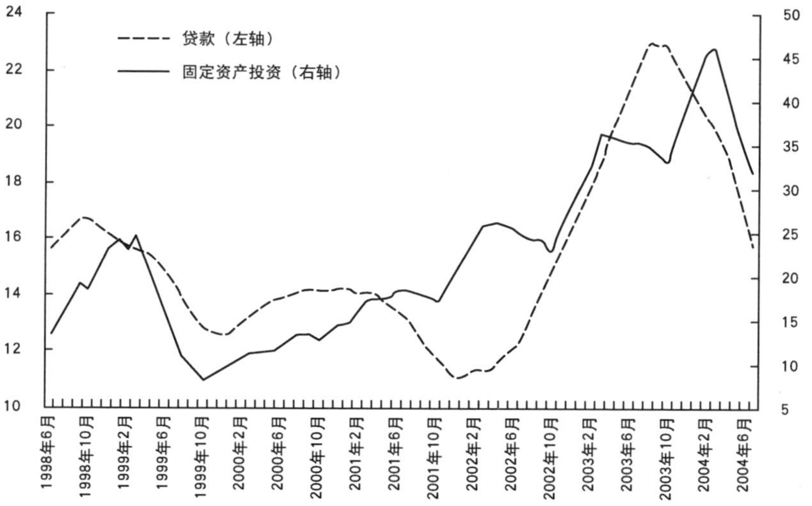

图 4.9　贷款增长和投资增长

由此产生的问题是，各地大规模的"形象工程"和"政绩工程"建设投资通常寄希望于随着房地产价格上涨，以便归还银行贷款。如果房

① 张军(2002)：《再论中国的投资效率下降与资本形成的总量特征》，见张军(2003)：《中国的工业改革与经济增长：问题与解释》，上海：上海三联书店、上海人民出版社，2003 年，第 294～339 页。

地产泡沫破灭，就导致银行大面积不良资产的产生并最终迫使国家财政“埋单”，归根到底还是要由纳税人付账。由于靠银行贷款支持的增长是一种“借来的增长”[①]，在投资效率低而失败率较高的情况下，坏账风险会在景气周期的上升阶段隐蔽地积累起来，而在景气周期的下降阶段，或者在受到某种外部冲击时引发金融体系的系统性危机，迫使政府进行救助。

目前我国标志投资效率的指标——增量资本产出率（ICOR）居高不下，已经达到某些东亚国家 1997 年金融危机爆发前的水平，即达到 5 倍以上[②]。我们在第 2 章 2.3.2 中已经述及，P·克鲁格曼教授曾经指出过，某些东亚国家采用投资驱动的增长模式，乃是引致 1997 年金融危机的一个主要原因。[③] 前车既覆，后车当鉴。我们必须未雨绸缪，防止类似的危机在我国发生。

---

① 单伟建（2003）：《中国经济增长的巨大悖论》，《财经》，2003 年第 8 期。

② 国家发展与改革委员会前主任马凯曾经指出，美国、德国、法国、印度等国每增加 1 亿元 GDP 需要投资 1～2 亿元，我国最近 3 年约为 5 亿元。这就是对我国 ICOR 状况所作的通俗说明（见马凯（2004），同前引文）。

③ P. 克鲁格曼（1999）：《萧条经济学的回归》，北京：中国人民大学出版社，1999 年。

5

粗放增长模式的延续：出口导向战略

由于以汇率低估为基本特征的出口导向政策的延续，使中国的外部经济失衡加剧。……为了避免金融的系统性风险，转变经济增长模式，调整出口导向政策，便成为一项十分紧迫的任务。

前面指出，中国经济长期采取主要依靠资源投入，特别是资本投入(投资)驱动的粗放增长模式。这种增长模式在改革开放以后没有发生根本性的变化。到了90年代中期，如本书第4章图4.7所示，中国的投资率已经达到35%以上。到21世纪前几年，更提高到50%左右，创造出世界经济发展史和中国经济发展史上最高的投资率纪录，导致了种种经济和社会问题。

问题在于，在投资率持续偏高、产出能力不断扩张、消费的比重不断降低的条件下为什么没有出现因需求不足导致的增长率下降，相反能够继续维持几十年的高速经济增长？这里的秘密在于，中国在改革开放后采用了日本、中国台湾、中国香港、新加坡和韩国("四小龙")等东亚国家和地区首先采用的、以适度保护和本币汇率低估为主要政策工具的出口导向政策，用旺盛的出口需求来补充内需，缓解了由资源投入驱动的增长模式带来的内需不足，从而将过度投资形成的过剩产能以大量出口廉价制造品的形式加以吸收，使高经济增长得以维持。

但是，出口导向型战略的长期实施也会有它的消极后果：一方面，它有可能诱致劳动密集型产品生产的"专业化"，使技术和产业结构升级缓慢；另一方面，中央银行为维持本币汇率低估而大量收购外汇，还会导致货币超发、流动性泛滥等问题，造成通货膨胀以及资产泡沫形成和最终破灭等恶果。亚洲采用出口导向战略的经济体几乎无一例外在成功实施出口导向政策支持一段时期的高速增长之后，爆发金融危机。应对不当，还会陷入长期萧条。中国能否独善其身，正是我们转变增长模式所要解决的另一个重大问题。

5.1 出口导向战略及其实施效果

按照粗放增长模式实现经济发展，需要不断提高投资率来维持较高的增长速度；而投资率的不断上升同时也意味着消费率的不断下降。对于这种投资与消费之间的失衡，马克思曾经详细地分析过：资本积累率和资本有机构成的提高，导致社会消费基金的相对萎缩，使失业人口增加，广大劳动者陷于贫困状态中。与社会生产扩大的趋势相比，劳动阶级有支付能力的需求相对萎缩，从而导致资本主义生产和消费之间的严重对立。当资本主义生产无限扩大的趋势和劳动阶级有支付能力的需求相对缩小之间的矛盾达到一定程度时，市场上的大量商品就找不到销路，出现生产的相对过剩的局面，进而形成经济危机。①

东亚许多国家和地区在投资驱动的高速增长过程中也都遇到了这种市场需求扩张赶不上生产扩张的矛盾。日本首先在20世纪50年代后期确立了"贸易立国"的方针，采用适度的关税和非关税保护、本国货币汇率低估等一系列政策来抑制进口和鼓励出口，尽量为国家"创汇"，创立了后来为许多东亚国家和地区效仿的出口导向战略。由于政府在实施出口导向政策中起着关键性的作用，这一政策又被称为"新重商主义"②的政策。中国台湾、新加坡、韩国以及中国香港等东亚"四小虎"（国内多用"四小龙"）等也仿效日本的做法，并因取得了不凡的经济表现而被国际社会称为"亚洲奇迹"。再后来，印度尼西亚、越南、马来西亚等东南亚国家也走上了这条道路。

5.1.1 从进口替代全面转向出口导向

中国在1972年，中美邦交正常化以后，实际上就已放弃闭关自守的政策，开始扩大与西方国家的贸易往来。不过，当时中国采取的并不是东亚国家和地区实行的出口导向政策，而是东亚以外的发展中国家通常采用的进口替代政策，它以高度关税和非关税保护、本币高估为主要政策手段，目标在于以本国制造（或装配）的产品取代进口品。

---

① 马克思(1987)：《资本论》第1卷，第京：人民出版社，1975年，第689～695页。

② 重商主义(mercantilism)是一种流行于16～18世纪西欧的社会思潮。它的主要主张是：国家应当积极干预经济，采取鼓励出口、限制进口的政策，努力增加国家的外贸收支盈余，积累货币财富。基于这种思潮的经济政策被称为"重商主义体制"(mercantile system)。二战后某些东亚国家和地区建立的"政府主导型的市场经济"以及它们所实行的出口导向政策也带有某些重商主义的色彩，因此又被称为新重商主义体制。

专栏 5.1

出口导向战略

从对外经济关系的角度看，发展中国家的对外经济政策可以分为内向型和外向型两大类型。其中，内向型又可以分为低级形态的闭关自守型和高级形态的进口替代型两个子类；外向型则可以分为低级形态的出口导向型和高级形态的完全开放型两个子类。

表 1　对外经济关系的分类

	内向型	外向型
低级形态	闭关自守	出口导向(相对开放型)
高级形态	进口替代	完全开放

进口替代(import substitution)战略和出口导向(export oriented)战略都是后进国家在追赶先进国家时采取的工业化战略。

进口替代战略的思想源于美国的汉密尔顿(Alexander Hamilton)①和德国的李斯特(Friedich List)②。进口替代的基本概念是：首先，根据历年进口数量，确定具有庞大国内市场的产品；然后，由本地生产者运用引进的技术或由外国投资者提供的技术、资本和管理生产替代进口品的产品；并通过本国货币的币值高估、设置关税壁垒和进口配额，使国内相关产业的投资者有利可图。

在发展中国家，初级产品出口市场先是在 30 年代的大萧条中继而在二战期间因商业运输中断而发生严重萎缩，拉丁美洲国家开始踏上进口替代的道路。二战结束后，大多数亚洲和非洲的新独立国家也先后走上了进口替代的道路。到了 20 世纪 50 年代后期和 60 年代初期，进口替代成为发展中国家的主导战略。

但是，进口替代的工业化战略并没有获得预期的结果。例如，印度是一个严格执行进口替代政策的国家，但是经过 20 世纪 50 年代初到 70 年代初四个雄心勃勃的五年计划，它的人均 GDP 只比以前高出几个百分点。智利是另一个突出的实例。它在战后实行强有力的国家干预下的进口替代工业化战略，导致智利经济在 70 年代初期陷入山穷水尽的困境。1973 年 9 月军政府上台以后，奉行自由市场政策，取消了进口限制，降低了关税税率。经过 10 来年起伏不定的转轨期，

① 亚历山大·汉密尔顿(1757～1804)，美国金融家、军官、政治家，美国开国元勋之一，曾任美国财政部长。

② 弗里德里希·李斯特(1789～1846)，德国政治经济学家。

从 1983 年开始出现了稳定的强劲增长，水果、葡萄酒、家具等制成品取代了单一的初级产品(铜)成为主要的出口品。1984～1994 年的年平均经济增长率达到 6.4%，超过 1952～1970 年 GDP 年平均增长率(3.8%)的 68%，也大大超过了其他拉美国家。

为什么进口替代的工业化不能像预期的那样发挥作用？根据克鲁格曼的分析，最重要的原因是：发展中国家制造业发展程度低下，通常是由缺乏熟练劳动力、企业家、管理人才和社会组织方面的问题等多方面的原因造成的，贸易保护政策非但并不能为这些国家的制造业创造出竞争力，相反会使这些部门和企业效率下降。而且，进口替代战略还会因为给予少数受到保护的精英企业获得垄断利润的特权，而使二元经济以及收入分配不均和失业等问题加剧。这样，到 80 年代后期，对进口替代工业化的批评已经被广泛接受①。

和前述国家采取进口替代战略相反，东亚一些国家采取了出口导向的发展战略。首先，日本政府在战后初期就采用适度的关税保护和进口限制以及本币低估的政策来推进这一战略的实施。接着，在 20 世纪 60 年代，中国香港、中国台湾、韩国和新加坡也在这种战略的支持下开始了高速经济增长。

出口导向战略是战后时期亚洲的日本以及中国台湾、韩国、新加坡成功运用的战略。这种战略和进口替代战略相反，着眼点在政府的支持和保护下，限制进口和促进本国具有比较优势的产品出口，赚取外汇。为了促进出口，采用出口导向战略的国家把鼓励国内生产的替代产品在国内市场销售的政策激励转向刺激出口，以便在企业从国内销售中获得的利润减少的同时，能在国外市场销售其产品时获得更多的利润。为此，它们通常采取以下政策：

第一，维持一个使国内生产者在世界上出售其农产品、制成品和劳务时有利可图的汇率。为此，实行出口导向的国家往往采取政策手段，保持本国货币的低汇率。

第二，对某些出口产品提供津贴，以诱使生产者在扩大出口能力方面进行投资。同时，用免税、出口退税、进口税返还、降低利率以及其他办法给予补助，帮助潜在的出口者克服进入世界市场的障碍。

第三，适度降低对某些有利的工业产品实行的高度保护性关税，同时避免对进口商品实行数量限制。因为这种战略要求国内的公司能按世界标准有效地生产，如果进行高额关税或配额制保护，企业出口就不如在国内销售自己的产品有利。

---

① 以上均见 P·克鲁格曼、M·奥伯斯法尔德：《国际经济学(第五版)》，北京：中国人民大学出版社，2002 年，第 240～251 页。

表 2 进口替代战略与出口导向战略的优点和缺点

	进口替代	出口导向
优点	1. 帮助一个国家发展实现现代化所必需的广泛的技能	1. 需求不受本国收入的限制
	2. 使本国的幼稚工业能够在保护下成长	2. 较高的竞争水平对效率和现代化起促进作用
		3. 与外国生产者的竞争提供强有力的市场检验
缺点	1. 贸易壁垒可能保护落后和鼓励腐败	1. 有可能导致劳动密集型产品的专业化，削弱长期增长的潜力
	2. 贸易壁垒通常一经设置就难以消除	2. 发展出口市场可能并不容易
	3. 对产品的保护提高了使用部门的成本并降低该产品的竞争能力	3. 在出口以外的部门维持不发达水平

资料来源：斯蒂格利茨：《经济学》，北京：中国人民大学出版社，2000 年，第 888～892 页。

不过，出口导向战略也有它的消极方面。主要是在适度保护和本币低估的政策庇护下，出口企业由于没有受到市场竞争的充分压力，往往表现出技术创新和产品升级的动力不足。而且，当成功实施出口导向政策一段时间以后，还会因为外汇储备的大量增加而引致外部经济的失衡。所以，实行出口导向战略的国家如果不能及时调整政策，实现进一步的市场化，往往会引发金融危机，甚至陷入长期萧条。

根据吴敬琏：《当代中国经济改革》（上海：上海远东出版社，1999 年）第 8 章“对外开放”的相关内容编写

1978 年末中共十一届三中全会以后，在邓小平的推动下，中国效法“四小龙”，明确宣布采取对外开放的方针，以便发挥我国拥有大量低成本劳动力的比较优势①，通过“三来一补”（来料加工、来件装备、来样加工和补偿贸易）实现出口创汇。与之相适应，人民币开始从 1 美元换 1.7 元人民币的高汇率逐步贬值。1981 年，为鼓励出口，对贸易外汇实行 2.8 元兑 1 美元结汇价。1984 年，全部官方汇率贬值到 2.8 元兑 1 美元；1985 年达到 3.2 元兑 1 美元，1986 年是 3.72 元兑 1 美元，

① 当然这只是一种低层次的静态比较优势，中国的腾飞不能仅仅靠发挥这样的比较优势。详见后面的论述。

以后逐步下降到1990年的5.22元兑1美元。即使这样，人民币汇率总体上还是高估的。

在人民币汇率有所贬值的条件下，中国出口缓步增长（见图5.1）。中国的出口总额占GDP的比重从1978年的4.2%上升到1986年的10.4%。

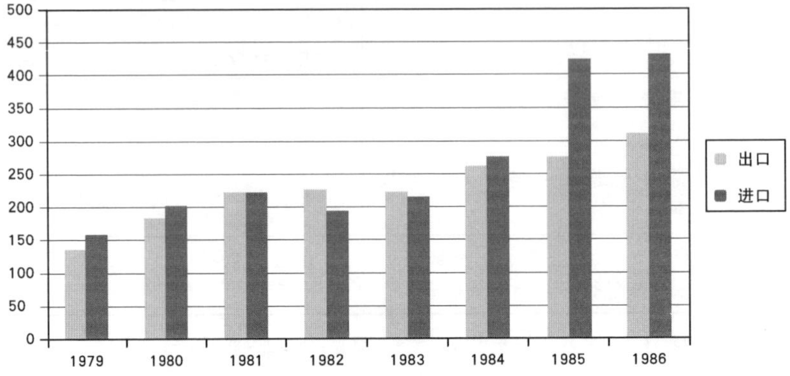

图5.1 1979～1986年的中国进出口贸易（亿美元）

资料来源：《中国统计年鉴》(1990年)。

在1986年下半年设立外汇调剂中心以后，中国实行官方牌价与外汇调剂市场价格并存的双重汇率制度。这就是说，存在一个本币高估的官定汇率和一个本币低估的调剂市场汇率。在1993年末汇改前夕，前一汇率为1美元兑5.76元人民币，后一汇率为1美元兑8.6元人民币。这意味着实行进口替代和出口导向的双重政策。由于那些能够拿到进口配额和配套外汇的企业能够从汇差寻租（rent-seeking）得益，直到1994年1月1日实行汇率并轨，中国在汇率制度上采用的还是向进口替代倾斜的政策。

不过无论如何，双重汇率加上其他奖励出口的措施（如地方外汇分成制），使出口有了较快的增长（见图5.2）。到1993年，中国出口贸易总额已经上升到GDP的16.1%。

在人民币整体高估的汇率制度下，中国在1979～1993年的15年里，贸易逆差的年份占了10年，而保持贸易顺差的年份，最高的差额也只是1990年不到87.5亿元。而贸易顺差的主要原因，不是因为出口旺盛，而主要是因为国内经济周期的影响，国内对进口产品需求萎缩时，贸易逆差才出现下降或消除（见图5.3）。

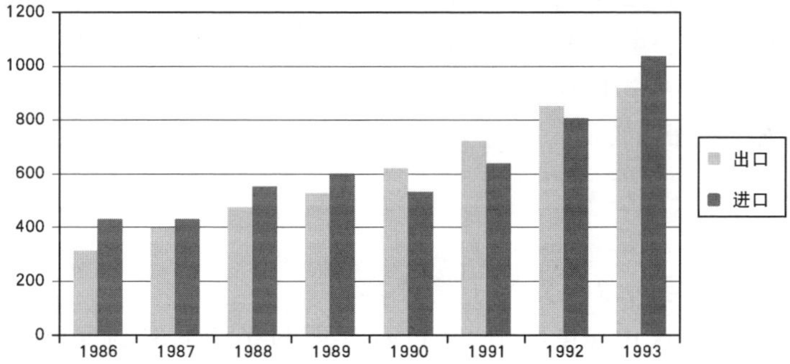

图 5.2　1986～1993 年的中国进出口贸易(亿美元)

资料来源：《中国统计年鉴》(1994 年)。

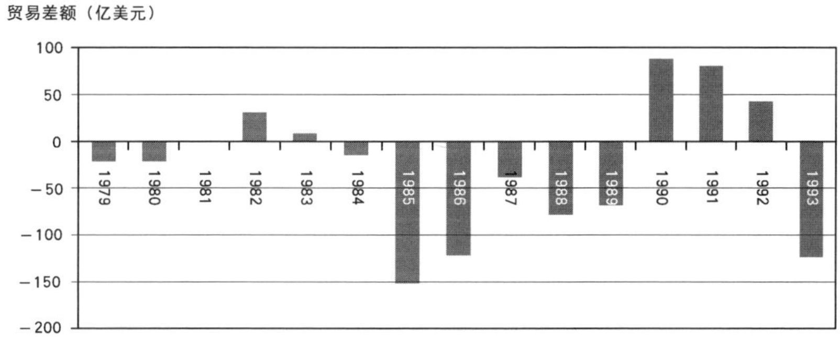

图 5.3　1979～1993 年的中国进出口贸易差额(亿美元)

资料来源：《中国统计年鉴》(1990 年)、(1994 年)。

实施出口导向型战略的关键转折点发生在 1994 年 1 月 1 日。1993 年 11 月的中共十四届三中全会通过的《关于建立社会主义市场经济体制若干问题的决定》要求，分国内企业和国外企业两个步骤取消双重汇率制，实现汇率并轨和经常项目下人民币有管理的可兑换。随后，1994 年 1 月 1 日起，两种汇率实行并轨，取消官定汇率，实行"以市场供求为基础单一的有管理浮动汇率"。企业和个人按规定向银行买卖外汇，银行进入银行间外汇市场进行交易，形成市场汇率。中央银行设定一定的汇率浮动范围，通过介入市场、买卖外汇保持人民币汇率稳定。1994 年 1 月 1 日的汇率为 8.72 元合 1 美元，低于汇改前调剂市场的低端汇率，比高端的官定汇率 5.76 元贬值 51%。在那时起直到 1997 年 10 月亚洲金融危机爆发，人民币对美元的汇率有所升值，达到 1∶8.28 的水平。在亚洲金融危机爆发后，其他国家要求人民币汇率固定以稳定亚洲经济，中国采用了这一政策，并在平息东亚金融危机中发挥了重要作用。但自此之后，人民币汇率机制实际上变成了钉住美元的固定汇率，到 2005 年 7 月 21 日进行“汇率改革”、人民币汇率开始浮动以前，一直维持在 1∶8.27，上下虽略有浮动，但浮动的范围极为狭小。

5.1.2 出口导向政策支持了高速增长

1994 年人民币深度贬值，实行有管理的浮动汇率制度，意味着中国全面实行出口导向政策。此后中国出口持续快速扩张（见图 5.4），而且除 1997 年受到东亚金融危机和人民币坚持不贬值的影响，国际收入盈余有所下降外，国际收支经常项目和资本项目都出现双顺差的局面。特别是 2001 年 11 月中国正式获准加入世界贸易组织（WTO），在历时 15 年的谈判过程中，大幅度降低了关税壁垒，废止了进口配额，中国的贸易保护程度大为降低；而且，按照加入世界贸易组织的协议，从 2002 年 1 月 1 日起，中国降低了 5300 多个税号商品的进口关税，平均关税由 15.3%降低至 11.3%，中国经济全面融入国际市场。在维持低汇率的政策下，中国的出口导向型经济特征更为典型和突出。2002 年以后，中国的对外贸易顺差超常规快速扩张，“十五”时期成为中国历史上贸易增长最快的时期。2004 年以后，中国贸易顺差更是急剧扩大，从 319.8 亿美元快速增长到 2007 年的 2622 亿美元（见图 5.5）。

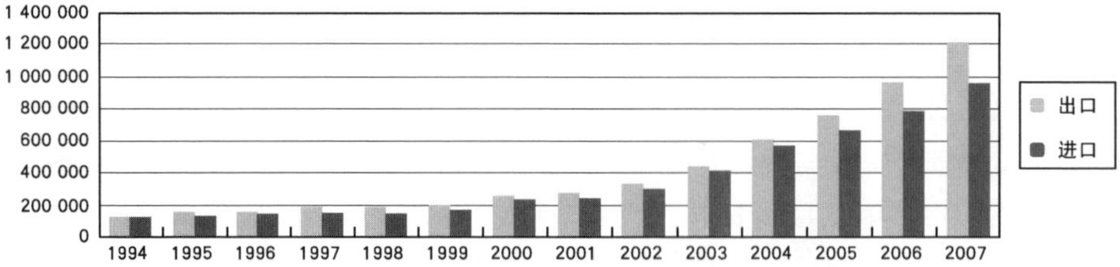

图 5.4 1994 年以来的中国进出口贸易（百万美元）

资料来源：中国海关。

出口贸易的高速增长使中国能够充分发挥拥有数量大、素质好、低成本劳动力的比较优势，对实现农村剩余劳动力向城市非农产业的转移、人民生活水平的提高和实现国民经济的整体繁荣起了重要作用。与此同时，出口的快速扩张使中国经济在投资率超过 40%、甚至

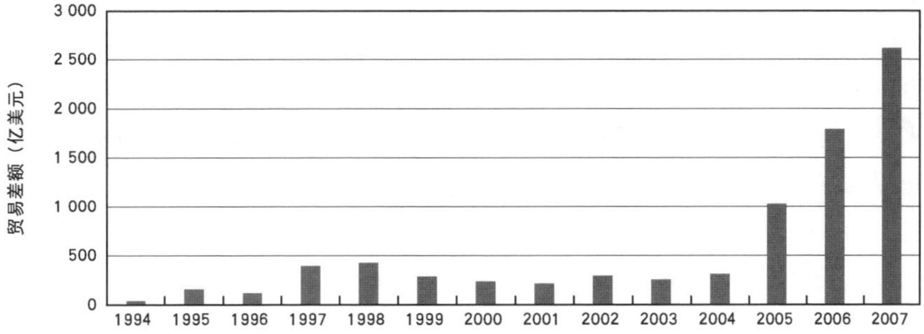

图 5.5 1994 年以来的中国贸易顺差（亿美元）

资料来源：中国海关。

接近 50％的情况下，没有因国内消费需求不足而出现经济萧条，既有的增长方式得以延续十多年的时间。

5.2 出口导向政策导致的问题

但是，正如东亚实行这种所谓“新重商主义”政策的国家和地区在 20 世纪 90 年代所遭遇的那样，中国在实施出口导向政策 10 多年以后，也渐渐显现出问题。从微观经济上说，出口导向政策鼓励了劳动密集型和资源密集型产品的出口，巩固了粗放经济增长模式（所谓“打工打成了专业户”）；从宏观经济上说，出口导向政策低估本币币值，为了压制汇率升值，不得不由央行买进外汇，释放出大量高能货币，形成资产泡沫和导致通货膨胀加速。

5.2.1 出口导向政策的长期持续支持了粗放增长模式

从微观经济方面说，正如斯蒂格利茨指出的，出口导向型战略固然使需求不再受本国收入的限制，但却可能导致劳动密集型产品的“专业化”，削弱长期增长的潜力；而出口以外的部门则可能长期维持在欠发达的层次上（见本书专栏 5.1）。

中国面临的处境正是如此。随着出口导向战略的实施，加工贸易取代一般贸易，成为最主要的贸易形式。其典型模式是深入参与全球产业分工，并在产业价值链中占据低附加值的加工制造环节，出口企业依靠国外进口的设备和本地廉价的劳动力，从日本、韩国、中国台湾等地进口中间投入品后，在本地组装后再出口到美国、日本和欧洲市场。

20世纪80年代中国大力发展“三来一补”以后，加工贸易增长速度一直远高于其他贸易。加工贸易自1996年首次超过一般贸易额以来，一直是我国第一大对外贸易方式。不仅如此，加工贸易还构成了贸易顺差的主体；加工贸易顺差持续高于当年贸易顺差总额。2005年及2006年，加工贸易顺差额占贸易顺差总额的比重分别为139.82%和106.43%，2007年比重有所下降，但依然高达95.06%。[①]

在出口导向政策的保护下，以加工贸易为主的贸易结构的长期保持，使中国虽然从出口额看似乎成了世界工厂，其中大部分却处在价值链的低端，只是在中国组装，缺乏自己的自主创新和专有技术，是Made in China而非Made by China。我国企业为国外企业做“代工”(OEM)的产品卖价很低，通常只有销售商卖价的1/4甚至1/10，代工企业得到的只是微薄的加工费。

而且，由于出口产品附加价值和盈利率过低，我国许多出口企业只能“以量取胜”，靠增加出口数量来维持。而这种出口战略不可避免地导致贸易摩擦、倾销诉讼的增多，增加出口的困难。

《华尔街日报》2004年1月的一篇评论文章举出一家瑞士、美国合资的罗技国际集团公司(Logitech International)的例子，来说明中国在全球分工体系中扮演的角色。这家总部位于美国加州的公司在苏州的工厂每年向美国出口2000万只旺达(Wanda)牌无线鼠标，该鼠标在美国的销售价格约为40美元。其中，罗技拿走8美元(占20%)，批发商和零售商拿走15美元(占37.5%)，罗技的零配件供应商，如美国的摩托罗拉(Motorola)和安捷伦(Agilent Technologies)拿走14美元(占35%)，剩下的3美元(占7.5%)归中国，而这3美元还要用来支付苏州4000名职工的工资以及能源、运输和其他管理费用。罗技在加州的450个销售人员的收入总额，远远超过苏州工厂内4000名中国员工的收入总额。《华尔街日报》的这篇文章评论道：罗技公司的苏州货仓，可以说是“当今全球经济的一个缩影”![②]

于是，就出现了这样的情况：我们“消耗了大量不可再生资源，承

---

① 张莉(2008)：《我国贸易顺差的结构分析及影响评估》，商务部国际贸易经济合作研究院网站。

② Andrew Higgins: “As China Surges, it also Proves a Buttress to American Strength”(《中国的崛起加强了美国的霸权》)，*Wall Street Journal*，2004年1月30日。

受着环境的污染，背负着‘倾销’的恶名，可是利润的大头却不在自己手里”。[①]

显然，在我国农村存在大量剩余劳动力需要就业、资源瓶颈还没有像现在这样收紧的情况下，充分发展劳动密集型的加工业还是利大于弊的。而当条件发生了变化，所谓“刘易斯拐点”[②]已经或者将要出现，本国技术力量已经成长起来的时候，这种状况就无论如何也不应当继续下去了。

5.2.2 出口导向政策的长期持续影响宏观经济稳定

从宏观经济方面说，与投资驱动增长模式相配合的出口导向政策虽然在20世纪后期对支持经济高速增长起了重要的作用，但是到了本世纪初期，它的消极影响也日益明显地显露出来，出现外部经济失衡的局面。它的主要表现，是这一政策的成功实施造成了巨额贸易盈余，使中国与贸易对象国家之间的贸易摩擦加剧，并形成本币升值的巨大压力。

如果这时候进行汇率形成机制的市场化（或称自由化），盈余国家的本币会自然升值，从而恢复国际收支平衡。但是，采取这种办法必然对出口企业形成进行技术创新和产品升级的巨大压力；而原有利益格局的惰性，往往使汇率改革政策不能及时推出。为了保持本币的低汇率，中央银行不得不通过入市干预，大量购买外币。这样做的后果是造成货币超发，流动性泛滥，形成三种可能的局面：一是房地产、股票、收藏品等资产价格膨胀（assets inflation），形成“资产泡沫”；二是一般商品价格的上涨即通货膨胀（inflation）；还有一种可能是二者兼而有之。不管出现了哪种情况，一旦遇到某种冲击，例如国际市场的波动，整个经济体系或金融体系就会发生系统性风险，处置失当，甚至会陷入长期衰退。

东亚采用出口导向型政策的国家和地区普遍由于没有及时进行

---

① 转引自吴敬琏（2005）：《破解增长模式新课题》，《文汇报》，2005年3月9日，第8版。

② 根据诺贝尔经济学奖获得者刘易斯（W. Arthur Lewis）的剩余劳动力模型，在工业化实现以前的二元经济中，由于农村存在大量剩余劳动力，劳动力是无限供应的，因而即使在城市非农产业中获得就业机会的劳动者，工资也很难得到提高。然而随着非农产业的不断增长和农业劳动力向非农产业的转移，最终会使剩余劳动力枯竭，非农产业所需劳动力供给出现短缺，工资也开始上升。从劳动力无限供给到出现短缺的转折点，被经济学家称为“刘易斯拐点”。

汇率改革和改造政府主导的金融体系，导致货币超发，进而形成巨大的资产泡沫，在外部冲击下泡沫破灭而陷入长期经济衰退。

以日本为例，它在1949年执行“道奇计划”时提出“贸易立国”的口号，实行日元贬值，配合其他抑制进口、奖励出口的政策，出口导向战略获得了很大的成功。出口导向战略取得成功的一个重要结果是国际收支盈余的大量增加和外汇储备的大量累积。这又势必会带来本币升值压力的提高。面对这种压力，有两种可能的选择：一种是实行汇率形成机制的市场化（自由化），以释放压力，取得平衡；另一种是中央银行强介入，收购外汇以保持汇率稳定。选择前一种方法可能引起的问题是本币升值有可能导致出口的困难增加，因此阻力很大；采取后一种办法则不能避免中央银行货币政策运作的空间缩小、货币的过量供应和泡沫经济的形成。日本20世纪70和80年代曾长期拒绝进行汇率形成机制的自由化。虽然1985年日本和其他发达国家达成“广场协议”后日元被迫升值，日本政府在深入分析日本经济存在的问题以后，也于1986年决定采用放松行政管制、充分发挥市场机制和民间活力的作用的办法“推进经济结构的调整”，以克服由长期实行出口导向政策造成的“内外两方面的不平衡”，但是这种调整并不顺利。为了抑制日元升值的速度，日本银行（日本的中央银行）频繁入市干预，收购美元，结果由于货币超发促成了房地产价格和股票价格猛升，形成了巨大的经济泡沫，终致酿成1990年的泡沫经济破灭和此后十几年的衰退。

专栏5.2

台湾从奇迹到危机的经历

1954年，当时在国际货币基金组织任职的经济学家蒋硕杰和刘大中应邀访问台湾。他们建议台湾将经济发展模式由进口替代转向出口导向。他们的建议被台湾当局采纳，从1958年4月起，台湾分两阶段将多重汇率简化为单一汇率（1963年9月完成），当年将新台币的基本汇率从15.55元兑1美元贬值到24.58元兑1美元。1960年进一步贬值到40元兑1美元，以后一直维持这一汇率到1973年2月。

在低汇率政策与其他出口导向政策的配合下，台湾出口大幅度增长。从

1952年到1990年，台湾年均出口增长率达到14.3%，其中1964～1973年年均出口增长率高达25.1%。出口的持续增长带动了台湾经济的发展，在六七十年代，其人均收入年平均增长率在10%左右。台湾经济发展的业绩先后引起韩国、中国香港和新加坡的注意，并使后者在台湾之后走上了出口导向的经济发展道路。

从1971年起，台湾出口超过进口，出现贸易盈余，此后贸易顺差不断增加，外汇储备大增。1987年台湾当局拥有的外汇资产达到767亿美元，相当于23个月进口所需外汇，约为国内资本形成总额的4.1倍。在这种情况下，新台币升值压力增加，台湾与贸易对象国之间的贸易摩擦加剧。出口货物竞争力减弱，以至销售困难。在1972～1973年和1977～1978年都曾经因大规模顺差引起货币供应量迅速增加。1973年新台币升值5%，达到38元兑1美元。但是升值"太迟又太少"，于事无补。1973、1978和1979年物价指数分别上涨40%、13.5%和21.5%。

针对这种情况，蒋硕杰1981年起连续发表文章，指出持续的顺差和外汇储备积累是"令人不胜隐忧的因素"；中央银行大量卖出新台币、收购美元，一定会导致通货膨胀；而物价稳定是经济快速成长的基本条件，放弃物价稳定以加速经济增长是极端危险的做法；因而建议一方面开放进口，另一方面实现新台币升值，以避免通货膨胀和减少低效率出口企业以偏高成本去换取外汇。

到了1984年9月，台湾当局正式提出"自由化、国际化、制度化"的方针。然而这一方针意味着改变原有的利益格局，因而有很大的阻力。到1985年底，新台币对美元仍然保持40∶1的低估状态。加之对新台币升值的预期促使大量资金流入，使台湾的外汇储备增加得更快。为了抑制新台币升值速度，台湾"中央银行"加速收购美元，释出巨额货币。从1985年末到1988年末，货币供应增加158.9%。货币供给大幅度增加，引起了20世纪80年代后期台湾股票、房地产等资产价格猛升形成泡沫经济。从1985年7月到1987年10月，股指从600多点升至4600多点。房地产价格也开始飚升。

虽然台湾汇率管制在1986年开闸以后出现所谓"太晚又太猛"的升值(新台币对美元的汇率在1987年末升至28.55∶1)，1989年末升至26.16∶1，给企业界造成很大的困难，然而已经无法阻止资产泡沫的继续膨胀。1989年台湾股指在6月创9000点新高，并在随后的几天内突破万点。1989～1990年房价收入比达到10以上，台北的房价收入比更是达到12以上。

和别的地方一样，泡沫总会破裂。在1990年1月台湾股市创出了12495点的最高位后，在海湾战争爆发消息的冲击下，股价直线下落，从1990年2月到10月，由12682点狂泻到2485点。同一时期，地产泡沫破裂，旗下有建筑公司的财团几乎无一不为此背上了沉重的财务包袱，无数厂商因资产缩水而陷入财务困难，而银行也由不良资产的大量增加而陷入困境。

以资产泡沫的破裂为标志，台湾经济结束了高速经济增长的黄金时代（见下表）。所以，孙震痛定思痛道，“假定台湾政府于宣布自由化政策后认真实施，容许新台币顺应贸易情势自然升值，则升值预期不会出现，国际资金不会大量流入，货币供给不会大量增加，资产膨胀不会发生，产业界可以从容调整以适应汇率变动，让人民可以安享经济成长与升值所引起的经济福利增加，政府也可以垂拱而治，不必手忙脚乱。”

在接下来的20年时间里，台湾的故事还在别的地方一次次地上演。

表　1951～1990年台湾地区的经济增长率　（%）

	1951～1960	1961～1970	1971～1980	1981～1990
平均增长率	7.6	10	9.4	8.1

资料来源：台湾“行政院经建会”：《Taiwan Statistical DataBook 1990》，台北，1991年，第23～24页。

根据杨培新、王家骥编（1989）：《台湾经济金融论文选》、孙震（2006）：《台湾经济自由化的经验与检讨》等资料编写。

2003年秋季，围绕外汇制度改革和人民币升值问题，中国经济界和经济学界出现了广泛的争论。例如，中国社会科学院世界经济与政治研究所的余永定教授明确地指出了长期保持固定汇率和国家外汇储备过快增加可能引致的危险，主张“尽快恢复汇率浮动、不要害怕人民币升值”①。出于对长期采取出口导向政策使出口企业躺在低要素价格和低汇价上面，缺乏从事技术升级和产品更新的压力和动力的担心，我也认为余永定教授的意见是正确的，应当得到政府政策的支持②。

遗憾的是，与当年台湾的情况相似，由于担心人民币升值影响出口进而拖累经济增长，中国迟迟未能恢复人民币的浮动。正像蒙代尔（Robert A. Mundell）—克鲁格曼的“不可能三角”理论③所指出的那

① 余永定（2003）：《消除人民币升值恐惧症，实现向经济平衡发展的过渡》，《国际经济评论》2003年9～10月号。

② 参见吴敬琏2006年7月22日在“第二届中国经济50人田横岛论坛”上的发言，《21世纪经济报道》2006年7月31日。

③ 所谓蒙代尔—克鲁格曼“不可能三角”理论，是指货币政策的独立性、资本自由流动和汇率稳定等三个目标最多只能实现两个，而不可能同时实现。

样，在一个国家选择资本自由流动和汇率稳定的同时，其货币政策不可能具有独立性。这样，为了稳定人民币汇率，中央银行只能被动地大量发钞以收购外汇。2003 年中央银行平均每天收购 2～3 亿美元，2004 年猛增到 5～6 亿美元。为制止人民币升值而大量收购外汇，中央银行释出了巨额高能货币，这使国家货币政策的运作处于极为被动的状态，不可避免地造成货币超发和流动性泛滥。

在人民币升值压力继续加大的情况下，中国政府在 2005 年 3 月宣布制定汇率改革方案，到 7 月 21 日宣布启动人民币汇率形成机制改革，恢复有管理的浮动汇率制度，一次升值 2%，此后人民币对美元汇率持续小步上扬。2007 年升值速度有所加快，到 2008 年 7 月 21 日，银行间外汇市场人民币对美元汇率中间价为 1 美元对 6.8271 元人民币。

人民币的缓慢升值可以防止对经济、特别是出口企业产生过大冲击，但是，也导致大量“热钱”进入中国，“赌人民币升值”，加大了人民币的升值压力。为了抑制人民币升值速度，中央银行不得不频繁入市，加快用人民币收购美元等外汇资产的速度。央行收购外汇资产的数量，2006 年达到每天 6～7 亿美元。以后中央银行的外汇收购进一步加速。2006 年 2 月，国家外汇储备达到 8750 亿美元，超过日本，居世界第一位。到 2008 年上半年，国家外汇储备达到 18088 亿美元，已经超过了西方 7 个发达工业化国家外汇储备的总和(见图 5.6)。这些国家外汇储备，是用大量中央银行的高能货币(在中央银行的资产负债表中表现为“外汇占款”)购买来的；再通过商业银行的货币创造过程，就转化为巨额的现实购买力。例如，为了收购 1.8 万亿美元的外汇储备，中国人民银行大约要释放 12 万亿高能货币，再乘以大约 5 倍的货币乘数，转化为 60 万亿以上的货币购买力。虽然中国人民银行采取了发行中央银行票据(俗称“央票”)、提高存款准备金率等对冲措施，

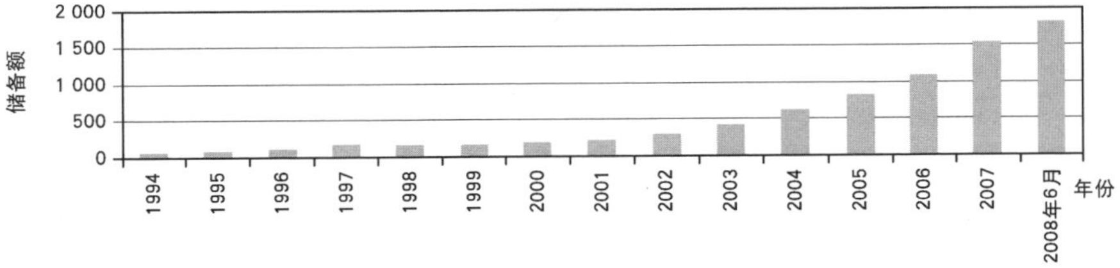

图 5.6　1994 年以来的中国外汇储备余额(10 亿美元)

但仍然形成巨额货币供应和流动性泛滥。这些超量供应的货币流到资产市场，即造成股票、房地产、收藏品等资产价格飚升，形成资产泡沫；流到商品市场，则表现为一般物价水平的上涨，形成通货膨胀。

货币超发和流动性泛滥的结果，首先在房地产、股票、收藏品等资产市场上反映出来。从本世纪初起，中国许多大城市的房地产价格上涨，而房租却不升反降。这表明房地产市场泡沫开始形成。2004 年房地产价格快速上涨，保持两年高位后，2007 年继续大幅上扬（见图 5.7）。一般来说，职工房价收入比超过 6，也就是说，人们用 6 年多的全部收入才能买到一套住房，在中国的条件下，这可以看作进入房地产泡沫区间。沿海城市房价收入比在 2007 年更达到 10 上下，广州、北京、深圳的房价收入比都达到 13 以上，超过了台湾 1990 年地产泡沫顶峰时台北的房价收入比 12。①

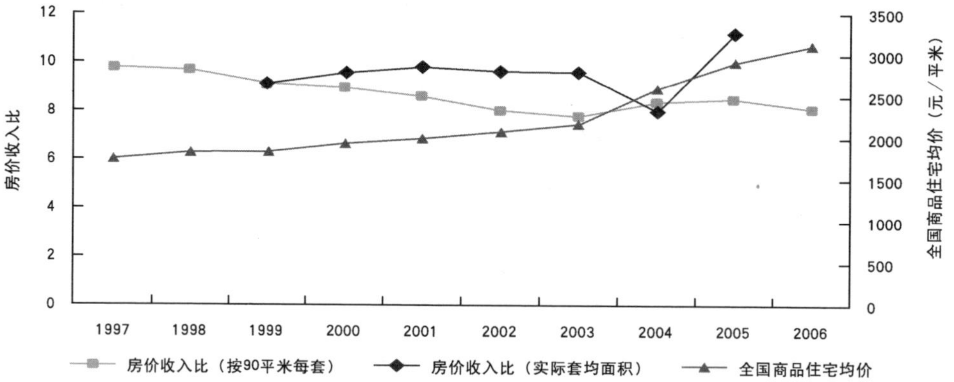

图 5.7　1997～2006 年房价和房价收入比的变动趋势图

资料来源：冯燮刚：《中国安居之路：走出房地产迷局》，上海：上海远东出版社，2008 年，第 26 页。

2006 年春季，股票市场也开始上扬，年底上证综合指数收盘 2675 点，而 2005 年底该指数仅为 1161 点；2007 年股市继续狂升，到当年 10 月 16 日竟达到 6124 点这一历史最高位，在不到两年的时间里股票价格水平提高了将近 6 倍，静态市盈率（P/E）高达 72 倍，如果考虑到当期盈利包括股票投资收益等不可重复的盈利，动态市盈率还要高出许多。这表明中国证券市场已经形成了巨大的泡沫。在泡沫形成期间，投资者由于账面财富的增加而获得某种似是而非的满足。然而"天下

① 上海易居房地产研究院（2008）：《我国房地产泡沫研究及应对措施》，http://house.china.com.cn/goufang/%E6%B3%A1%E6%B2%AB.pdf。

没有不破的泡沫”，股价愈是虚高，市场就愈是处在一种岌岌可危的状态。

由于通货膨胀的滞后效应，消费物价指数（CPI）的上升要比房地产和股票价格慢上一步。但到2007年，通货膨胀也显现出来。该年3月，CPI指数上涨超过3%，7月已经超越“温和通货膨胀”的上限，达到5.6%，此后一路上升，2008年上半年CPI同比上涨7.9%，实际利率早已经是负数。

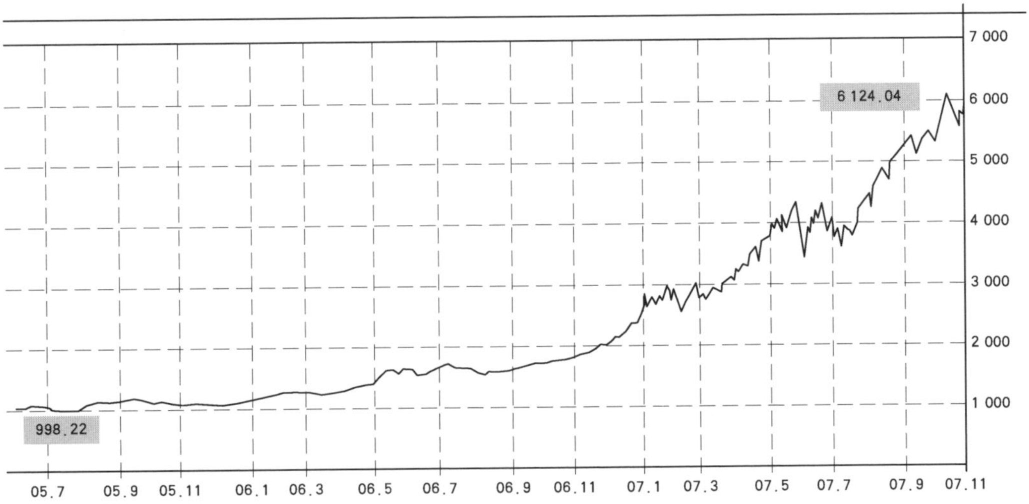

图5.8 上证指数日线（2005年6月1日至2007年11月2日）

资料来源：Wind资讯。

通货膨胀与资产泡沫并存使宏观经济稳定政策进退两难。一方面要对付通货膨胀、稳定物价水平，另一方面又要小心翼翼地避免房地产和证券资产泡沫一下子破灭造成系统性风险，而宏观经济当局可以使用的政策工具却十分有限。例如，提高利率会使已经饱受原材料涨价、劳动力成本提高之苦的中小企业雪上加霜，其效果却因为会引发更多逐利“热钱”的流入而大打折扣。信贷紧缩更容易使中小企业发生资金周转困难和生产停顿的问题。2007年春季美国次贷危机爆发，其冲击波逐步在国际金融市场蔓延，并影响实质性的生产部门。到2007年底，我国沿海地区已经出现一些中小企业经营困难，甚至歇业倒闭的情况。随着消费物价指数（CPI）和生产物价指数（PPI）的上扬，中央政府陆续出台控制粮食、成品油和电力价格的行政管制措施，使市场机制的自我平衡作用也难以发挥，经济沿着与政府期望的结构优化、节约能源、环境友好、创新驱动相反的方向发展。

总之，由于以汇率低估为基本特征的出口导向政策的延续，使中国的外部经济失衡加剧。因此，必须随着经济发展向更加市场化的方向转变，特别是要适时放开汇率这一开放经济条件下最重要的价格参数。遗憾的是，中国与其他采用出口导向战略的亚洲经济体一样，由于担心本币升值拖累出口和经济增长，容易对调整出口导向政策和进行汇率形成机制的市场化改革犹豫不决，结果外汇资产快速膨胀，并转化为货币的过量供应，出现通货膨胀和资产泡沫并存的复杂局面。汲取东亚国家和地区的教训，为了避免金融的系统性风险，转变经济增长模式，调整出口导向政策，便成为一项十分紧迫的任务。

6

转变经济增长模式，走新型工业化道路

要真正做到经济增长模式的转变,最为重要的是建立一个有效支持这种转变的制度基础。这必然要求我们加快完善社会主义市场经济体制,其中关键的关键,是加快政府职能转变,建立有限和有效的政府。增长模式能否转变,最终取决于政府改革能否取得成功。

前面几章的分析表明，无论按照先行工业化国家经济发展的历史经验，还是根据自己国家的实际情况，中国都必须彻底转变经济增长模式，将建设资源节约、环境友善型经济作为必须长期坚持的基本方针，走出一条主要依靠技术进步和效率提高驱动的新型工业化道路。

但是，正如前面提到过的"苏联现象"所告诉我们的，要真正做到上面这一切，最为重要的是建立一个有效支持这种增长模式转变的制度基础。这必然要求我们加快完善社会主义市场经济体制，其中关键的关键，是加快政府职能转变，建立有限和有效的政府。增长模式能否转变，最终取决于政府改革能否取得成功。

6.1 采取实际措施提高经济效率

根据先行工业化国家的经验，为了改变自己的经济增长模式，中国应当在以下几个方面作出努力：第一，促进与科学相关的技术在国民经济各领域中的运用，推动技术创新和产品升级；第二，大力发展服务业，特别是生产性服务业，降低过高的交易成本；第三，运用信息通信技术，提升国民经济各部门的效率。与此同时，作为一个发展中国家，还应当利用大量农村富余劳动力从相对低效的农业向相对高效的城市非农产业转移的机会，提高国民经济的整体效率。

6.1.1 鼓励科学发展与技术创新

与科学相关的技术的发展和广泛运用，是现代经济增长中效率改进的一个基本源泉。经过 20 多年的经济发展和改革开放，中国现在已经成为全球重要的加工生产基地，但是正如前面讲过的，我国企业在产品价值链中主要从事附加价值和盈利率都很低的装配制造作业（参见图 6.1）。

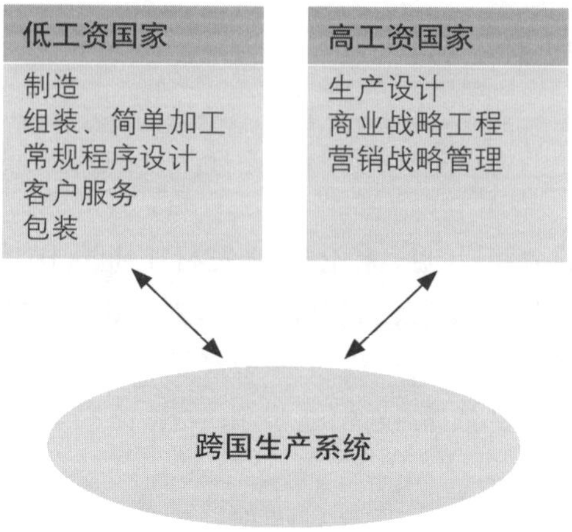

图 6.1　发展中国家目前在全球生产体系中的位置

资料来源：根据 Matti Pohjola(2005)：《信息通信技术、生产力及经济增长理论和实践》改编，载国家信息化专家咨询委员会秘书处编《信息化发展战略国际经验研讨会资料汇编》，2005 年 6 月 6 日，打印稿。

面对这种情况，出路首先在于促进与科学相关技术的成长。这一方面要靠提高产品和服务的知识技术含量和附加价值；另一方面要靠繁荣科学（包括社会科学）和人文学科，为技术创新活动提供基础性支撑。

但是，目前无论是科学研究还是开发性经费支出，都还难于为技术进步提供强有力的支撑。从表 6.1 可以看出，近年来，我国的研究开发投入占 GDP 的比重逐年上升，2002 年已经达到了 1.2%；但即使这样，我们不仅无法在绝对数上与发达国家相提并论，甚至在相对水平，即研究开发支出占 GDP 的百分比上也远比发达国家为低（见表 6.2）。

表 6.1　中国研究开发经费支出（1997～2002）

	1997	1998	1999	2000	2001	2002
研究开发经费支出（亿元）	509.2	551.1	678.9	895.7	1042.5	1287.6
比上年度增长（%）*	24.9	10.9	20.3**	16.9**	16.4	23.9
研究开发经费支出/GDP(%)	0.6	0.7	0.8	1.0	1.1	1.2

注：* 按 GDP 的缩减指数计算；* * 按可比口径计算。
资料来源：http://www.chinainfo.gov.cn/data/200501/120050106100853.html。

表 6.2 中国科学与技术发展指标的国际对比 （亿美元）

	中国 2002	美国 2002	日本 2001	德国 2002	法国 2001	英国 2001	俄罗斯 2001	韩国 2001	巴西 2000	印度 2001
R&D	156	2922	1279	497	288	271	36	125	58	37
GERD/GDP(%)	1.2	2.8	3.1	2.5	2.2	1.9	1.2	3.0	1.1	0.8

注：GERD 指研究开发总支出。
资料来源：除中国、巴西和印度数据外，其他数据取自：OECD《主要科学技术指标》(2003/1)。参见：http://www.chinainfo.gov.cn/data/200501/120050106100853.html。

除了总量上的不足，在研究开发投入的结构方面，也存在比较突出的问题。

从研究开发支出的主体看，中国自 1990 年至 2002 年企业、政府研究与开发机构、高等学校所占的研究开发支出比例，在 1995 年分别是 43%、44%和 13%，到了 2002 年则成为 61.2%、27.3%和 10.1%（见图 6.2）。企业部门的研发人员所占的比例也有很大提高，但这两项比例仍比先行工业化国家以及新兴工业化国家为低。更何况，企业部门上两项支出快速上升的一个重要原因，是由于公共研究机构转制为企业。由于企业是新技术导入市场的主体，企业研究开发比例偏低一方面表明企业的创新激励不足，另一方面表明企业重视研究开发活动的自觉性很差。

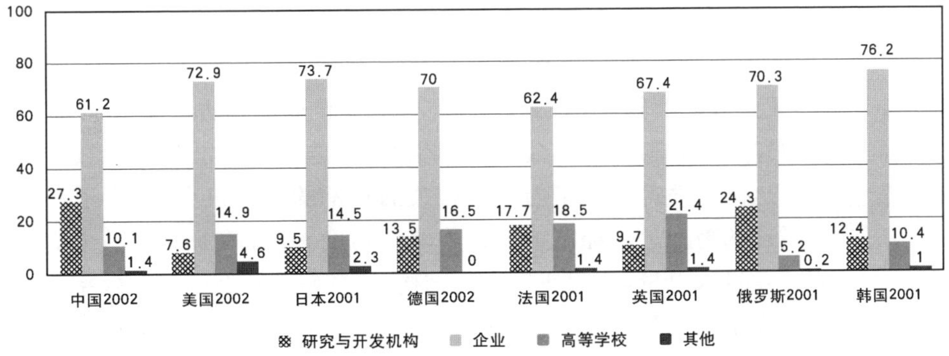

图 6.2 执行研发支出的组织结构的国际比较(%)

资料来源：除中国数据外，其他数据取自 OECD《主要科学技术指标》(2003/1)；参见 http://www.chinainfo.gov.cn/data/200501/1_20050106_100853.html。

从使用方向来看，我国研发活动明显向试验开发端倾斜，实验室开发费占总研发费用的75%以上，基础研究支出的比例则只有5.7%，明显低于其他国家（见图6.3），这使从事基础研究工作的科学家开展原创性研究缺乏足够的资金支持。

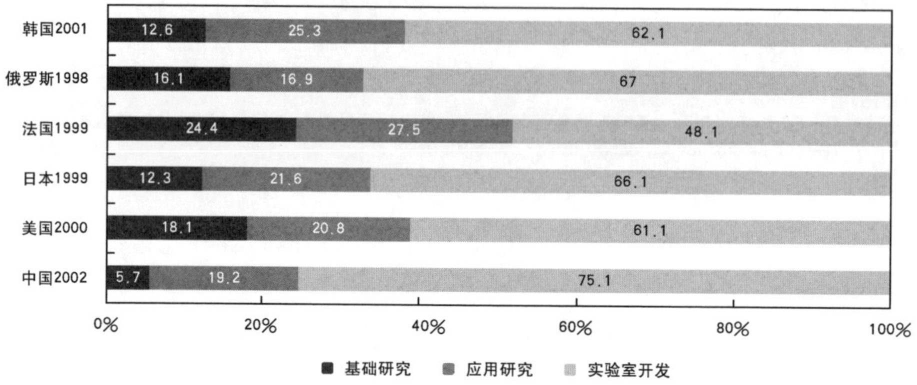

图6.3　研发支出的使用方向

资料来源：除中国数据外，其他数据取自OECD：《主要科学技术指标》(2003/1)；参见http://www.chinainfo.gov.cn/data/200501/1_20050106_100853.html.

根据我国执行主体和使用方向两个方面的研究开发支出情况，还可以发现我国大量的试验开发性活动是由研究所、高等院校等非企业组织进行的，而公共资金支持的研发活动中，研究性支出的比例却相对过低。正如两位世界银行的专家指出的，被划为“研究机构”的组织所获得的固定拨款通常占其支出的50%左右，而我国的对应比例则要低出许多①。这在世界上看是较为突出的奇特现象。其结果是：一方面，研究和高等教育机构热衷于从事大量由企业进行才有效率的活动，于是许多产权不清的校办企业、院办企业和所办企业由此派生出来；另一方面，科学界在公共知识生产、筛选和扩散上的功能被严重削弱。这两方面都限制了与科学相关的技术的成长机会，减少了长期经济增长的潜力。从经济增长方式转变角度看，目前需要进一步增加研究开发投入总量，改善研发支出结构，提高研发资金的使用效率。

除了研究和开发活动之外，先行工业化国家的发展经验表明，教育培训作为基本的人力资本（人的知识和能力）的投资，对持续的科学

① C·达尔曼、J·奥波特(C.E. Dahlman & J.E. Aubert, 2001)：《中国与知识经济：把握21世纪》，熊义志等译，北京：北京大学出版社，2001年，第139页，注11。中国1997年划为“研究机构”的组织获得其总预算额30%的固定拨款。

和技术进步起着至关重要的作用[①]。在现代经济增长中，人力资本对物质资本的替代作用和强化作用十分显著。技术进步使创造同样增长率所需的物质资本和其他资源投入趋于减少，从而使先行工业国提高了效率，有利于摆脱所谓“增长的极限”，即物质资源对增长的约束。而且无论技术进步通过什么途径实现，最终都是由人来实现的，所以，增加人力资本投资，实现人力资本的积累，具有极其重要的意义。加强和改善教育，特别是基础教育和职业教育，对于中国这样人力资本不足的发展中国家，意义尤其重大。

据日本经济学家神门善久（Godo Yoshihisa）和速水佑次郎的研究，教育赶超必须先行。日本在明治维新以后不久就开始了教育的赶超，经过几代人的努力，才奠定了在20世纪中期经济上赶超先进国家的人力资本基础[②]。而我国教育投入不足，教育的发展还远远不能满足实现工业化和现代化的需要，至今连法定的九年义务教育还没有在全国普遍落实，中等和高等教育普及率也比较低（见表6.3）。社会培训和终身教育组织也很不健全，造成了劳动者素质普遍偏低的状况，制约了生产过程中的创新。现在急需抓紧改善教育培训工作，一方面尽可能加大对教育培训的投资，迅速普及九年义务教育，大力发展中等教育，加强高等教育[③]；另一方面，着力提高教育质量，改善人力资本投资的效率。

表6.3　教育发展指标的国际对比（1997年）

国　家	1997年公共教育支出占GNP百分比（%）	1997年预计受教育年限（年）
澳大利亚	5.4	17.0
加拿大	6.9	17.0

① 经济学家对人力资本投资的定义比教育宽泛得多。“正如许多经济学家所观察到的，在职培训或干中学在人力资本的形成中至少与学校教育一样重要。”（参见R·卢卡斯（2002）：《为何资本不从富国流向穷国》，罗汉、应洪基译，南京：江苏人民出版社，2005年，第51页）不过，学校教育的重要性是无人否认的。

② 神门善久、速水佑次郎（2003）：《教育追赶要先于经济赶超——日本1890～1990年赶超美国的启示》（打印稿）。感谢蔡昉教授向我提供了这篇对我国极具借鉴意义的论文。

③ 正如黄佩华指出的：“尽管国务院反复保证要提高人力发展方面的投资，然而从1978年到1999年，教育的预算支出还停滞在GDP的大约2%～2.5%，只有1985年的《教育法》所要求的标准的一半，也远远低于东亚各邻近经济体的支出水平。”参见黄佩华（2005）：《21世纪的中国能转变经济发展模式吗？——新一代领导人所面临的财政政策选择》，余江、冯晓芒译，《比较》第18辑，北京：中信出版社，第39页。

续 表

国　家	1997 年公共教育支出占 GNP 百分比(%)	1997 年预计受教育年限(年)
丹　麦	8.1	15.0
芬　兰	7.5	16.0
法　国	6.0	15.5
德　国	4.8	16.0
爱尔兰	6.0	14.0
日　本	3.6	13.5*
新西兰	7.3	16.5
西班牙	5.0	13.0*
瑞　典	8.3	14.5
英　国	5.3	16.5
美　国	5.4	16.0
中等发达国家平均水平	5.9	15.4
中　国	2.3	6.0

注：* 为 1980 年数据。
资料来源：世界银行，转引自中国科学院可持续发展战略研究组(2002)：《中国现代化进程战略构想》，北京：科学出版社，2002 年。

6.1.2　大力发展服务业，特别是生产性服务业

正如我们在前面分析过的，在现代经济增长中服务业的迅猛发展是降低交易成本和提高经济效率的又一个重要源泉。

反观我国，自从第一个五年计划集中力量发展以 156 项大型投资项目为核心的重化工业以来，服务业一直是经济发展的一条短腿。这也是我国经济中交易成本过高的主要原因之一。大力发展服务业，特别是生产性服务业，是实现我国经济增长方式转变最紧迫的任务之一。

其实，早在 20 世纪 80 年代中国一些“新富地区”崛起的初期，服务业就扮演过非常重要的角色。例如在浙江，“前店后厂”的小店铺、“跑单帮”的小商贩和星罗棋布的“专业市场”，都是促进该地区强劲增长和走向繁荣最重要的力量。在发展商贸服务业的基础上，更形成了具有强大竞争力的产业集群和“块状经济”。虽然浙江地区的服务业的“业态”处于从本地熟人市场上的人格化交易转向大范围市场乃至全

球市场的非人格化交易的升级和转型过程之中，它们的这种由服务业、哪怕是初级形态的服务业带动制造业发展的经验，无论对于它们自己还是对于正在起飞中的地区都并没有过时①。

现在有些地方轻视初级形态的服务业，认为只有发展传统的从事物质生产的制造业，或者发展后工业化时期的“高级服务业”，才是实现工业化和现代化的正途。这完全是一种误解。

先行工业化国家的经验也已经说明，在从早期经济增长向现代经济增长转变的19世纪，商业、金融、法律等基本服务业扮演了重要的角色。它们对于降低制造业和农业的生产成本和交易成本，提高经济的整体效率起了重要的作用。全国所有地区都必须尽快改变服务业发展不足的落后状况，把基本的服务业体系建立和完善起来。

在现代经济增长的过程中，由于现代信息技术的运用，集聚在较小地区范围内的产业集群逐渐演化为由现代物流企业整合诸多企业的活动而形成的大范围的、甚至超国界的全球供应链。所以，在经济已经有了一定发展、具备一定基础的地方，需要努力促进原有服务业的转型，加快发展现代服务业或知识型服务业（knowledge-based service industries）②、知识密集型服务业（knowledge-intensive business services），包括现代物流、电信传输、信息处理、大众传播、金融保险、医疗保健、商业咨询、人才培训等。

对于制造业来说，要积极推动我国大量从事简单加工装配的企业努力向施振荣所说“微笑曲线”的上下游延伸，尽量拉长价值链，开发研发设计、品牌营销、供应链管理、售后服务乃至金融服务等业务，以便提高产品的附加价值和盈利水平。这里的基本原则，是用最少的资源消耗创造最大的价值。在研发设计等人力资本密集的环节，中国有丰富的人力资源可供开发（见第4章4.3.1引述过的资料），只要按照现代市场经济的要求将这些资源通过恰当处理的形式组织起来，依托国内庞大的制造业对这些高端服务的需求，通过“干中学”和分工深化，就能够建立中国企业群体在这些环节上的竞争力。

---

① 吴敬琏（2004）：《全面提升经济的整体竞争力是浙江经济发展的必由之路》，国务院发展研究中心《调查研究报告》，第93号，2004年7月21日（见本书附录1）。

② 美国商务部定义的知识型服务业为：提供服务时融入科学、工程、技术等的产业或协助科学、工程、技术推动的服务业，包括通信服务、金融服务、商业服务、电脑软件、电脑及信息处理、研发与工程服务以及其他相关服务、教育服务和健康医疗服务。

专栏 6.1

供应链管理

随着供应链的形成和发展，目前市场竞争或者聚集在一个地区范围内的产业集群之间的竞争，已经从单个企业之间原子式的竞争转变为跨地区、跨国界的供应链之间的竞争。

20 世纪中后期，消费者对商品的需求出现了个性化、差异化和多元化的趋势，以单个厂商为核心的“大规模生产方式”(mass production)已经不能适应新的市场环境。20 世纪 70 年代，以丰田为代表的制造商革新了生产模式，创造了“准时提供制”(just in time，简称 JIT)、“精益生产方式”(lean production)等，通过柔性制造技术和先进的信息技术，及时将消费者的需求信息从流通领域传递到制造领域，催生了供应链管理。

一般说来，供应链包括以下三方面内容：

(1) 供应链是以某类商品或服务为核心的单一企业内部的各个部门或者多个具有业务联系的相关企业之间形成分工协作关系的利益共同体或系统。

(2) 供应链是由客户(或消费者)需求开始，贯通从产品设计到原材料供应、生产、批发、零售等过程(中间或经过运输和仓储)，直到把产品送到最终用户的各项业务活动。

(3) 供应链的业务过程和操作，实现了工作流程(work flow)、实物流程(physical flow)、信息流程(information flow)和资金流程(funds flow)四个方面的有机结合。信息流程带动工作流程，工作流程决定实物流程，实物流程反馈为资金流程。

供应链管理依赖以下几个条件：一是信息通信技术(ICT)的发展，因为供应链的有效运转需要有快速、及时、准确和智能的信息传递和处理技术作为支撑，这在信息通信技术、电子交换技术和数据库技术迅速发展之前几乎是不可能的。二是标准化和模块化的产品生产技术。标准化和模块化的生产使得供应链的核心厂商将核心技术与外围技术、核心部件和外围通用部件的研发和生产相分离。通过零部件和其他业务的外包，使厂商得以专注于自己的核心技术。三是逐渐完善的法治环境。供应链是靠相关企业之间的合同联结起来的。履行合同不仅依靠相关方的自我约束，还依赖缔约各方对法律的遵守和第三方(首先是司法机构)对合同执行的严格保障，这样才能维护整个供应链的稳定运转。

供应链管理代表着现代生产和流通模式的重要变化。它有效提高了整体经济的运行效率。首先，通过应用现代信息技术和管理软件，整个供应链内部生产和流通系统的效率大幅提高，从而能对消费者需求的变化作出及时、快速的反应；

其次，供应链降低了整个社会搜寻、处理信息的成本；第三，标准化、模块化生产以及业务外包促进了整个社会分工的深化，供应链中的各个企业由于专注于自己的核心技术，致使产品成本不断降低、质量不断提升、新产品推出周期大为缩短。

根据利丰研究中心编(2003)：《供应链管理：香港利丰集团的实践》(北京：中国人民大学出版社，2003 年)等资料编写。

有的论者声称，服务业的大发展是工业化实现以后的事情，也就是说，是实现经济的所谓"重化工业化"以后的事情。正如第 3 章 3.2 所指出，这种描绘是与历史事实不相符合的。20 世纪后期在产业三分的框架下对先行工业化国家产业结构变化的研究表明，服务业发展超过工业的时间，是在进入工业化后期时(第一二"梯队")、甚至是在进入工业化中期时(第三四"梯队")，而不是在工业化完成之后实现的。例如，英国和美国是在 20 世纪初期，日本则是在 50 年代中期。

也有经济专家认为，像中国这样的后发国家和发达国家相比存在一个很大的技术差距，其比较优势只在于劳动力价格低廉，因此，它在国际分工中最适宜扮演的角色是从事装配、加工，至于致力于高附加价值的产品的自主研发和品牌营销，至少不是近期的最优选择。"我们只能老老实实再走 10 年加工贸易的路，再为外国公司打工打上 20 年。"[①]也有经济学家举我国台湾的宏碁和英业达两个电脑公司为例，前者做自己的品牌，后者为外国品牌做代工，结果后者非常赚钱，而前者盈利状况很差，创牌失败后不得不放弃自己的品牌而做代工。因为做自己的品牌需要自己做研发，而研发需要密集的资本，风险非常大。因此，对于后发国家乃至中等发达程度的国家和地区，进入研发和品牌都为时过早。[②] 在我看来，这种观点可能只是从静态比较优势的观点看问题，而没有从动态比较优势的观点进行分析。比较优势是有浅层和深层之分的。从动态的观点看，发展中国家必须努力创造条件，开发深层的比较优势，实现比较优势向高级化方向的发展。长期停留在浅层比较优势的开发上，将会限制经济的进一步发展和人民生活水

① 参见马娟等整理：《中国需要怎样的工业化道路——2005 年 1 月 25 日北京大学中国经济研究中心"新世纪中国经济发展战略"主题圆桌研讨会纪要》，载王海明编著(2005)：《北京共识》，北京：中国社会科学出版社，2005 年，第 371～372 页。

② 同上文。

平的持续提高。因此，斯蒂格利茨在他的《经济学》教科书中讨论发展中国家的对外关系战略时指出，实行出口导向战略要以动态比较优势为基础，而不能只从以现有的资源和知识为基础的即期比较优势的观点看问题，否则就会出现劳动密集型产品的“专业化”，以致削弱长期增长的潜力①。不仅如此，大量出口廉价商品，还会遇到世界市场容量的限制和进口国的抵制。从动态比较优势的观点看，中国应当努力开发深层比较优势，例如，努力提高劳动者的素质和能力，充分发挥我国技术和管理人才的自主创新能力，尽力向施振荣“微笑曲线”的两端延伸，才有可能进一步提升我国在劳动力方面的比较优势，并借此带动经济结构的优化和升级。

应当承认，我国的整体发展水平还比较低，不可能在短期内向发达国家全面看齐。因此，要求所有的企业都要从事自主品牌营销是不现实的。但这并不等于说，所有企业都只能沿着代客分销、代客加工（OEM）、代客设计（ODM）和自主品牌营销（OBM）的链条一步一步地爬行。第一，相对于其他发展中国家，我国专业人员受过较好的教育训练，也更加富有纪律性和创新精神；第二，经过多年建设，中国逐步建立了门类齐全的科学和技术基础设施，已经拥有广泛运用和自主开发20世纪后期技术、甚至21世纪前沿技术的基础；第三，经过十来年在我国国内广阔市场中的磨炼，已经涌现出一批具有一定经营能力和品牌资产的企业。我国企业可以从一开始就利用自己的这种优势，尽力摆脱只是“卖硬苦力”的状况。事实上，我国有些企业已经在进行自主研发和开发自主品牌方面这样做了。例如，在信息和通信产业领域，华为科技、中兴通讯从一开始就面向市场进行大规模的研究开发投入，因而得以实现20年的持续增长，而且其技术能力迅速提高，目前已经进入全球电信设备的领先企业的行列，其员工队伍也出现了研究开发人员与销售服务人员占大部分、生产制造仅占一小部分的“哑铃式”的结构。而国内相当一部分企业却在要素价格低、汇率有利等优惠条件下沉湎于加工组装环节，生存环境日渐恶劣。华为、中兴等企业的经验值得很多企业学习。

至于以我国台湾经验教训为理由，认为大陆厂商开发自主技术、打造自主品牌为时过早的论者则是“只知其一，不知其二”。的确，由

---

① J·斯蒂格利茨（2000）：《经济学》，北京：中国人民大学出版社，2000年，第888～892页。

于本地市场规模的限制，台湾的 IT 产业曾经在一个长时期采取了以代客加工（OEM）为主的经营战略。可是他们很快就发现，“成也代工、败也代工”，代工的利润率逐渐下降（到 21 世纪初期，已经从“‘微利’变成了‘纳米级利润’”），这种情况使台湾企业或先或后地改弦更张，努力提高产品的附加价值和生产经营的盈利率。一些企业利用大陆市场广大的优势，从这里开始营造自己的品牌，已经取得了很好的成绩；另外一些企业也正在作出自己的努力①。十多年前宏碁打造自己的自主品牌 Acer 时，由于没有条件利用大陆市场，只得首战美国这样品牌竞争十分激烈的成熟市场，因此打得很艰难，大约用了 10 年时间和 20 亿美元投入才站稳了脚跟。而 2001 年 12 月才以一个外围设备制造商的身份正式从宏碁分拆出来的明碁，由于能够利用大陆市场培育壮大自己的 BenQ 品牌，只用了 3 年时间就成了气候。大陆企业为什么不能利用这块他们较之台湾同胞更为熟悉的市场，更快、更好地树立自主品牌呢？

有一种说法是，所有的世界强国都有强大的制造业，现在许多地方把先进制造业作为自己的重点产业，这有什么不对呢？

只要具备必要的条件，把先进制造业确定为本地的支柱产业当然没有什么不对。特别是像中国这样的一个大国，从整体上看也的确需要有强大的制造业。但我们必须明确，现代制造业是与服务业性质的活动支持互补、相互融合渗透的产物。这有两种基本情况：一种是制造业企业因有专业服务企业，例如第三方物流企业的支持而壮大；另一种是制造业企业的活动中具有愈来愈多的服务含量。然而在这一点上，经常发生误解。有的地方多年来说是发展现代装备制造业，其实他们只是在做些铸、锻、金属加工等粗活，至于现代装备的心脏——数控部分，则安于完全从国外进口。这就失去了发展现代制造业的原意。正是因为服务性业务已经成为过去被认为是制造业企业的重要业务，甚至是主要业务，目前一些过去被看作属于制造业的企业已经被归入服务业企业。例如，IT 产品供应商宏碁就列名在台湾服务业十强企业的名单中，而台湾三星电子、和泰汽车、松下产业科技、台湾东芝数位资讯、台湾飞利浦电子工业、台湾东芝电子等则都已作为服务

① 《台湾 IT 超越代工》，见《电脑报》2003 年第 31 期。

企业被列入了2004年台湾服务业前40名的排行榜[①]。

6.1.3 运用信息通信技术提升国民经济各产业的效率

较之先行工业化国家，我国工业化有一个更为优越的条件，这就是能够利用20世纪50年代以后发展起来的现代信息通信技术（ICT）改善增长质量，提高经济的整体效率。由于信息产业创新活跃，发展迅猛，而且因为其基本功能是改善信息的收集、传输、处理、存储和利用，有效应用信息通信技术能够降低各行各业的交易成本（信息成本是交易成本的主要内容）和制造成本，特别是交易成本。这可以说是“走新型工业化道路”提法中“新”字除第2章2.2.3提到的含义之外的另一重含义。

我国信息通信技术（ICT）产业20世纪90年代以来发展迅猛[②]，其产值很快从1993年的913.4亿元增长到2001年的6920.9亿元，是1997年之后我国经济持续强劲增长的重要推动因素之一[③]。但是不容忽视的是，我国信息产业结构存在畸轻畸重问题。

从世界信息产业的构成来看，硬件制造在产值中所占比重趋于下降，而软件和服务所占比重则不断上升。2003年，电子信息产品制造业的比重进一步下降到25%以下，软件、IT服务和电信服务业所占的比重则占到70%以上（参见第3章图3.6）。[④] 以美国而言，其信息产业产值中只有1/3来自硬件制造，其余2/3都来自软件和信息服务。

---

① 由于服务业务增长迅速，2003年宏碁营业收入达817亿元，增长100%，在台湾《天下》杂志排名的台湾500强服务企业中的排名从13名跃升到第4名（参见官振萱：《冷冷王振堂要烧热宏碁》，《天下》杂志，第301期，2004年6月15日）。2004年“台湾服务业1000大”排行榜参见《商业周刊》（台湾版）2005年5月9日，第119～184页。

② 需要特别指出的是，目前我国广泛使用的信息产业概念口径差别极大，有时指电子信息产品制造业，有时包括电子信息传输服务，或是包括了电子信息产品销售和租凭业，最宽的口径包含了信息文化产品的内容。国家统计局2004年印发《统计上划分信息相关产业暂行规定》，定义“信息相关产业”为“与电子信息相关联的各种活动的集合”，包括电子信息设备制造、电子信息设备销售和租凭、电子信息传输服务、计算机服务和软件业、其他信息相关服务五个类别，这一定义最接近联合国统计委员会定义的“信息业”和“信息与通信技术”，但该定义尚未广泛使用。

③ 秦海和李红升的计算表明，中国信息技术产业对GDP实际产出的贡献率远比名义贡献率为高，并有持续拉大趋势，他们认为，“除2001年外，1997～2000年，按绝对值计算的信息技术产业对经济增长率的贡献均在2个百分点以上”。参见秦海、李红升（2004）：《信息技术对我国经济增长的影响：理论、方法和实证研究》，2004年11月，打印稿，第33～36页。

④ *European Information Technology Observatory* 2004（《欧洲信息科技观察》（2004）），转引自石怀成主编，《世界信息产业概览》（上册），北京：世界图书出版公司北京公司，2005年，第3～4页。

而我国信息产业的结构正好相反,硬件投资占70%~80%,软件和服务投资只占20%~30%,这种硬件重软件轻的结构恰好与世界信息产业的格局相反(参见表6.4)。2000年国家专门制定了《鼓励软件产业和集成电路产业发展的若干政策》,2002年出台了《振兴软件产业行动纲要》,支持软件产业的发展,但到目前为止,软件产业在规模上还远不能与硬件产业相比。

表6.4 2004年中国和美国信息产业市场结构比较 (%)

	硬件	软件	服务
美国	32	25	43
中国	73	10	17

资料来源:国际数据公司(International Datacasting Corporation, IDC)。

正如前面章节指出的,信息通信技术是典型的通用目的技术,能够广泛运用到差别极大的社会领域,并通过与这些领域的技术结合形成互补性创新。也只有这样,信息通信技术(ICT)才能充分发挥其潜力,对国民经济整体效率的提高产生影响。由于在收集与传播信息、设计复杂产品、协调不同地区的经营活动、把握客户需求等方面,应用信息技术都需要借助软件及其服务支持才能实现,目前这种硬件重软件轻的产业结构表明,我国信息通信技术对国民经济各部门效率提高的带动作用还发挥得不够,ICT的应用亟待进一步深化。

表6.5 中国电子及通信设备制造和软件及信息服务的产出 (现价亿元)

	1999	2000	2001	2002
电子及通信设备制造	2332.0	2846.0	3053.0	3555.0
软件及信息服务	282.1	375.9	494.9	659.8

资料来源:根据秦海、李红升(2004):《信息技术对我国经济增长的影响:理论、方法和实证研究》表2、表4整理,打印稿,第22~23页。

继续推进国民经济和社会信息化,加快ICT在我国各个部门的渗透,降低全部经济和社会活动的信息成本,将成为促进经济增长模式转变的一支重要力量。

6.1.4 加快农村剩余劳动力向城市工商业的转移

对于工业化尚未完成的中国，加快农村剩余劳动力向城市工商业的转移是提高经济效率的另一条重要途径。这可以从以下两个方面来说明：

首先，加快我国农村剩余劳动力向非农产业的转移可以大大提高整个国民经济的效率。

现代发展经济学已经透彻地论证过农村富余劳动力向城镇非农产业转移产生的巨大效应。日本经济学家速水佑次郎和神门善久在他们合著的《农业经济论》中用劳动生产率为代表对农业和制造业进行对比，说明了发展中国家两个部门之间效率存在巨大的差距（见表6.6）。①

表6.6 1965～1995年农业和制造业之间劳动生产率实际年平均增长率差距的国际比较

（%）

	劳动生产率		比较生产率(1)－(2)
	农业(1)	制造业(2)	
发达国家：			
美国	2.7	3.4	－0.7
英国	2.7	3.2	－0.5
法国	5.2	3.6	1.6
德国*	5.1	4.0	1.1
日本	5.1	5.5	－0.3***
平均**	4.2	3.9	0.2***
发展中国家：			
韩国	5.3	11.0	－5.7
菲律宾	1.4	10.2	－8.8
印度	1.7	2.3	－0.7***
平均**	2.8	7.8	－5.0

注：*1991年以前德国的数据是由联邦德国和民主德国的数据推算而出。
**5个发达国家和3个发展中国家的平均值是单纯平均。
***合计的误差是由四舍五入引起的。

资料来源：FAO：FAOSTAT Database，2000；United Nations Industrial Development Organization：*Industrial Development Global Report*（《工业发展全球报告》），1998 edition；United Nations：*The Growth of World Industry*（《世界工业的增长》），1971，1977，and 1984 editions；International Labour Organization：*Yearbook of Labour Statistics*（《劳动统计年鉴》）；1973 and 1979 editions.

① 速水佑次郎、神门善久（2001）：《农业经济论》，沈金虎等译，北京：中国农业出版社，2003年，第12页。

我国农业人口占总人口70%左右，估计其中有1.3亿是需要向城镇工商业转移的富余劳动力[①]。根据富余劳动力的定义，传统农业部门的劳动边际生产率等于零，甚至小于零。如果这些农村富余劳动力资源从低效的传统农业转移到相对高效、从而收入也较高的城镇工商业部门就业，显然能够大大促进国民经济效率的改进。

第二，农村富余劳动力向非农产业转移将有力地促进我国的城市化。国际经验表明，工商企业聚集在城市能够更好地为工商业提供基础服务，更好地沟通行业信息，组织上和技术上的改进更容易传播，人力资本的积累速度更快[②]，服务业能够充分发展，公共基础设施更为完备等等；因此非农产业的发展往往与城市化过程相重叠。我国在改革开放以前，在重工业化和户籍制度的限制下，工业化过程与城市化过程几乎是相互脱节的，城市化进程十分缓慢。1951年城市化水平为11.8%，1978年城市化水平则只达到了17.9%。改革开放以来，我国城市化进程明显加快，城市化水平由1978年的17.9%提高到2002年的39.1%，设市城市由1980年的223个，增加到2002年的660个[③]。但是，有些地方在计划经济条件时期农村工商业"就地取材、就地加工和就地销售"的"三就地"方针基础上，提倡乡镇企业"离土不离乡、进厂不进城"地分散建立在农村。而这种在农村分散建立的工商业由于缺乏集聚效应而效率低下，很难在激烈的竞争中生存和发展。大力促进农村剩余劳动力进入城市的工商业就业，使农民成为市民，更有利于发挥城市化的优势，提高经济增长的质量。

6.2 必须建立充满活力的新体制

我们在第4章4.2.2中已经看到，改革开放以来，虽然中国领导反复重申要实现增长方式的转变，但是传统经济增长模式却不断被复制出来，根本原因在于这种增长模式乃是现行经济体制的必然产物。因

---

① 据估计，2003年我国农村大约4.9亿劳动力，其中大约有1.8亿人左右转移到了非农产业，在农业中就业的人数仍有3.1亿；但通常认为，我国农村目前只需要1.8亿左右的常年劳动力，仍有1.3亿富余劳动力。见韩俊等(2004)：《统筹城乡发展，全面繁荣农村经济》，载国务院发展研究中心编《"十一五"规划基本思路和2020年远景目标研究》，2005年1月，打印稿，第188页。

② R·卢卡斯(2002)：《为何资本不从富国流向穷国》，罗汉、应洪基译，南京：江苏人民出版社，第64～65页。

③ 吴敬琏(2004)：《当代中国经济改革》，上海：上海远东出版社，2004年，第119页。

此，转变增长方式的要义，在于铲除传统增长模式的体制基础，建立和健全新增长模式的制度环境。

本节将分别从科学发展与技术创新、服务业发展以及信息化的推进等三个方面讨论这种“破”、“立”关系。

6.2.1 以技术进步为例

首先，以为我国技术进步缓慢是因为计划经济中或当前体制条件下没有对技术进步给予足够重视是不符合事实的。从 20 世纪 50 年代中期、也就是第一个五年计划时期开始，党政领导就一再发出了“向世界科学技术的先进水平进军”等口号，制定了多个“赶超世界科学技术”水平的规划。但是赶超的实际效果却并不如人意。最可能的原因，是没有建立起一套有利于学术繁荣和技术创新的体制。

我国经济学家杨小凯早就指出，虽然后进国家在技术和制度方面都有可能效法先行国家，不重复先行国家走过的弯路而实现“迎头赶上”，因而具有“后发优势”；但是，它们往往选择一条简单地模仿技术和管理方法的“捷径”，轻便地取得先行国家在一定的制度环境下才能取得的技术和经济成就，而没动力在根本性制度上做有利于长久发展的变革，结果牺牲了长久繁荣的机会，“后发优势”便反倒成了“后发劣势”（“Curse to the Late Comer”）。[①]

在我们这里，一个常见的认识误区，是以为只要加强政府的规划和领导，有更多的国家投资支持，就足以推进全面的技术进步和高技术产业的发展。这方面失误最典型的例子，莫过于我们前面曾经提到过的“苏联现象”。

苏联在 20 世纪下半叶提出“由外延增长方式向内涵增长方式的转变”以后，从 1971～1975 年的第九个五年计划开始，一直把加强对科学研究工作的领导、加快技术引进、有计划地进行企业的更新改造确定为重点，企图通过指令性的计划安排和大量的国家投资“加快技术进步”。为此，苏联建立了世界上规模最为宏大的官办教育体系和科研体系（参见表 6.7）。

---

① 杨小凯 2000 年 12 月在天则研究所的演讲：《后发劣势》，见《天则双周》第 181 讲，http://www.unirule.org.cn/symposium/c181.htm。

表 6.7 1934～1983 年研究开发支出占 GNP 的比重 （%）

	1934	1967	1983
美国	0.6	3.1	2.7
欧洲共同体	0.2	1.2	2.1
日本	0.1	1.0	2.7
苏联	0.3	3.2	3.6

资料来源：E·弗里曼和 L·苏特(1997)：《工业创新经济学》，北京：北京大学出版社，2004 年，第 380 页。

但是，正像我们在本书第 2 章 2.3.1 中已经看到的，苏联加快技术进步从而实现经济增长方式转变的努力并没有取得成功。直到苏联解体，苏联经济也没有达到主要靠提高效率（内涵增长）实现高速增长的要求，相反，全要素生产率逐年下降。

这种"苏联现象"，即一方面是庞大的教育研究和开发体系，一方面是越来越低的增长率和全要素生产率的现象提示我们，庞大的研究开发和教育体系在缺乏适宜的制度条件的情况下，是无法提供足够的激励，使经济增长转移到依靠效率改进和技术进步的基础之上的。这里的症结在于，苏联建立了一种封闭、僵硬的行政性科研体制和缺乏活力的国有企业体制，压抑和损害了科学家和其他专业人员的积极性和创造性。

长时期以来，鼓励科学发展和技术进步也是我国政府反复强调的一项基本方针。早在 1955 年中央就提出"向科学进军"，要求迅速"赶上和超过世界科学技术的先进水平"，还制定了《1956～1967 年科学技术发展远景规划》。20 世纪 60 年代初又做出《关于工业发展的决定》，要求加快发展电子工业等"新兴工业"。粉碎"四人帮"以后，重提实现工业、农业、科学技术和国防"四个现代化"的口号，把科学技术的现代化看作"四个现代化"的中心环节。可以说，数十年来中国人民为发展现代科学技术做出了巨大牺牲和不懈努力。但从总体上看，中国在科学和技术上与发达国家的差距却拉大了，尤其在民用领域表现更为突出。如果不在改革科学发展与技术创新的体制机制上下功夫，今后同样难以有效支持经济增长方式的转变。

我们在第 3 章 3.3.1 中曾经指出，人类的科学研究活动和技术开发活动产生的背景不同，谋求的目标不同（前者是寻求知识，后者则是谋求物质利益)，它们掌握在受过不同训练的人手中，而且长期由不同的社会群体发展。虽然进入现代经济增长以后，科学与技术的关系日益密切，然而二者之间的原则区别仍然存在。

这样，我国科学与技术发展所遇到的体制障碍也有所不同，我们分别从科学、技术创新和教育三个方面来说明。

首先，对于科学研究而言，有效体制的关键在于以优先权竞争为核心的学术规范和激励机制，这些规范和机制是由科学家的学术共同体建立和维护的。维持一个有效运转的知识共同体，对于降低全社会的创新成本和竞争性研究开发成本起着至关重要的作用。这是工业化先行国家越来越将经济增长建立在库兹涅茨所说的“基于科学的技术”或创新经济学家所谓的“与科学相关的技术”基础上的关键因素之一。先行工业化国家18世纪以后科学的迅速推进表明，这一套制度对于渴求“科教兴国”的国家是必不可少的。

为此，就必须消除在我国科研体制中的行政化、官本位、等级制等积习，弱化非学术因素对于自然科学、社会科学与人文学科的影响。原中国科学院院长、全国人民代表大会常务委员会副委员长周光召院士曾经尖锐地指出：“搞科研工作和做官是两种完全不同的价值观，这两种价值观很难同时在一个人身上体现。一些有领导能力的科技人员可以去做官，但既然做官就不要搞科研，想搞科研就不要去做官。但目前有许多人既做官又搞科研，做官不为大家好好服务，而是利用职务之便，把好多科研经费留在自己所在的研究所里，往往使真正搞科研的人没有科研经费，严重影响了科研事业发展”。[①] 周光召院士对于我国科学研究机构存在的“官本位”问题的批评可谓一针见血。不过在我看来，与其把重点放在要求学术科研人员断绝追求官位的尘念上，不如下决心改变当下“华山一条路”的“官本位”体制，建立以严格的学术规范和以科学发现优先权为核心的激励制度，形成独立和自律的科学共同体，执行邓小平所说的“行行出状元”的政策。在同行专业人员评议的基础上，对专业人员的学术水平作出恰当的评价并给予与其学术贡献相称的回报。

在改革开放以后，我国的科学研究工作还受到来自另一个方面，

---

① 《痛斥科研系统官本位——周光召：做官就不要搞科研》，http://news.xinhuanet.com/newscenter/2005-08/22/content3386700.htm。

即市场方面的冲击。自从苏联在20世纪50年代的改革中提出“教育科研要与生产相结合”、“要为生产服务”之类的口号，“科研为生产服务”也成为社会主义各国科研和教育改革中的潮流。后来，随着市场大潮兴起，经济效果也就成为对科研成果评价的主要标准。

事实上，上述口号是很不确切的①。因为科学的内容是对于自然界和社会一般规律的认识。对科学家的贡献作出评价最重要的是看谁最先提出和发现了什么，为人类的知识宝库增添了多少的财富；而这一切只有通过同行评议才能实现。激励科学进步的竞技规则即为学术规范，学术规范的建立和对优先权的确立和奖励只能靠科学共同体或知识共同体，如国家最高学术机构和各种各样的专业学会等等。科学共同体的职能是执行学术规范、评选先进人物、授予奖励，根据优先权的重要程度和多少来决定是否向他提供资助以及提供多少资助，这是与市场机制有很大不同的一套机制。

除了评价准则上要求科学为生产服务，已有科学研究机构也受到市场化的压力，其极端形式就是不加区分地实行研究机构的企业化②，通过推动研究机构和教育机构的市场化、商业化，实现“科学、技术与经济相结合”的目标。

但是，把研究机构一概转制为企业，固然可以使企业研究开发支出在全部研究开发支出中的比例大幅度上升，但同时也会削弱公共知识的生产活动，促成基础性研究活动的急功近利倾向，同样严重的是，学术机构所承担的企业研究开发人才筛选和培养功能会弱化，高等教育的质量也受到影响，大量产权不清的校办企业、所办企业派生出来。这些都会对全社会的研究开发活动带来很多不利影响，与科学相关的技术发展机会将会进一步降低。

其实在市场经济的条件下绝大部分对生产技术有着方向性影响

---

① 为我国“两弹一星”航天事业做出过杰出贡献的中国科学院系统科学院系统研究所所长关肇直教授以一个简单的例子说明“科研为生产服务”这一口号的短视性质。他问道：“哥德巴赫猜想在生产上有什么用，谁能说得清楚，以此否定陈景润工作的意义能行吗?”。

② 在1985年中共中央颁布的《关于科学技术体制改革的决定》中，要求科学技术机构成为“具有自我发展的能力和自动为经济建设服务的活力”的组织。虽然中共中央、国务院1995年颁布的《关于加速科学技术进步的决定》明确，要“以政府投入为主，稳住少数重点科研院所和高等学校的科研机构，从事基础性研究，有关国家整体利益和长远利益的应用研究、高技术研究、社会公益性研究和重大科技攻关活动”。但是，有关的思想并未得到完全澄清；如何由政府资助的科学研究机构生产供应全社会公共知识产品的具体政策尚未落实。

的基础科学和应用科学研究领域方面的突破，由于它的公共物品性质和非竞争性质，通常是由社会机构或自主性机构、而非由企业完成的。这些机构的研究对全社会的生产率有着重要意义。根据经济学家对16个经济合作与发展组织（OECD）国家1980～1998年的研究，公共研究开发支出每增加1%，全要素生产率就增加0.17%，而且大学相对国家实验室所占的份额越高，则这种效应越是突出；而商业性研究开发每增加1%，全要素生产率增加0.13%；总研究开发支出越多的国家，这种效应也就越高[①]。马克思当年就指出过，科学并入生产过程的主要动力，并不是要求从事研究开发活动的组织去从事盈利性活动，而是有赖于企业的追求利润的动力把研究开发活动制度化[②]。不加区别地要求科研机构转制为企业，实现科研成果向产品的直接转化，无异杀鸡取卵。

其次，从技术创新方面来说，市场制度是这种创新活动的必要的制度基础。在这种制度设施提供的激励下，以追求最多赢利为目的的企业才会成为推动技术创新、产品创新乃至制度创新的主体。

我国杰出的经济学家孙冶方最先把技术进步与经济体制问题、特别是企业制度问题联系起来。他把计划经济体制下的那套固定资产管理办法叫做"复制古董、冻结技术进步"的体制，认为现代化建设必须主要依靠对现有企业的技术改造[③]。在这种思路的影响下，中国政府提出，"第六个五年计划（1980～1985）的全面实现，在很大程度上必须依靠社会生产的技术进步"；"每一个企业，每一个产业部门，都应该力争技术进步"，而且制定了重点企业的技术改造规划和全国科学技术的发展纲要。

孙冶方虽然指出了技术进步与经济体制之间的依赖关系，但他去

---

① G. Cameron (1998)："Innovation and Growth: A Survey of the Empirical Evidence"（《创新和增长：对于经验证据的考察》），*mimeo*, July；转引自经济合作与发展组织（OECD, 2001）：《增长的推动力：信息技术、创新与企业家精神》，中国科学技术信息研究所译，北京：科学技术文献出版社，2002年，第49页。

② 马克思在《资本论》中写道："科学不费资本家分文，但这丝毫不妨碍他们去利用科学。资本像吞并别人的劳动一样吞并'别人的'科学。但是，对科学或物质财富的'资本主义的'占有和'个人的'占有，是截然不同的两件事。"参见马克思（1867）：《资本论》，第1卷，中央编译局译，北京：人民出版社，1975年，第424页注108。

③ 参见孙冶方（1979）：《从必须改革"复制古董、冻结技术进步"的设备管理制度谈起》，载《红旗》杂志，1979年第6期。由于孙冶方的研究是以国有制为主体的经济，因而没有充分考虑方便创办企业对于新技术的引入也是极为重要的。

世过早，没有能够看到，竞争性的市场经济体制是技术创新的基础性条件。正像J·熊彼特(Joseph A. Shumpeter)指出过的，创新乃是企业家对生产要素所做的新组合。企业才是创新的主体①。因此要让"每一个企业，每一个产业部门，都力争技术进步"，是不能靠政府的指令，也不能靠政府的各种优惠政策补贴做到的。这需要市场竞争压力和盈利的激励，使每个企业都主动根据价格信号来选择最适当的技术，并改进产品和工艺；而不能由政府越过公司自身的约束直接去考核和评价企业的"科技含量"，也不宜根据政府官员的判断对企业的创新活动方向和工艺路线发号施令。换句话说，企业才是技术创新的主体。对政府来说，重要的是建立有效的竞争制度，靠竞争来鞭策和激励企业自觉和主动创新。

但是，"长官意志"这种计划经济体制遗留下来的观念在我国一直有着深刻的影响。对于习惯于计划经济的思维方式的人们来说，发挥计划经济用行政命令动员资源和按国家意志分配资源方面的优势，由政府直接组织科学技术研究和新技术的商品化转化，是效率最高的。在这种认识下，以为加快技术进步的办法，就是以政府为主导，规划科学和技术发展的重点，由政府主管最终决定关键的科学技术领域，动员足够的人力、物力、财力支持企业或者自行指挥所在地区或部门的机构进行"攻关"。我们在过去数十年间制定了许多个发展新兴产业、高级技术等的规划，发动过多次科学和技术"攻关"的运动。与此同时，还配合所谓"高科技含量的认定"，要求企业将这些已经获得的关键技术应用于生产，实现"从科研到产品的转化"或"科技产业化"。

但是，历史经验表明，这类办法也许能够在少数重点赶超上取得成就，因为目标和前人已经探索过的路径都比较清晰，加之政府动员资源投向重点项目的强大能力，资源都向这个方面倾斜，比如以"两弹一星"为代表的军工技术，而作为整个国民经济的主要技术政策措施，这一套做法并不是实现普遍技术进步的有效方法。实际上，这套做法建立在对技术进步机制的误解基础上，难于实现政策目标。

我们已经指出过，技术进步包含两部分内容，一部分是常常被称为技术革新的渐进性改进，另一部分则是被称为技术革命的根本性突

① J·熊彼特(1911)：《经济发展理论》，北京：商务印书馆，1990年。

破。根本性突破之所以具有根本性，是因为有大量渐进的改良性创新附着其上或和它相互补充；只有当附着其上的渐进技术改良更多，应用范围更为广阔时，根本性技术创新的意义和价值才能充分显现出来。根本性技术有多“根本”，要靠这些成千上万的渐进性改良来筛选和确认，没有这些渐进的、改良性创新，根本性技术也就不成其为根本性技术了。突破性技术也更多的是开放机会而不是提供完美的最后解决方案。没有大量进一步的渐进性改进，重大技术的单项突进也不能收到好的经济效果，无法在宏观经济层次上发挥重大作用。① 说到底，任何国民经济宏观上有意义的生产率进步都是大量的技术创新汇合在一起才形成的，这些成千上万的事件合在一起，才能形成宏观上有意义的现象，光是蒸汽机一项构不成产业革命，因为蒸汽机还激发了很多领域的创造，什么时候用、在哪里用、怎么用，这就需要很多的智慧和尝试。可是，成千上万的改进不是一个或几个专家所能做到的，必须靠许许多多的人的智慧。只注重“抓要害”、抓几个重点的方法，无法形成对整个经济有意义的创新能力提升。

只有企业本身在财务预算的约束下，自行根据市场信号和制度安排给出的激励，来选择新技术的采用与否，以及是否投资于创新，投资多少，什么时候创新，这种分散的尝试才可以降低整个经济因创新所带来的风险。而如果由政府机构来直接认定什么是企业需要突破的关键技术，则往往由于行政机关缺乏足够的信息和足够的利益关心而发生决策失误。结果既容易瞎指挥，把技术进步的方向弄错，也容易因为技术开发过程中的巨大风险和不确定性加重软预算约束问题。一些企业也会为了争取国家资金采取机会主义的对策性行为。而所有这些，都会使这些原本是为了推动国家技术进步的政策无法达到预期的目标。

所以，政府的创新政策不应只着重于“抓”某些重大的技术突破，也不应根据“高科技含量”指标、“认定”应予补贴资助的企业，而首先要着眼于鼓励公平竞争，通过减少形形色色的寻租机会，使企业只能通过工艺创新、产品创新等获取利润。同时，创造企业投资研发和创新的激励，使企业愿意投资于各式各样的创新活动，愿意通过重大技

---

① 范世涛(2005)：《信息化、结构转变与发展政策》，《比较》第 18 辑，北京：中信出版社，2005 年，第 71～72 页。

术突破和日积月累的对现有工艺、产品的改进，以及对引进技术的消化、吸收和提高等多种手段参与竞争。这才是提升我国产业的技术水平的要害所在。

当然，由于企业竞争过程中的研究开发往往面临很多风险和不确定性，而仿效往往是容易的，若无其他的制度和政策支持，企业研究开发投入往往低于社会最优的水平。在这种情况下，一方面要建立知识产权制度，使企业能够从创新投资中得益；另一方面，政府应对研究开发项目提供资助或补贴，以弥补市场的不足。

就知识产权保护制度而言，目前无论在立法方面还是在执行方面都存在较大不足，需要切实加以改进。如果对发明人的知识产权保护不充分，在“你创新、我仿冒”，新产品刚一上市、甚至尚未上市就遭到仿冒的情况下，企业就很难具有投资技术创新和产品创新的积极性。当然，知识产权保护在获取证据、作出准确的司法判断上有相当的难度；加之目前有些地方由于政企关系过于紧密而频繁出现的地方保护和行政干预，对公正执法形成严重干扰。然而，惟其如此，执法机关更要改进制度，提高水平，严格执法。此外，知识产权保护制度本身是一般意义上的产权保护制度的延伸和扩展，如果一般产权没有得到有效保护，企业的长期投资积极性会受到影响，知识产权的价值也会大打折扣。换句话说，知识产权保护制度充分发挥促进创新的作用依赖于更为一般的产权保护制度。

就补贴或资助而言，政府特别要把重点放在支持竞争前研究开发(pre-competitive R&D)活动上[①]，这样一方面减少了对企业经营的直接干预，满足了世界贸易组织《补贴与反补贴措施协定》中有关研究开

① 根据世界贸易组织《补贴与反补贴措施协定》，“竞争前开发活动”(pre-competitive development activity)一词指将工业研究结果转化为新的、改型的或改进的产品、工艺或服务的计划、蓝图或设计，无论是否用于销售或使用，包括创造不能用于商业用途的第一个原型。它还可以包括对产品、工艺或服务的备选方案、最初展示或试验项目的概念表述和设计，只要这些相同的项目不能转化为或用于工业应用或商业发展。但它不包括对现有产品、生产线、制造工艺、服务及其他正在进行的操作的常规或定期更改，尽管这些更改也可能代表着革新(http://law.chinalawinfo.com/other/WTO/Legal3/322.doc)。

发投入的非歧视性原则条款[①]，另一方面又能够使研究成果让更多的企业受益，有助于使企业的技术进步建立在科学的基础上[②]。

因此，要推动科学和技术的进步，关键在于发挥科学家、技术人才和其他专业人才的积极性和创造性。所以，邓小平才在中共十二届三中全会通过《关于经济体制改革的决定》以后指出，"这个文件一共十条，最重要的是第九条"；"第九条概括地说就是'尊重知识，尊重人才'八个字，事情成败的关键就是能不能发现人才，能不能用人才。"[③]

第三，正如前面第三章已经指出，中世纪时期的大学，本是与教会密不可分的机构，后来逐渐获得学术上的独立，成为传授学问和创造知识的场所。这套制度到了19世纪时稳固地建立起来，是现代经济增长中推动"与科学相关的技术"进步的重要力量。所以相当长时期以来，我国已经有不少有识之士积极呼吁，仅仅增加对高等教育的资金投入是不够的，还必须推动大学改革，建立能够弘扬"学术独立、思想自由"，有利于学术繁荣的学校管理新体制，并进行过一系列探索。例如，刘少奇提出过"教授治校"原则。邓小平1980年在经中共中央政治局讨论通过的《党和国家领导制度的改革》中要求有准备、有步骤地改革党委领导下的校长、院长、所长负责制[④]。近年来，我国领导提出了"创建世界一流大学"的宏伟目标。要实现这一目标，需要对现有大学管理体制进行改革。根据长期形成的大学理念，首先要革除目前广泛

---

① 世界贸易组织《补贴与反补贴措施协定》中有关研究开发投入的非歧视性原则条款世界贸易组织《补贴与反补贴措施协定》8.2(a)条规定了对公司进行研究活动的援助，或对高等教育机构或研究机构与公司签约进行研究活动的援助限制条件，如：援助涵盖不超过工业研究成本的75%或竞争前开发活动成本的50%；且此种援助仅限于：(i)人事成本(研究活动中专门雇用的研究人员、技术人员和其他辅助人员)；(ii)专门和永久(在商业基础上处理时除外)用于研究活动的仪器、设备、土地和建筑物的成本；(iii)专门用于研究活动的咨询和等效服务的费用，包括外购研究成果、技术知识、专利等费用；(iv)因研究活动而直接发生的额外间接成本；(v)因研究活动而直接发生的其他日常费用(如材料、供应品和同类物品的费用)(http://law.chinalawinfo.com/other/WTO/Legal3/322.doc)。

② 新经济增长理论认为，政府对"竞争前开发活动"的补贴，最好不是直接给予研发活动，而是在购买创新产品时提供。X·萨拉-伊-马丁(Xavier. Sala-i-Martin)说："不同的研发模型共同反映的一种扭曲现象是由不完全竞争而引起的：价格趋向于高于边际水平且所产生的新设想的数量要低于最优水平。然而，消除扭曲的最优政策不是提供研发补贴，而是对购买标价过高的产品给予补贴。"(见X·萨拉-伊-马丁(2001)：《十五年来的新经济增长理论：我们学到了什么?》，《比较》第19辑，北京：中信出版社，2005年。)

③ 邓小平(1984)：《在中央顾问委员会第三次全体会议上的讲话》，《邓小平文集》第3卷，北京：人民出版社，1993年，第91～92页。

④ 邓小平(1980)：《党和国家领导制度的改革》，《邓小平文选》，第3卷，北京：人民出版社，1993年，第340页。

存在的行政化、官本位、等级制体制。一些大学办学的自主权非常小，从校长任命、机构设置到教员编制，从课程设置、学位设立到招生名额，以及入学条件、学费标准等等，全部都由行政管理部门决定。在这样的体制下，大学和学者之间培养人才、创造知识、追求卓越的竞争就会变成政府在学校之间、学校行政领导在教师之间分官位、分资源、分名额，教师之间争官位、争资源、争名分等不健康的竞争。因为政府的资源是通过行政系统分配的，大学的资源是大学行政部门争来的，政府对大学的管制就不可避免地导致大学内部管理体制的失衡和行政主导。

我国大学要成为世界一流的大学，除了必须彻底地改变行政化的管理体制，让大学实现学术上的独立，还应该有一套严格的学术规范，但这套学术规范应当通过大学行业协会和学术组织去建立和实施，而不应由行政管理机关越俎代庖。

总之，对于竞争前的研究开发而言，最重要的是形成独立和自律的科学共同体，以便树立严格的学术规范和建立以科学发现优先权为核心的激励制度；对于高等教育而言，最重要的是以学术权威取代行政主导，形成真正"尊重知识、尊重人才"的社会环境和建立"面向现代化、面向世界、面向未来"的教育体系。对于技术而言，最重要的是营建良好的市场竞争环境和产权保护体系（包括知识产权保护体系），使创新者能够得到实实在在的利益。

6.2.2 以发展服务业为例

发展服务业，特别是生产性服务业对于提高国民经济整体效率的意义重大。这一点久已为有识之士所认识，但是它的发展始终不如人意。为什么附加值低、盈利率也低的简单制造业在我国发展如此迅猛，而盈利率高、附加价值也高的服务业和研发设计等制造业中的服务部门却如此缓慢？耶鲁大学和北京大学的陈志武教授对其深层原因作出了深刻的分析。他指出，制造业和服务业对制度环境有着很不相同的要求：与有形物打交道的制造业对体制、机制的依赖性相对较弱，而与人打交道的服务业对制度环境的依赖性却很高。服务业所交易的是一些看不见摸不着的无形的"服务"或"许诺"，道德风险和逆向选择的可能性因而大大增加。在制度不完善的社会里，服务类行业更容易发展缓慢和停滞不前。如果一国的制度机制不利于高附加价值、高盈利率产业的发展，能够发展的就只能是那些低附加值和低盈利率的产业，它的人民也只能在国际分工中从事低收入的行业，“卖‘硬苦力’”。可以说，制度、机制的好坏不仅决定了一个人一年能完成多少笔交易以及创造多少价值，而且制度环境决定了每个国家在国际产业分工中的定位。所以，机制和制度乃是全球化环境下决定国家竞争优势的关键要素。①

这就是说，在中国保证服务业健康快速成长的关键，在于切实改善服务业生存和发展的制度环境。

首先，要把能够保证服务业生存和发展的市场环境建立起来。现代市场不再只是在熟人之间进行交易的小范围本地人市场，而越来越是陌生人之间进行的广泛范围的市场，甚至是全球化的市场。在这样的市场上进行的非人格化交易，仅靠过去行之有效的商人之间的双边乃至多边信用关系来保证合同的执行已经不够用了。在这种交易中，要有可靠的司法体制和良好的执法环境才能促进交易高效率地进行，也才能给一些对制度依赖性高的产业深化发展的机会。否则诚信系统无法建立，欺诈行为盛行，交易成本过高，将使服务业的发展步履维艰，甚至根本无法发展。例如现代物流业的供应链管理要求各个环节之间的衔接丝丝入扣，零仓储、零部件供应的“准时提供制”(JIT)等等，在一个合同不能严格执行的市场环境下，这一套系统是完全无法正常运转的。

许多经验证据表明，为加快服务业发展创造必要的制度条件，任务非常急迫。例如，原世界银行北京代表处的资深经济学家华而诚指出，中国服务业在20世纪90年代出现“滞胀”现象，即一方面服务业发展速度落后于其他经济领域，另一方面，许多服务业的价格急剧上升，远远高于工农业产品价格的升幅②。留英中国经济学家秦朵通过对1985～2001年中国的分省数据观察发现，中国经济增长刺激了大量的服务需求，而服务提供者对工资成本反应迟钝，这表明如果没有合适的政策，服务业的成本病将拖累中国经济增长③。放宽市场准入、强化服务市场竞争，是目前中国服务业发展面临的重要课题。

---

① 陈志武(2004)：《为什么中国人出卖的是“硬苦力”》，《新财富》，2004年9月号。

② 华而诚(2001)：《论服务业在国民经济发展中的战略性地位》，《经济研究》，2001年第12期。

③ Duo Qin(2004)：“Is the rising services sector in the People's Republic of China leading to cost disease?”(《中国服务部门比重的上升会导致成本病吗？》)，Manila，Philippines：Asian Development Bank。

6.2.3 以信息化为例

我国信息化过去取得的成绩是与市场化改革的进展分不开的。以通信业为例，随着计划经济体制向社会主义市场经济体制的转型，我国经济的信息传输模式也发生了巨大变化，过去相对单一的纵向信息传输模式越来越让位于网络状的横向信息传输模式，这刺激了中国通信服务业的高速发展。再以电子信息产品制造业为例，借助市场竞争和全面开放政策，我国电子信息产品制造业已经成功地融入了全球生产体系，在世界电子信息产品制造以及国际贸易方面占有了一席之地。

今后推进信息化，同样离不开市场化改革的支持。信息通信产业是一个发明层出不穷、技术日新月异、快速发展的新兴部门，相对停滞、十分僵硬的命令经济体制下的许多老制度和传统做法早就已经成为技术进步的绊脚石，必须予以废止。政府和行政官员也必须与时俱进，放弃那种政府认定项目、企业和研究机构执行计划的无效做法，采取世界各国已经实践证明行之有效的办法。正如我们在前面所分析过的，那种由行政机构建立基金、行政官员决定给谁资助和"政策倾斜"一类做法既无法保证所有有创新追求和创新才能的人参与平等竞争的机会，又容易滋生寻租腐败，应当坚决摒弃。

为推动信息化的发展，还有一些问题需要引起关注：

首先，国家信息化是要覆盖现代化全局的战略举措。现代信息通信技术（ICT）为各个部门开启了一扇效率改进之门，但能否登堂入室，还需要发挥包括政府在内的各种组织和每一个人的创造性。目前分兵把守、各管一段的纵向行业管理体制与横向的网状信息传输和整合（integration）趋势存在着明显的冲突，如不进行积极的制度调整，信息通信技术的使能（enabling）作用难以充分发挥，必然使信息产业出现重硬件、轻软件一类问题。没有企业主动的研究开发投资和良好的公共研究开发、教育培训制度支持，信息产业的技术创新能力薄弱和产业附加值不高的问题也无法解决。再比如，在电信、广播电视等领域，很多主要企业由国有企业转制而来，其中包括一些产权界定不清、有效的治理结构未能建立的校办企业、院办企业和所办企业，面临着深化企业改革、完善治理结构的繁重任务。如果这些任务不能实现，则企业的竞争压力和创新动力都很不充分，知识产权等产权保护的法律即使制定出来，也很难得到有效的执行。

其次，就信息通信产业而言，技术进步和产业融合趋势对通信监管提出了新的要求。数字技术改变了通信产业的技术基础，多媒体技术更使网络通话费用大幅下降，电信与广播电视产业也密不可分，这对传统的监管体制提出了很多挑战。必须加快通信监管体制改革，确立独立、专业、科学的监管框架，减少不必要的管制，放开市场准入，鼓励公平竞争，降低宽带接入的成本，这样才能避免现有部门分工对网络融合造成种种限制。

第三，电子政务问题。政府部门信息高度密集，其业务流程在很大程度上是信息收集、处理、共享和发布的过程，因而可以从信息技术的应用中极大获益，尤其是政府信息公开如果能够得到现代信息技术的支持，将大大加速法治政府的建设。我国党政领导近年来积极推动电子政务的发展，取得了一定的成绩，但也受到现有体制的多方面约束，包括政府信息公开缺乏法律上的有效支持、有关规定主要靠政府文件和领导批示下达，不能适应依法行政的需要。电子政务的资金需要主要靠基本建设投资渠道的满足，审批周期长、难度大，与信息技术发展的要求不一致。行政部门多头自建网络和网站，使专业化分工优势无法充分发挥，不必要的浪费很大，信息多头采集、缺乏规范，信息共享机制缺乏等。这些问题都应在进一步改革的过程中加以解决。

目前世界的信息通信产业正面临着一次革命性的升级转型：一个是移动的宽带化和宽带的移动化，一个是电信网、广电网、计算机互联网“三网合一”，还有硬件、软件、服务融合等等。这些变革实现以后，整个信息通信产业的面貌会有一个根本性的变化。这就是说，世界上的信息产业正面临着一个大的飞跃。如果我们继续维持旧的产业格局，靠陈志武教授所说给外国人“卖硬苦力”过日子，就会越来越艰难。

那么，中国有没有条件改变旧的产业模式、实现信息产业的全面升级转型呢？毫无疑义，客观条件是完全具备的：第一，中国有世界最大的信息通信产品市场。第二，中国有世界最强的硬件制造能力。第三，近年来中国研发力量成长的速度大大加快。早在本世纪初，中国具有高等学历的科学和技术人员的人数已经跃居世界第一。根据2006年经合组织（OECD）的报告，中国研发经费投入总量也已经超过日本，居于世界第二位。而且，我们在全国各地都能看到，新的技术发明，包括一些具有突破意义的技术发明正在涌现。

然而问题在于，这些具有突破性的发明创造在转化为产品和具有国际竞争力的企业时，往往会遭到落后体制的阻碍和扼杀。有些垄断部门甚至运用行政权力设置障碍，使这些很有希望的发明胎死腹中，或者成了“小老头树”，永远长不大，很快就被别人超过。2007 年《商务周刊》登载一篇文章，题目叫《信威的故事——关于自主创新的一声叹息》[①]，讲的是一个超 3 代无线通讯创新企业失败的事例。我不知道它所讲述的事实是不是完全准确，但是从全国的情况看，类似的故事却所在多有。所以说，中国的 ICT 产业的升级转型，是“万事俱备，只欠东风”。这个“东风”就是有效的体制、正确的政策。

6.3　改革攻坚，建立健全集约增长的制度基础

上节的讨论足以说明，要实现中国经济增长模式的转变，走出一条新型的工业化道路，就必须通过改革攻坚，消除向新的增长模式转变的体制障碍，完善社会主义市场经济体制，建立起集约增长的体制基础。

中共十六届三中全会制定了全面深化改革和完善社会主义市场经济体制改革的计划；接着，国务院又宣布 2005 年是“改革攻坚年”，现在的任务，就是要把这些口号落到实处。具体来说，改革重点包括以下列举的各项内容。

6.3.1　继续调整和完善我国的所有制结构

前已指出，要使企业成为研究开发和创新投资的主体，首先要有“产权清晰、权责明确、政企分开、管理科学”的企业作为微观基础。为了营建健全的企业，又要以理清产权关系为前提。

中共十五大把调整和完善所有制结构作为首要的经济工作任务。在过去八年中，这项工作取得了很大的进展，但是还远未完成，还需继续努力。

第一，继续推进国有经济的布局调整和国有企业的制度创新。

今后在这方面的主要工作是：(1)继续积极而慎重地对国有经济的布局进行“有进有退”的调整，不能因为出现了某些人在此过程中侵

① 冯禹丁：《信威的故事——关于自主创新的一声叹息》，《商务周刊》2007 年第 19 期。

吞公共财产的问题而因噎废食，停止改革；（2）对现存国有企业，重点是国有资产管理机构所面对的一级企业实行股权多元化的公司化改制；（3）国有资产管理机构要严格依法执行自己的股权代表职能，在此基础上完善国有控股和国有持股公司的治理结构。

第二，鼓励民营经济的进一步发展。

中共十六届三中全会重申"清理和修订限制非公有制经济发展的法律法规和政策，消除体制性障碍。放宽市场准入，允许非公有资本进入法律法规未禁入的基础设施、公用事业及其他行业和领域。非公有制企业在投融资、税收、土地使用和对外贸易等方面，与其他企业享受同等待遇。"2005 年 3 月国务院又发布《关于鼓励支持和引导个体私营等非公经济发展的若干意见》（"36 条"），要求消除影响非公有制经济发展的体制性障碍，加大对非公有制经济的财税金融支持，进一步完善相关法律法规和政策，进一步加强和改进政府监督和服务，等等。现在的问题是如何认真贯彻落实这些决定和法规。

在市场准入的问题上最根本的措施，是各种规定都应当体现法治社会基本理念的"非禁即入"原则，就是说，公民有权从事一切法律所未禁止的活动。这是因为，公民从事不侵犯他人权益的权力是与生俱来的，而不是政府恩准赐予的[①]；因此除非法律根据公共利益设立了禁令，公民有天然的权力从事一切活动，而无须从政府获得批准。这一法治的基本理念只在我国的少数法律，如北京市人民代表大会常委会通过的法律文件——《中关村科技园区条例》（俗称"中关村基本法"）中得到体现[②]，应当将它贯彻到一切相关法律中去。特别在《中华人民共和国行政许可法》颁布实施以后，非由全国人民代表大会、全国人大常委会和国务院设立的行政许可都应当视为非法，公民应当有权加以抵制。工商登记的手续也应尽量简化[③]。

---

① 相反，政府的权力倒是由人民授予的。有些立法和执法的干部往往把事情弄颠倒了。

② 《中关村科技园区条例》第 7 条第 3 款规定："组织和个人在中关村科技园可以从事法律、法规没有明文禁止的活动"；第 9 条第 3 款规定："在中关村科技园设立企业，办理工商登记时，除法律、法规限制经营的项目外，工商行政机关对经营范围不作具体核定"。

③ 我国有限责任公司的最低注册资本为 30～50 万元，在全世界属最高之列。经济学家对七十多个国家的比较研究还发现，在我国注册一个有限责任公司所需的"公章"和"证明"的个数，办理各种手续所要花的时间，以及按官方规定应缴纳的费用（还不包括请客送礼）都远远高于绝大多数国家，在东亚各国中，仅略低于越南，更不要说开业后的各种干预、强制性赞助等等（见钱颖一（2000）：《市场与法治》，《经济社会体制比较》，2000 年第 3 期）。

6.3.2　改善农村剩余劳动力转移到城市就业的环境

解决“三农”问题的根本出路，在于帮助我国农村1.3亿以上的富余劳动力尽快到城市工商业中就业。上亿的农民转化为城镇工商业从业人员，是改革开放以来我们取得的伟大成就的最坚实的基础。但在21世纪的最初几年，由于集中力量发展资本密集的重化工业大企业，这种转移的速度有所减慢，而所谓“失地农民”却有相当数量的增加，这对于缩小城乡和贫富差别、提高我国经济的整体效率产生了消极影响。大幅度减少和取消对农民进城就业的限制性规定，大力改善农村剩余劳动力转移到城市工商业就业的环境，仍然是今后相当长时期内的一项艰巨任务。具体包括：

第一，改善有利于人员流动的环境条件。完善社会保障制度，便利跨地区人口流动，加快建设城乡统一的劳动力市场的进程；逐步取消户口制度，尽快消除城市为限制农民进城制造的各种障碍，包括各种不合理的“许可证”、“上岗证”等要求；改变在城市务工务商人员无组织、无归属的状态；大力改进对新转移到城市就业人口的住房、教育、医疗保健和社会保障服务。

第二，调整城市化战略。目前城市化过程存在大中城市和小城市（镇）发展畸轻畸重、很不协调的问题。要调整现有的中国城市化战略，大力发展中等城市；政府应进一步便利和支持吸纳新增就业能力强的工商业发展，特别是民营中小企业、服务企业，并在完善劳动力市场的基础上，加强和改善就业、再就业培训工作和创业咨询工作。

6.3.3　注重金融体系的基本制度建设

根据过去我国金融市场发展的经验，基本制度不健全，政策多变，都会影响金融市场的发育。而金融市场浅薄（shallow），又成为我国投资效率不佳的重要原因。中国必须努力发展金融市场，建立和完善金融机构的公司治理、健全金融市场的市场规则、加强信用环境等基础性制度的建设。具体包括：

第一，要继续深化银行和非银行金融机构改革。

最近几年，政府加快了中国银行、中国建设银行、中国工商银行和中国农业银行等国有商业银行以及股份制商业银行和城市商业银行的股份化改制工作，引入更多的中外私人资本，在多元产权结构的基础上建立有效的公司治理。

第二,要逐步放开对非国有企业的进入限制。

根据国有工业和商业企业改革的经验,单纯采用改造现有国有银行的办法往往难以收到预期的效果。因此,在进行现有国有和准国有的银行等信贷机构改制的同时,应当允许民间新办民营银行和合作金融组织,对目前国有经济比重比较高的银行、保险、证券等行业也要逐步放开对非国有企业的进入限制,使它们得到与国有金融机构同等的待遇,在更广泛的领域参与金融业的发展。

第三,促进金融市场的多元化发展。

当前金融体系主要依赖银行信用,90%的企业融资要靠银行信用贷款,而银行信用的效率又不高,这是储蓄转化为投资时效率低下的重要原因。要在树立规范的市场规则条件下,鼓励金融市场的多元化发展。

目前企业债券市场发育严重不足,债券融资一直未能成为企业资金的重要渠道,而常常被看作国有企业固定资产投资筹集资金的工具,由计划机关在进行项目审批时与国家财政拨款、银行贷款等一并考虑。要纠正这种指导思想的偏颇,在树立规范的市场规则条件下推进债券市场的市场化,发展基金、保险公司等机构投资者及场外市场交易。信贷政策也要改变那种偏好国有经济的大企业、大项目倾向,改善对中小企业、农村非农产业的金融服务。大力发展民间征信组织。摒弃"政府托市、国企圈钱"的错误做法,避免股票市场边缘化;完善上市公司的公司治理,为证券市场的发展提供基础性的前提;加快证券交易立法,改善对证券交易机构和证券经营单位的规制。鼓励保险业的健康发展。发展风险投资市场。

第四,完善金融监管。

金融监管的任务,是对金融市场的参与者经济活动合规与否的监管。由于金融市场是信息高度不对称的不完全市场,这种监管的主要内容应当是强制性信息披露制度是否得到遵守。如果把这种合规性监管变成实质性审批和对金融企业活动的微观干预,就不但不会有利于金融市场的有序运行,还会造成巨大的寻租和舞弊的机会①。对于这种偏向,应注意防止。

---

① 参见高西庆(1996):《证券市场强制信息披露制度的理论根源》,《证券市场导报》,1996年10月号。

第五，稳步推进人民币汇率形成机制的市场化。

中国自2005年7月启动汇率改革、恢复有管理的浮动汇率制以来，人民币已经升值20%以上。但是，中央银行入市干预仍然过于频繁，离汇率形成机制的市场化还有一定的距离，需要在今后根据国内外形势的变化相机实现。

6.3.4 改革科学和教育体制

我国科学和教育投入不足，在管理上主要靠行政化、官本位、等级制体制，不能适应科学和教育发展的需要，也远远不能满足实现工业化和现代化的需要。我们应着力营造“尊重知识、尊重人才”的社会环境，本着“面向世界、面向未来、面向现代化”的精神，大力发展教育，繁荣人文学科、社会科学和自然科学，为经济效率的改进提供必要的基础性条件。具体包括：

第一，建立促进学术繁荣的科学和文化体制。如同前面所指出的，我国研究与开发投入中政府投入所占的比重比较大，但偏重于向产业化转化的开发环节，应由公共资源支持的基础研究和应用研究有所削弱；同时，政府投入主要通过行政命令的方式配置，在人员的扩张上表现出粗放特征。

今后，要充实和提高政府和学界的研究力量，保证公共研究开发投入中有必要的部分用于基础性研究和应用科学研究。要下大力改革与人文学科、社会科学和自然科学有关的激励制度，改革学术评审制度和学术期刊制度，严格限制学术评价中的非学术因素，特别是人际关系因素和长官意志因素，强化学术规范，促进优先权竞争，形成独立和自律的科学共同体，使能够促进学术繁荣的机制制度化；放弃科研管理观念，树立科研服务意识，提高研究资金的使用效率，提高研究成果的质量。

第二，推动教育改革，建立学校自治、学术独立，面向现代化、面向世界、面向未来的教育体系。尽快在全国范围内落实法定的九年义务教育，提高中等教育普及率。扩大高等教育的受教育范围，大力推进高等教育体制改革，通过以学术和教学上的权威取代行政主导，保证教育质量，形成真正“尊重知识、尊重人才”的社会环境。加快校办企业和所办企业的脱钩和转制，在明晰产权的基础上建立规范的企业治理结构。

6.3.5 坚持信息化与改革同行

信息技术已经对世界贸易、投资和生产产生重大影响，而且作为通用目的技术，这种影响还会持续地发生作用。我们要继续坚持和贯彻中共十五届四中全会提出的“信息化是覆盖社会主义现代化建设全局的战略举措”的方针，同时也要特别注意在完善制度基础上下功夫，以便提高应用信息技术的效果。具体包括：

第一，放宽电信市场准入，强化服务市场竞争。提高信息通信技术的普及率，促进其深入应用，关键在于加快电信监管体制改革，确立独立、专业、科学的监管框架；转变监管理念，鼓励公平竞争；鼓励各种形式的宽带终端和接入技术发展，进一步开放宽带接入市场，降低宽带接入的成本，加快多网融合；规范企业法人治理结构，推动运营服务市场的公平有效竞争；完善以市场为主的电信服务定价体系；改善信息产业统计。

第二，在政府信息公开的基础上推行电子政务，促进政府职能转变。运用现代信息通信技术（ICT）推行电子政务，是保证公民知情权这一基本权利实现的重要举措。“十五”期间，中央和地方积极推动政府信息公开，10 余个省、（直辖）市、（自治）区已经颁布了地方性行政法规或有关的政策性文件①。2004 年 3 月，国务院印发的《全面推进依法行政实施纲要》也把行政决策、行政管理和政府信息的公开作为推进依法行政的重要内容。但是，由于政府文件的法律效力层次相对比较低，并存在不少相互冲突的规定，这都影响了政府信息公开的力度和效果，政府信息的不准确、不充分和不及时，仍然影响着决策的质量，限制了公共参与的程度。要通过推行电子政务，促进政府信息公开，克服过度定密的倾向，加快政府信息公开的立法进程，并保障因政府信息公开而造成的财政与人员支出。同时，以政府信息公开为突破口，理顺信息流程，促进政府部门之间的信息整合与信息共享，减少乃至消除信息的多头采集、缺乏规范局面。鉴于目前电子政务资金渠道多，缺乏有效管理，建议统一纳入预算管理。行政部门的电子政务项目支出，应统一按照政府采购法律法规的有关规定进行，以保证专业

---

① 目前，上海、北京、重庆、河北、吉林、福建和湖北等 10 余个省、直辖市已经颁布了政府信息公开方面的地方性行政法规或政策性文件，广州、成都、武汉、杭州、宁波、深圳、济南、佛山、大同、开封、九江、怀化等市也已出台有关规定。

化分工优势的充分发挥。

第三，科学界定信息安全的内涵，继续落实从发展中求安全的政策。科学界定信息安全的内涵与外延，探索适应网络经济发展的信息安全管理体制，发展信息安全产业。

6.4　转变经济增长模式最终取决于政府自身改革的成效

在前面一节，我们讨论了一些支持转变经济增长模式、走新型工业化道路的改革措施，但这些改革能否到位，取决于政府自身的改革能否到位。目前我国政府在执行自己的职能时存在着“越位、错位和不到位”的偏差，各级政府管了许多不该管又管不好的事，而不少应该由政府管理的事却没有管或没有管好。针对这种情况，当前完善我国社会主义市场经济制度过程中，关键中的关键，乃是转变政府职能，建设法治下的有限政府和有效政府。

6.4.1　限制政府权力，建设有限政府

避免政府越位问题的核心，在于限制政府权力，建设有限政府。市场经济中的政府是权力和职能有限的政府，这与计划经济或命令经济中的那种全能的大政府显然不同。在市场经济中，政府除非在市场失灵、而且政府干预确有效率的条件下，不应干预市场交易活动和企业的微观决策，不在地区、部门、企业间依据政府自身的偏好配置资源，市场机制才能在资源配置中发挥基础性作用。

从上世纪90年代后期以来的结构调整经验可以清楚地看出，各级政府偏离市场化改革的方向，成为经济结构的主要调节者，是过度投资、产业结构恶化的最主要的原因。对经济资源的行政支配权不但会造成经济效率的损失，还会造成政治上的破坏。从现在愈演愈烈的贪污受贿和盗窃公共财产的腐败案件中可以看到，各级官员掌握过大的资源配置权力所造成的“寻租”和“设租”环境，能够给党和政府的机体造成多么严重的损害①。

① 最近由煤矿矿难频发暴露出来的全国数千基层官员在当地私营煤矿拥有股权问题，只不过是由于官员拥有共有财产支配权而造成的巨大腐败冰山的一个小尖，其规模已经足够惊人！

因此，为了提高经济效率，转变增长方式，必须根据社会主义市场经济的要求，限制各级政府配置资源和直接干预企业与个人微观决策的权力。必须实现邓小平反复强调过的“党政分开、政企分开”的改革，避免政府“越位”，把政府不该管的事交给市场、企业、商会和其他社群组织。矫正土地、资金等生产要素价格的扭曲，关键在于实现价格市场化，把定价权还给市场，要素价格由它们本身的稀缺度而不是由行政官员决定，市场机制才能够在资源配置中起基础性作用。这是实现经济增长方式转变的必要条件。

自2004年7月开始实施的《中华人民共和国行政许可法》，是规范政府行为，限制政府过大的权力，实现政府依法治市和推进民主政治建设的重要立法。它体现了个人自治优先、市场优先、自律机制优先、事后机制优先等基本的法治原则，规定凡是公民、法人或其他组织能够自主决定的、市场竞争机制能够有效调节的、行业组织或者中介机构能够自律管理的、行政机关采用事后监督等其他行政管理方式能够解决的，都可以不设行政许可。而且，《行政许可法》对有权设立行政许可的权力机关作了严格的限定，规定只有各级人民代表大会和国务院等机关才有权通过法定程序设立行政许可。这一法律的有效实施，对于建设有限和有效的政府意义重大；但是，做到这一点，需要多方面的认真配合，而且不可避免地存在阻力。因此，社会各方必须通力合作，排除障碍，使之得到完满的实现。

6.4.2 履行政府应有职能，建设有效政府

政府坚决把自己不该管的事交给企业、社群组织和市场去处理，并不等于政府放弃自己应有的职能，实行“无为而治”或者无所事事。现代市场经济体制的运转需要政府低成本地履行以下几方面的职责：(1)提供法治环境；(2)通过总量手段保持宏观经济的稳定；(3)为低收入群体提供基本的社会保障和维护社会公平；(4)在市场失灵的条件下酌情使用经济和行政手段加以弥补。

首先，政府的首要职能是为社会经济活动提供法治环境。

市场需要有鼓励公平竞争和自由创造的正式制度的支持。虽然在这类制度还没有完全建立的条件下，不完备的替代机制(如关系网络和纠纷解决、融资以及合同保障的非正式机制)可能在一定范围内发挥作用，但保护财产权利和促进竞争的法律和司法体系依然是长期

经济发展的一个基本要素。

经济学深入地分析过为什么市场制度发展依赖合同实施方式和法治体系。在市场经济发展初期所谓“熟人市场”的人格化交易中，保证合同执行的双边和多边声誉与惩罚机制通常是有效的。但是，随着市场规模的扩大，许多交易体现出“生人”之间非人格化交易的特征。在这种场合，双边和多边声誉与惩罚机制难以有效地发挥作用。这样，建立一个独立公正的司法体系来保证合同实施的需要便显得极为迫切。

以前面讲到的服务业为例，尽管由于服务产品本身具有许多难以“证实”的特征而无法签订比较完备的合同，我们仍然可以认为，一个有效的司法体系将明显有助于服务业合同的实施和交易的实现。同样地，只有在这一制度框架下，企业才会变得不能不将技术改进作为重要的竞争武器加以运用。这时，业界的逐利活动才会被引导到技术和市场创新的方向上去，从而产生成千上万、大大小小的创新性技术；而缺乏这一条件，业界的逐利活动反而会与行政权力结合起来，将能力耗费在形形色色的寻租活动中，腐蚀整个经济的效率，削弱长期发展能力。[①] 所以，建立在法治基础上的现代市场经济制度，乃是转变增长模式和实现现有效率持续增长的基本前提；而现代市场的运作以保护财产权利和平等竞争的法律和司法体系的存在为前提。提供这样的前提，正是政府应尽的责任。

但在现实经济改革过程中，我们却看到大量的负面证据，表明政府在保护财产权利和公平竞争的规则方面，还做得相当不够。企业创业和创新的活动受到了形形色色的文件和规章制度的管制束缚[②]，很多部门更不遵循法治关于程序公正的要求，甚至完全撇开了法治的要求，用不为公众知晓的“内部文件”、具有很大的不确定性的“政策规定”乃至“首长批示”来“规范和管理市场”，甚至以此来牟取私利。除

① 参见薛小和(2005)：《自主创新：为什么制度重于技术——访中国电子信息产业发展研究院范世涛博士》，《经济日报》，2005 年 7 月 8 日。

② 钱颖一教授指出，目前经济学界减少了“规制”(regulation)一词，而更多地使用“竞争政策”一词来避免为鼓励公平竞争而设计的管制政策反而抑制了市场竞争。他说：“现在经济学家开始在‘对垄断的规制’的说法上有一个转变，因为规制很容易让人误解为干预，而且这样的说法比较静态。现在更多的是说政府实施‘竞争政策’(competition policy)。这是一个更向前看的说法，更多强调的是促进市场竞争。从促进竞争这个角度来讲，可以面向未来，考虑到将来的技术变化，持一种开放的态度。”参见钱颖一(2003)：《政府与法治》，《比较》第 5 辑，北京：中信出版社。

了效力层次很低的法规，还有太多的法律条款阻碍了人们进入生产性的经济领域，使企业家转入“灰色”地带，产生了种种不规则的交易，使腐败滋蔓开来，大大提高了我国社会经济生活中的交易成本。与此同时，通过种种手段已经在市场中占据强势地位的业主则受到了政府的进一步支持，这对其他企业也是极不公平的。

正如法学家指出的，“竞争的第一规则是它必须是平等的竞争。无平等则无竞争。竞争的第二规则是它必须是自由的竞争。无自由则无竞争。竞争的第三规则是利益至上、权利至上的竞争。无权利则无竞争。竞争的第四规则是它必须是公平的竞争。无公平则无竞争。”[①]以平等、自由、权利和公平为基本价值理念的正式制度安排，是竞争性市场机制有效运转的基础性条件。减少不利于竞争的障碍，鼓励市场进入，促进生产要素在行业内和行业之间、地区之间的流动，支持创业和市场竞争过程中的创新活动，都需要进一步在法律和司法体系上保护财产权利和平等竞争。

当然，要做到这一点并不容易。一方面，在不完善的市场制度下凭借权力致富的既得利益者往往力求通过直接干预和操纵市场规则，排除竞争者，来保持和扩大自己的既得利益和特权地位，通过权力寻租。他们力图阻碍进一步市场化的进程，强调政府加强直接管制和干预，通过弱化竞争来维护自己的强势地位。在另一方面，因市场竞争规则不公平而受损的弱势群体，在前一种势力的蒙蔽和错误舆论的误导下，往往会转向反对强化市场竞争的一端，要求加强政府的干预和控制，压制市场竞争，甚至希望回到苏联式命令经济的老路上去。这两方面的合力如果成功地弱化了竞争性市场制度的有效性，就必然会干扰通过效率改进实现经济增长模式转变的进程。[②]

国务院正在贯彻执行2004年制定的《全面推进依法行政纲要》，这是一个落实党中央关于完善社会主义经济体制决定的纲领性文件，是一个以建立法治政府为目标的十年政府改革路径图。党政领导对于

---

① 参见江平(2005)，《市场与法治》，吴敬琏、江平主编《洪范评论》，第1卷第1辑，中国政法大学出版社，第6页。这些对竞争所要求的价值准则实际上也是区分良法与恶法的重要标准。

② 一种值得注意的历史现象是，在前一种人的蒙蔽和迷惑下，后一社会群体往往对于政府干预微观经济和压制竞争的行动“不但不会抗议，甚至还要喝彩，全然没有意识到自己的未来会因此受到损害”(见R·拉詹、L·津加莱斯(2003)：《从资本家手中拯救资本主义》，北京：中信出版社，2004年，第Ⅶ～ⅩⅩⅣ页)。

推进改革必然会遇到的障碍和阻力必须有充分的思想准备，并且下定决心为大众的利益进行改革攻坚，以坚定的政治意志和高度的政治责任感按照中共中央和国务院的部署坚定不移地推进以政府改革为核心的全面制度建设，建立起符合我国宪法原则的法律体系和公正的执法环境。

其次，通过总量手段保持宏观经济的稳定。

市场机制的有效运转，一方面要求各种商品的买卖价格真实地反映供求状况，另一方面要求价格总水平保持稳定；只有这样，各种商品的相对价格才能反映它们的相对稀缺程度。然而宏观经济学告诉我们，社会总需求大大超过可能的总供给，就会出现"过热"，社会可支配的资源数量无法支撑过高的增长速度；如社会总需求大大小于可能的总供给，就会出现"过冷"，社会可支配的资源数量没有得到充分利用。无论"过热"还是"过冷"，都不利于经济增长。因此，政府有责任通过财政政策和货币政策等宏观经济政策手段对社会需求总量进行调控，以保持宏观经济的稳定。

但在我国实践中，习惯于计划经济中行政命令手段的官员在从事宏观经济管理时，经常混淆宏观总量概念与微观结构概念之间的区别，动用项目审批等微观干预手段来解决宏观经济问题。其实，采取微观干预手段去应对宏观经济问题不但成本高昂，而且容易产生寻租环境，孳生腐败。

第三，建立健全覆盖城乡居民的社会保障体系。

建立健全覆盖全部城乡居民的、多层次的社会保障制度，为社会的稳定发展编织一张能够吸收社会震荡的安全网，是政府的一项基本职责。自 1993 年十四届三中全会对构建新社会保险制度的基本原则作出规定以来，12 年已经过去，但建立这一体系仍然困难重重。不仅社会保障体系覆盖范围有限，即使已经覆盖的领域，也存在资金不足和效率不高的问题。目前全国社会保障基金余额只有区区 1623 亿元（参见表 6.8），存在着非常严重的欠账，如果不予补足，不但会使新社会保障体系的运转举步维艰，弄得不好，还会危及我国的财政安全和经济安全，更不用说扩大社会保障体系的覆盖范围了①。由现收现付

① 不同的机构测算的养老金欠账数字不同，从低计算也接近 2 万亿。2004 年，根据劳动和社会保障部统计，空账数额达到 7400 亿元。随着新的退休人员加入领取养老金行列，支付危机可能出现。参见任波(2005)：《社保基金：在"边缘化"边缘》，《财经》2005 年第 10 期。

向社会统筹和个人账户相结合的社会保障体系过渡需要解决的一个重要问题，是为我国国有企业的资本积累作出过巨大贡献，并且已经用“低工资制”形式缴纳过社会保障基金的国有企业老职工（包括“老人”和“中人”）提供补偿的问题。这一问题，我国经济学家已经提出了很长时间①，但始终没有根本性的进展。如果不能在这方面取得突破，很多社会问题都难以解决。

表 6.8　历年中央财政拨入全国社保基金情况表　　（亿元）

项目/年度	2000	2001	2002	2003	2004	2005（1～8月）	累计	占拨入资金比重（%）
中央财政预算拨款	200.00	473.48	303.91	—	170.97	—	1148.36	70.73
国有股减持收入	—	121.78	88.10	4.08	47.04	38.80	299.80	18.47
彩票公益金收入	—	—	23.75	45.00	60.53	46.05	175.33	10.80
合计	200.00	595.26	415.76	49.08	278.54	84.85	1623.49	100.00

资料来源：任波（2005）：《社保基金：在“边缘化”边缘》，载《财经》杂志，2005 年第 10 期，第 96 页。

十六届三中全会《关于完善社会主义市场经济体制的若干问题的决定》规定，“完善企业职工基本养老制度，坚持社会统筹与个人账户相结合，逐步做实个人账户”；“采取多种方式包括依法划转部分国有资产充实社会保障基金”。逐步做实个人账户，划转部分国有资产充实社会保障基金，可以保证社会保障体系的正常运转；不仅如此，由社保基金来行使所有者权利，还能够使我国社会主义公有制的主体作用得到加强，使作为公有制主要实现形式的股份制企业的治理结构得以完善。因而，需要尽快促成划拨部分国有资产充实社会保障基金。

第四，在市场失灵的情况下有选择地运用政府力量弥补市场的不足。

例如：对某些具有外部性的物品（如高污染产品、高社会效益产品）的生产进行调节，执行反垄断、反不公平竞争立法，等等。

---

① 例如可以参看吴敬琏（2002）：《国有股减持要解决什么问题？》，《财经》2002 年第 1 期。

经济学家通过产品是否具有非竞争性（non-rivalry，指一个人的消费并不减少它对其他使用者的供应）和非排他性（non-excludability，指使用者不能或难以被排斥在对该物品的消费之外），将产品区分为四类：一是同时具有非竞争性和非排他性的物品，即纯公共物品（public goods），如国防、基础教育体系、基础研究、生态环境等等，就属于这种类型，通常需要由政府提供；二是指具有竞争性和排他性的物品，即纯私人物品（private goods），这些物品种类繁多，应由市场来提供；三是排他性比较小，但是使用边际成本比较高的物品，经济学家称之为有"拥挤现象"物品，需要通过使用者付费的原则提供；四是使用边际成本比较低，但排他性较强的物品，如防疫、防灾，通常需要由政府提供。

公共物品概念最主要的公共政策含义是，政府应当在提供这类物品上发挥基础性作用，否则就会出现供给不足的问题。由于企业提供公共物品的社会利益超过了私人利益，无法从公共物品的提供中获得足够的回报，他们提供公共物品的激励不足以达到社会最优水平。除非政府利用税收、补贴以及其他形式的干预手段去鼓励私人投资，否则，公共物品的供应将很少。因此，大多数公共物品不能完全放给企业去处理，而是需要由政府直接提供或补贴生产。

6.4.3 建设有限和有效政府需要配套进行财政改革

建设有限和有效政府，需要国家财政顺应政府职能转变的需要，进一步改革财政体制，改善整个政府体系的动力和机制。

目前，我国为政府提供公共产品融资的财政系统存在的一个问题是，它继续将大量财政资源投入盈利性的企业；与此相对应的是，政府缺乏足够的资源来支持在义务教育、科学研究、公共卫生甚至社会治安维持等方面的公共服务。

针对这种情况，政府领导人在2000年提出了"建立适应社会主义市场经济要求的公共财政框架"的目标。所谓"建立公共财政的初步框架"的首要任务，是"进一步调整和优化财政收支结构，逐步减少盈利性、经营性领域投资，大力压缩行政事业经费，把经营性事业单位推向市场，将财力主要用于社会公共需要和社会保障方面"。① 为此，国家财政要顺应政府职能转变的需要，进一步调整和优化支出结构，逐

---

① 《李岚清副总理在省部级财政专题研究班开班式上的讲话》，新华社2000年11月20日北京电。

步规范公共财政支出范围；要逐步退出一般竞争性领域，逐步减少对企业的经营性发展项目、应用性研究项目的资助，增加对教育、科学、卫生、公共安全、社会保障、基础设施建设等的保障力度①。为了做到这一切，就要：(1)调整和优化支出结构，逐步规范公共财政支出范围，逐步退出一般竞争性领域，逐步减少对企业的经营性发展项目的直接资助，增加对教育、科学、卫生、公共安全、社会保障、基础设施建设等的保障力度；(2)对现有的政府间财政体系进行根本的改革，重新调整税收收入的分配办法，重新划分各级政府的支出责任，把提供基础教育、基本医疗和社会保障体系确定为中央政府的责任；(3)将转移支付体制从特定的补贴转向一般性的转移和收入分配制度②；(4)改革和完善人民代表大会制度，加强人民代表大会作为立法机关在政府预算制定和执行过程中的实际权力，最终实现政府预算的法治化。

这里需要注意的是，公共物品的提供固然需要政府出面来补充市场的不足，但并不是说，公共物品仅仅应当由政府来提供，而只是说，私人往往不愿或不能提供社会最优的数量。因此，目前世界各国无不鼓励和激励私人非政府组织(non-governmental organization，简称NGO，有时也被称作非盈利组织，non-profitable organization，简称NPO)提供公共物品。由于后者往往在组织方式、信息取得等方面具有优势，政府应当鼓励而不是限制这类组织在提供公共物品中的作用。

与此相关的是，现代社会变得愈来愈复杂，变得愈来愈多元化，社会各群体之间的利益关系变得高度多元化。在这种情况下，公共事务完全由国家来处理，公共产品完全由政府来提供，不仅成本太高，而且副作用很大。因此，现代政治文明的一个重要内容是强调公民社会的建设，强调各种社群组织的作用。在经济领域，要充分发挥工会、商会(行业协会等社群组织)的作用，使它们能够有效保护自己成员的利益，同时进行自我教育、自我监督，实施自我纪律。

总之，转变经济增长模式、走新型工业化道路是一项迫切的任务，

---

① 楼继伟(2002)：《加入WTO后的中国财政改革与发展》，见王梦奎主编：《加入世贸组织后的中国》，北京：人民出版社，2003年，第27～31页。

② 吴敬琏(2004)：《当代中国经济改革》，上海：上海远东出版社，第7章“财政税收体制改革”；黄佩华(2005)：《21世纪的中国能转变经济发展模式吗？——新一代领导人所面临的财政政策选择》，余江、冯小芒译，《比较》第18辑，北京：中信出版社。

同时也是一项极其复杂的任务，只有成功实现这个转变，中国才能在这个发展变化的世界中真正自立自强。其中，基础性制度建设是转变经济增长模式的关键，而政府职能转变则是关键中的关键。由于政府改革的实质是政府的自我革命，而自我革命往往是比较困难的，对于在旧体制中有种种权力和利益的人来说就更加困难。但是，我们只能坚定不移地推进政府自身的改革，因为这一任务能否完成，将最终决定市场化改革和经济增长方式转变的成败。

附 录

附录 1

全面提升整体竞争力是浙江经济发展的必由之路

——浙江经济发展考察报告摘要[①]（2004）

2004 年 4 月 6 日～18 日和 5 月 27 日～28 日，我与几位同事在浙江的 9 个县市考察，就浙江经济如何再创新优势问题进行了调研。其间，访问了 25 家企业，与各界人士作了广泛的讨论。以下是我们在调查中形成的主要想法：

作为率先从计划经济的旧体制下脱颖而出的地区，浙江经过 20 年的高速发展，人均 GDP 已经超过 2000 美元，达到中等收入水平，进入了工业化的后期阶段。但在新的条件下，凭借体制优势和低档次、低价格劳动密集型产品迅速发展起来的浙江经济，面临严峻的挑战。

20 世纪末期，沿海（特别是江苏、广东、福建等省）民营经济的发展加速，它们的工商业和对外经济关系的基础好，基础设施、投资环境不断优化；与此同时，中西部地区多种所有制经济逐渐形成，而使浙江的经济体制优势不再那么突出。其他地区的这种发展，使一些浙江人士发出了“速度比不过广东，质量比不过上海，外向型比不上江苏，潜能比不过后发省”的警号。此外，随着国内市场逐步与国际市场全面接轨，能源、土地和淡水等基本资源的短缺对浙江企业的当前生产和未来发展构成了严重的威胁。

浙江经济要再上一个台阶，经济发展方式必须从主要靠物质资本积累的早期经济增长方式向主要靠知识积累、技术改进和效率提高的现代经济增长方式转变；经济体制必须从初级市场经济向现代市场经济转变。这主要涉及三方面内容：一是产业升级和经济的“高度化”，

---

① 见国务院发展研究中心《调查研究报告》2004 年第 93 号（总第 2152 号），2004 年 7 月 21 日。

二是从早期初级市场经济到现代市场经济的提升，三是转变政府职能，建设适合于现代市场经济的政府。在这种转变中，政府职能从管理型的全能政府向服务型的有限政府和有效政府转变，将对实现前两项转变、从而提升浙江的整体竞争力起关键性的推动作用。

1. 浙江产业升级的主要方向

浙江经济是通过劳动密集型加工工业发展起来的。这种产业的产品档次低、附加价值小、利润微薄、竞争力差，难以在日益加剧的国内外市场竞争中长期立于不败之地。正因为如此，浙江先行地区温州曾经繁荣一时的灯具、服装、纽扣等专业市场逐渐走向没落。目前政、学、企各界已经形成共识，认为浙江如果不能尽快实现产业升级，它的发展前景将不容乐观。问题在于，浙江应当沿着什么道路，朝着什么方向进行产业升级？各国经济发展的历史经验证明，这对于发展中国家能否顺利实现发展目标具有决定性的意义。

先行的工业化国家从农业国到发达工业国的经济发展，大体上可以区分为“起飞前”、“初级发展”和“现代发展”三个历史阶段。在这三个阶段中，大体上采取了三种不同的增长模式①：在“起飞前”的阶段，经济发展主要依靠土地等自然资源的投入。它的主导产业是农业。在“早期发展”阶段，经济发展主要依靠物质资本积累和物质投入增加。它的主导产业是大量耗费资源的重化工业②。由于在这种增长模式下经济发展受到资源有限性的极大制约，而且物质资本（不变资本）的大量投入必然带来利润率的下降、无产阶级的贫困化等经济社会问题，先行国家在“现代发展”阶段，即工业化的中后期转向了以人力（知识能力）资本积累、技术的改进和效率的提高为主的现代发展。在这个阶段中，推动经济发展的产业，在 20 世纪早期是服务业，在 20 世纪后期，则是信息产业。不少经济学家指出，20 世纪后期东亚经济发展之所以出现曲折，就是因为没有能够从粗放增长的早期增长模式成功

---

① 增长方式、增长类型的这种变化最先是由萨缪尔森在他的《经济学》教科书中加以总结的（参见《经济学》（第 12 版），北京：中国发展出版社，1992 年版，第 1316～1358 页）。

② 1931 年德国经济学家 W·霍夫曼把这种增长模式外推到工业化的中后期，提出重工业将在工业化中后期愈益占有主导地位的所谓“霍夫曼经验定理”。不过 20 世纪欧美国家的工业化并不是按这一“定理”进行的。

地转向集约增长的现代增长模式。

看来，浙江目前所面对的，正是这样一个经济发展的道路和模式转换问题。据我们在考察中的了解，目前浙江占主导地位的意见是沿着先行国家的早期发展道路前行，而不是走现代发展道路以便迎头赶上。不少人认为，浙江已经进入以重化工业为主的工业化阶段，提出浙江原有的制造业“欠厚度”，应当超高速地发展基础原材料、电力、石化、冶炼、重型机械、汽车、造船等重化工业，实现“从轻型制造业为主向重型制造业为主的高级化”[①]。尽管浙江在发展服务业方面有深厚的历史积淀，部分企业前些年在发展信息产业方面也有良好的表现，但在这种思想的指导下，很多企业还是向着“重型化”的方向发展。与此同时，这种粗放方式的高投入、高消耗、低就业率等弊病也很快显示出来。

这首先表现为投资的大幅度增长。在 2000 年到 2003 年的四年中，浙江省 GDP 增长了 57%，而固定资产投资却增加了 150%。这表明，经济增长是靠大量资源投入支撑的。

这样，在浙江经济增长提速后不久，就出现了土地、能源、运力、淡水以及生态环境的全面紧张。以电力为例，在先行工业化国家的类似发展阶段，电力消耗增长率与 GDP 增长率的比大致为 1，而浙江省 2003 年则高达 1.7 以上，造成了电力的极度紧缺。与此同时，无法从国外进口的土地、淡水等基本生产和生活资料也成为经济发展的硬约束。

以上的情况说明，这种高投入、高能耗、高排放、大量耗费资源的粗放发展方式是不可能持续的。作为一个资源禀赋大大低于世界平均水平的后起国家，我们必须发挥“后发优势”，即充分汲取先行国家的经验，转到现代经济发展道路上来，靠效率提高为主的内涵增长方式实现持续发展。这对于自然资源贫乏的浙江甚至中国来说都是至关重要的。

为了“扬长避短”和发挥“后发优势”，从发展的需要来看，浙江必须在以下几方面做出更为积极的努力：一是建立完备的教育体系和提高各类教育的质量，使浙江的人力资本逐步积累；二是努力研发和应用新技术，特别是信息技术(IT)，实现产品升级和技术升级；三是发展服务业，以便改善在现代经济活动中日益占重要地位的交易活动，使人们越来越多的交易活动变得更为简单和快捷，降低交易成本和提升

---

① 《寻找重化工业时代的浙江特色》，《浙江日报》2004 年 3 月 19 日。

产品的附加价值；四是大力发展信息产业，用信息技术改造传统产业，使浙江产业沿着现代经济发展的路径得到提升；五是努力提高企业的核心能力，创建自主品牌和参与国际竞争，促使有条件的企业由为外商做代工（OEM）、代客设计（ODM）升级为自有品牌制造商（OBM）。

2. 企业制度和市场组织的完善

要顺利实现由粗放到集约的经济增长方式转变，关键是要有一个好的经济体制，对于浙江来说，就是把已经初步建立起来的初级市场经济提升为现代市场经济，这必须从企业制度和市场组织两方面进行。

2.1 提升企业制度，优化管理模式

在浙江经济的发展初期，基本的企业组织形式是个体业主拥有的家庭作坊或"前店后厂"的家庭厂商。在企业规模扩大、雇员增多、业务越来越复杂的情况下，原有的企业组织形式就不再适应，需要提升。

世界各国经济发展的历史表明，大中型企业在企业制度演化上的主流趋势，是向产权社会化、经营集中化的股份公司转化。但是，目前浙江绝大多数企业在步入营业额逾1～2亿元的中型企业后的一般做法，是组成具有"核心层"、"紧密层"、"松散层"、"协作层"等多个层次的"企业集团"。这种多级法人制的企业往往由于各"成员企业"之间存在利益冲突而成为一个缺乏统一意志和统一步调的诸侯联盟，造成资金分散、相互拆台、为了取得局部利益不惜损害整体利益等不良后果。因此，一些企业正在努力将自己整合成多事业部制的公司。政府和社会各界都应当支持他们的这种努力，为我国大公司的成长提供更好的条件。

应当注意的是，并不是所有的企业都需要改组为公司制的现代企业。不同行业、处于不同发展阶段和具有不同历史背景的企业要求不同的企业组织形式。即使在发达的市场经济中，也是少数大企业和为数众多的小企业并存的。不过，在现代市场经济中的小企业，也必须是具有自己核心竞争力的"专、精、特"企业，在企业组织与管理上必须是严密和有效的。

无论是大中型企业还是小型企业，改善组织和管理的关键都在于引进经理人员、会计人员、工程师、高级技工等专业人员，充分发挥他

们的作用。浙江很多企业都是家族企业，或是由家族企业演变而来，如何保证引进的专业人员与业主以及业主的家族成员和衷共济地共事，是一个企业能否在现代市场的激烈竞争中站稳脚跟的关键。从目前的情况看，家族企业引入职业经理人等专业人员还存在不少障碍，例如，业主家族和企业的文化氛围排斥外部优秀人才，法律对职业经理人的权利和利益保障不足，职业经理人本身的管理经验不全面，专业人员缺乏高尚的职业道德等，都影响了企业的有效运营。要改变这种情况，需要各方面的共同努力。

2.2 实现由早期市场经济到现代市场经济的提升

关于市场状况的改变，目前在浙江最受瞩目的，是市场的“业态升级”。在浙江经济早期发展中，采取“三现交易”（现场、现金、现货交易）作为主要交易形式，这种交易方式辐射范围有限，交易成本偏高，交易规模难以有大的扩展，甚至会逐渐走向萎缩。目前浙江一些地方，如义乌、绍兴的专业市场正在进行从“三现交易”到以贸易公司为中介的业态升级，并且已经取得一定的成效。

应当注意的是，即使浙江的专业市场升级到了以商业企业为中介的交换，也还不能说浙江的市场“业态”已经从早期市场经济提升到了现代市场经济。

根据新制度经济学家 D·诺斯的学说，市场交换有三个递进的发展阶段，这就是：(1)在熟人之间重复进行的地方性人格化交换；(2)由交易双方所属的族群、商会、宗教等共同体实施合约的初步非人格化交换，即早期市场经济；(3)通常在陌生人之间进行的范围扩大、由第三方（通常是正式法庭）保证合同实施的非人格化交换，即现代市场经济。显然，浙江大部分地区的市场还处在从第(1)种交换形态到第(2)种交换形态的过渡之中。我们的任务，是要创造条件，进一步实现由第(2)种交换形态到第(3)种交换形态的过渡。

现代市场经济有三个最重要的特征：一是上述高级形态的非人格化交换占主导地位；二是交易部门，即商业、金融、电信等服务业高度发展，使流通“业态”能够提升到用现代信息技术装备起来的全球化的供应链管理；三是建立在法治的基础之上，由公正的第三方来实施合同。

在现代市场经济中，服务业的高度发展对于降低在总成本中日益占有重要地位的交易成本具有决定性的作用[①]。浙江服务业在历史上曾经有过较好的基础。中华人民共和国成立以来，在计划经济体制下发展缓慢。改革以后仍无大的起色。在最近几年"重点发展重化工业"的浪潮中，服务业在浙江 GDP 中的比重不升反降[②]。这对于浙江省改善经济结构和提高经济效率是极其不利的。当务之急，是加快发展流通业、金融业、电信业和其他服务业，浙江就能在建立现代市场经济的过程中保持自己的领先地位，使自己的竞争优势得到确立。

3. 建设有限政府和有效政府

促进浙江产业升级和提升浙江经济形态的关键在于转变各级政府的职能，建设适合于现代市场经济的服务型政府。与计划经济下的从宏观到微观、什么事都管的全能政府相比较，这种服务型政府既是有限的政府，又是有效的政府。

3.1 限制各级党政机关配置资源和进行微观干预的权力

在过去 20 多年中，浙江许多地方党政领导机关对待企业的态度比较开明，使企业的经营环境较为宽松。这也是浙江民营经济能够较快成长的重要原因之一。然而与现代市场经济的要求相比较，浙江各级政府仍然拥有过多的经济资源的支配权和对企业微观活动的干预权。特别是近年来各地加强政府对经济建设和经济发展的领导以后，许多地方党政领导用自己掌握的土地资源和银行信贷资源来"经营城市"，按照自己制定的"产业规划"来发展"支柱产业"，按照"重点扶持企业"名单"扶大、扶优、扶强"。

政府充当重要经济资源的配置者和介入企业的微观经济活动，是违背市场经济的基本原则的。这既会造成资源的误配置和效率损失，

① 据沃利斯和诺斯计算，20 世纪 80 年代美国国民收入的 45%以上被用于交易，而在一个世纪以前，这个比例只有 20%(诺斯：《制度、制度变迁与经济绩效》，上海：上海三联书店，1994 年版，第 38 页)。香港利丰集团董事长冯国经指出，在从购入原料直到进入消费者手中的整个供应链中，制造成本只占 1/4，而处理交易的成本要占 3/4(利丰研究中心编著：《供应链管理：香港利丰集团的实践》，中国人民大学出版社，2003 年版，第 9～10 页)。因此，发展服务业对于降低总成本和提高社会的整体效率具有重要意义。

② 2003 年，浙江省第三产业的增加值占国内生产总值的 39.7%，仍大大低于当代典型中等收入国家的平均水平。

也是滋生腐败的重要根源。在浙江的不少地方，我们都可以看到浪费土地等极度稀缺的资源的情况，表明政府成为稀缺资源的基本配置者具有较大的负面作用。某些地方政府对造假、售假等行为“睁只眼，闭只眼”，执法不力，甚至包庇纵容①，也给我们提出了警示：政府与企业的关系不应过于紧密，否则就很容易造成裁判员和运动员合一，产生党政官员弄权枉法、以权谋私等弊病。

在我们召开的座谈会上，有不少地、县领导提出这样的指导原则：凡是市场能管、百姓自己能管、民间组织能管的事情，政府都不要管；市场现在还管不了的微观经济活动，也要创造条件让市场去管；即使政府不能不管的事情，也应当尽量运用市场手段和经济杠杆进行间接调控。例如，宁波地区工业用水极度紧缺，运用价格杠杆进行调节，就比采用工业用水配给制更富有弹性和更有利于提高水资源的使用效率。一位企业家说得好，浙江应当利用7月1日《中华人民共和国行政许可法》即将生效的机会，全面系统地对行政审批作一次彻底的清理，以便像改革初期率先发展民营中小企业一样，率先取消审批制度，进行一次新的制度创新。

3.2 有效地执行政府的服务职能

政府淡出市场并与企业保持距离，并不意味着政府应当无所作为。在现代市场经济中，政府在设定和执行市场规则、保持宏观经济稳定、对特殊行业进行监管、主持社会公正等方面起着重要的作用。目前各级政府机构一方面对不该管的事管得太多，另一方面又有许多该管的事没有管。浙江企业迫切要求政府在以下方面加强政府的服务功能：

1. 实现政务公开和依法行政。目前浙江的电子政务硬件设施是比较完备的，但应用却显得不足。政府必须对公共信息的公开化作出明确规定，将各种法规和政府的主要政策措施都通过政府网页公之于众，便于群众监督，并使企业和居民个人对于自己的行为后果具有可预测性，使官、民的行为都受到法律的约束。

2. 切实保护产权和严格执法。在现代市场经济的交易中，政府作

---

① 例如，一位赴浙江采访“假奶粉”源头的记者写道：“在浙江苍南，一些企业都已经向《新民周刊》记者自曝家丑，但某些政府部门在接受采访时依然套话连篇，矢口否认当地企业生产劣质奶粉。”（见《新民周刊》2004年4月26日～5月2日刊。）

为公正的第三方保证合同得到实施是一个不可或缺的前提。为了提升浙江的市场“业态”，必须实行法治。加速企业核心技术开发的关键在于切实保护知识产权，使创新者得到利益。目前产权（特别是知识产权）得不到有效保护的现象仍然相当广泛地存在，这种状况必须尽快加以改变。

3. 改善文教设施和商贸环境。近年来，浙江各地在道路、大楼、广场、绿地等城市“硬件”建设上下了很大的力气，但对文化、教育、信息等“软环境”建设却有所忽视。实际上，为了留住本地的厂商、吸引外地厂商，“软环境”的改善较之“硬环境”的建设更加重要，各级政府应当对它付出更大的努力。

4. 加强对小企业的扶持力度。在以往 20 多年中，浙江的竞争优势在很大程度上得益于小企业的快速成长。但是近年来，一些地方对小企业的支持有所减弱。例如，有定量补贴的中小企业贷款担保是繁荣中小企业的一项重要举措，而浙江全省 179 家企业信用担保机构中只有 27 家获得财政补贴或商会的补贴，这就使它们收取的保费过高，分担风险的能力十分有限。为了保持浙江经济的活力，这种忽视小企业的倾向应当及时加以扭转，大力改善小企业的融资环境，完善对中小企业的社会服务体系。

5. 充分发挥民间组织的作用。社群组织的发展壮大，是建设现代市场经济的重要环节。温州等地在建设民间商会和发挥其作用（如树立地区品牌、维护企业权益、提供技术培训、开发共用技术、与政府沟通和加强企业自律等）方面，创造了许多好经验。政府应当在全面总结它们经验的基础上，大力推广它们好的做法，使民间商会有效地处理行业公共事务。

附录 2

“十一五”时期必须认真解决工业化道路和增长模式的问题①(2005)

2004 年在“宏观调控”声中度过，虽有小惊，却无大险。然而令人深思的是：改革开放以来，增长稍一加速，不要多久就会因为资源瓶颈收紧、通胀压力增加而不得不减速调整的情况已经发生过多次，以后还会不会再次发生？我们能不能靠这种高投入、低效率的粗放型的经济增长模式稳步地实现工业化和现代化的目标？

当前，国家正在编制“十一五”规划。在这个关键时刻，我们必须冷静思考，认真解决工业化道路和增长模式问题。

(一)

十六大以来，党中央反复重申要“走出一条新型的工业化道路”。但是直到现在，对于什么是新型的工业化道路，干部和群众中的认识差异仍然很大，具体执行自然也就难免出现偏差。

“新型”是相对于“旧型”而言的。所谓旧型的工业化道路，指的是先行工业化国家在工业化早期走过的道路。它的主要特点，是依靠大量投资实现增长。斯大林优先发展重工业的工业化路线，实际是旧型工业化道路在社会主义条件下的变形。

至于新型的工业化道路，则是指先行工业化国家在第二次产业革命以来的现代经济增长阶段所走的道路。现代经济增长最重要的特

---

① 在全国政协第十届全国委员会第三次会议上的发言(2005 年 3 月 7 日)，主体部分曾以《破解增长模式新课题》为题刊发在《文汇报》2005 年 3 月 9 日第 8 版上。

点在于，经济增长主要不是靠资本和其他资源的投入，而是靠人力资本（人的知识和能力）的积累和效率提高实现的。

根据20世纪50年代以来许多经济学家的研究，现代经济增长中效率提高有三个主要的源泉：

第一，“基于科学的技术”的广泛运用。在这之前，技术进步的主要内容是基于经验的小改小革。第二次产业革命以后，对科学发现和技术创新激励的制度化大大激发了高素质人才的创造热情和企业在生产中运用新技术的积极性，于是新工艺、新材料、新能源、新产品源源不断地产生并且得到了广泛的运用，使技术进步加速进行。

第二，服务业超越工业的迅猛发展。20世纪初期以来英国和美国经济中增长最快的产业，并不是有些经济学家在工业化中期所预言的工业，特别是其中的重工业，而是服务业，特别是从事工农业产前、产中和产后服务的生产性服务业。服务业的发展，对于成本（尤其是其中的交易成本）的降低起了至关重要的作用。这时工业已经和服务业融为一体，因此后期工业化又被称为“服务业—工业化”。

第三，现代信息技术在各行业的运用，使经济的整体效率得到空前提高。而尚未完成工业化的后进国家当然也要在工业化过程中择机运用这一技术来提高效率，“用信息化带动工业化”。

（二）

我国在第一个五年计划以后沿袭苏联的传统工业化道路，不惜付出沉重的资源代价发展重工业，以便尽快在工农业产值上赶上和超过西方国家。这种高投入、低效率的增长模式，造成了极其严重的经济和政治后果。改革开放以来，党中央反复强调了提高经济效益、转变增长方式的必要性。但令人遗憾的是，这方面的收效并不明显。除了认识偏差外，起了重要阻碍作用的，是许多与传统工业化道路和增长模式相配套的制度和政策遗产还严重存在。比如，各级政府和政府官员仍然拥有许多与社会主义市场经济不相称的资源配置权力；总产值仍然在干部考核、经济发展水平排名、社会各界对政府官员政绩评定时起主导作用；以生产型增值税为主要税种的财政制度还在激励着各级政府官员把工作重点放在发展价高利大的重化工业上；此外，计划经济体制下与传统工业化道路相配套的土地、资本、劳动力、外汇等生产要素的低价政策和无偿划拨制度造成了成本扭曲和社会稀缺资源的滥用，等等。由于这些条件的存在，一遇到适当的时机，就容易引起工业化道路的偏离。

我国“十五”计划提出要以经济结构调整为主线。从提高资源配置效率着眼，这种提法无疑是正确的。问题是经济结构到底是由市场通过价格机制、还是由政府通过行政命令来进行调整，以及向何处调整。在前面提到的制度和政策环境下，许多政府官员把产业结构优化理解为发展产值大、收入多的重化工业，于是运用自己配置资源的权力，不顾资源禀赋是否具备比较优势，片面推行产业结构的“重型化”，而在知识积累、效率提高、技术创新和提高附加价值上却缺乏动力和放松了努力。目前这种依靠高投入、高耗能、高资本积累所带动的经济增长和工业化，已经引发了一系列经济和社会问题，并且给国民经济的持续稳定增长带来威胁。采取这样的增长模式，产值上去了，人民却没有得到多少实惠。就像在经济委员会的讨论中有的委员所说，我们消耗了大量不可再生资源，承受着环境污染，背负着“倾销”的恶名，利润的大头却不在我们手里。与此同时，一些原本在发展高新技术产业或服务业方面很有优势的省市，却要向“重型化”转型。一些严重缺水的地区却把大量耗水的冶金和化学工业确定为重点发展的支柱产业。片面追求重型化和高产值的结果是，我国一些地区和行业出现了资源严重短缺、环境急剧恶化，就业矛盾尖锐的状况，蕴含着极大的风险。正如胡锦涛总书记在 2004 年 9 月的中共十六届四中全会的讲话所指出：“如果不从根本上转变经济增长方式，能源将无以为继，生态环境将不堪重负。那样，我们不仅无法向人民交代，也无法向历史、向子孙后代交代。”

（三）

正如去年底召开的中央经济工作会议所指出，我们“必须坚决扭转高消耗、高污染、低产出的状况，全面转变经济增长方式，逐步构建节约型的产业结构和消费结构，走出一条具有中国特色的节约型发展道路。”中国在节约资源和提高效率方面大有潜力，只要方针明确、方法得当，我们完全可以走出一条符合我国国情的新型工业化道路。

我认为，目前特别需要在以下几方面作出积极努力：

第一，切实转变在传统工业化模式下形成的思维定势，认真树立科学发展观，把节约资源、提高效率、实现持续稳定增长作为我国的基本国策。

第二，大力促进科学繁荣和技术进步。最重要的是要实现能够激励科学发现和技术创新的机制的制度化。同时，要厉行教育改革和推动教育发展，加强人力资本的积累。

第三，大力发展服务业，力求以最少的资源消耗生产最大的价值。工业企业要从简单加工向产业价值链的自主研发、品牌营销等生产性服务环节延伸，努力提高产品的附加价值。政府也应当为服务业的发展提供更好的营运环境。

第四，要扭转我国信息产业发展重“硬件”、轻“软件”，重生产、轻服务的偏向，加强信息产业的服务功能，推动信息技术在各行业的应用，促进国民经济整体效率的提高。

第五，加快经济体制改革，消除价格扭曲，弱化政府配置资源的权力，发挥市场在资源配置中的基础性作用。

附录 3

广东发展转型的机遇与挑战①(2008)

30 年来,广东一直走在改革开放的前列,取得了举世公认的成就。上世纪 80 年代初期,广东之所以有名,是因为它先行了一步,率先在全国推进改革开放。经过 30 年的努力,社会主义市场经济体系已经在广东初步建立起来。目前广东面临的任务,是在现代市场经济体制的基础上,实现经济发展方式的转型,建立现代产业体系。为了完成这一伟大而艰巨的任务,我们必须应对一系列挑战,其中某些挑战还相当严峻。但是,只要我们能够成功地应对这些挑战,解决前进中必然遇到的障碍和问题,广东的经济社会发展就会迈上一个新的台阶,成为我国富裕、民主、文明、和谐社会的一个首善之区。

一、广东的成就和不足

(一) 三十年来,广东的经济发展已经取得了巨大的成就,成为中国最有活力的地区之一

广东发展成就的首要表现,是已经把社会主义市场经济的基本框架搭建起来。因为有了这样一个好的体制,经济实现了高速增长,地区生产总值(GDP)30 年增长了约 40 倍。在全国范围内,广东的增长速度已经连续 23 年居于首位。按常住人口计算,广东的人均 GDP 2007 年已经超过 4000 美元。按照联合国、世界银行的分类标准,已经达到了上中等收入国家水平。目前中国的收入水平是在下中等收入

① 本文为本书作者 2008 年 6 月在中共广东省委中心组学习会上的讲演。

国家的范围内，而广东经济在全国来说已走到了前列。广东城乡居民生活水平普遍得到提高，2003～2006年，城镇居民和农村居民人均可支配收入和人均纯收入年均分别增长7.6%和4.6%。

（二）为了更上一层楼，首先要以现代市场经济为参照系，找到广东的差距

西方国家在工业化的初期确立了市场经济制度。接着在20世纪，特别是20世纪后期，把早期的市场经济提升为现代市场经济。现代市场经济具有多方面的特点，我这里只从它的产业布局和产业结构的角度说一说，用以作为广东建设现代产业体系的参照系。

在西方国家工业化早期阶段，产业布局的基本趋势是农村的剩余劳动力向城市的制造业、服务业等非农产业转移，大城市成为制造业的聚集地。但是到了20世纪中后期，发达国家城市的产业布局出现了新的趋势，这就是专业化。这种专业化主要表现为两个方面：一个方面是服务业分化为多种多样的行业，集中在大城市里；另一方面就是制造业逐渐从大城市移出，分散到中小城市，形成专业化的产业集群。

服务业在20世纪迅速发展成为规模庞大、支系纷繁的大产业。由于服务业的各个支系间关系密切，需要互相支持，在空间上不能分布得过于分散，大城市就成了服务业的聚集地。正如经济学告诉我们的，服务业的主要经济功能，是降低经济主体之间进行交易的成本；所以聚集了多种服务行业的大城市（中心城市）就能够通过把它们的业务活动辐射到广大地区，进而带动整个地区的经济发展。

在大多数发达国家，作为制造业集中地的中小城市有一个特点，就是它们大多是专业化的。某一个城市往往见长于某一个专业，包括这个城市里的服务往往也是针对这种产业的。由于这种专业化有利于同行间知识和技术的交流，因而能够带来规模经济的好处。例如前段时间我们在苏州研究苏州产业提升问题时，遇到一个怎样留住专业人员的问题，就是有些从西部地区招聘过来的专业人员，没有呆几天就流动到上海去了。通常人们对这个问题的解释是：上海作为一个大城市，拥有更便利的生活条件和丰富的文化、娱乐生活，较之苏州有更大的吸引力。我们觉得这个回答并不能令人满意，因为苏州的生活条件并不比上海差，而且离上海也很近，只要解决交通问题，各种上海的文化和娱乐活动都能够享受。后来一些专业人员向我们讲了一个我

们觉得可能更重要的原因，就是他们觉得在苏州没有很多同行能够一起讨论专业方面的问题。他们说，虽然在这里生活不错，但是没有人交流，过几年在专业上就会落后，所以不能呆在这里。大家都知道，硅谷有一个很重要的优势，就是那里有一些咖啡店，互不相识的人可以在那里自由讨论各种专业问题，很多创意都是在这种讨论中产生的。于是我们悟出了一个道理，就是在一个城市里从事相同专业的人一定要达到一定的数量级，使同专业的同行能够交流信息，激发出创造性的思想。显然，专业化有助于从事相同专业的人达到这个数量级。

制造业向中小城市转移的另一个好处，是能够带动周边农村经济的发展。20 世纪中期发达国家城乡差别的缩小，与这种转移有直接的关系。

在产业结构方面，工业化的后期阶段跟工业化的早期阶段有一个很大的区别，就是服务业有了很大的发展。服务业的发展在工业化的中期就超过了制造业，成为国民经济中最大的产业，而且由于服务业能够降低在现代经济的总成本中日益占有主要地位的交易成本，因而是一个能够带动整个国民经济发展的产业。

在我国“十一五”规划制定的过程中，曾经发生过一场很大的争论。在 2003 年开始酝酿“十一五”的时候，占主导地位的观点是引用西方较早时期的一种说法，也是在苏联占优势地位的一种说法，就是说世界各国的经济发展，基本上是沿着农业→轻工业→重工业→高新技术产业→服务业的轨迹进行的；中国经济现在发展到了工业化的中后期，就进入了“重化工业化阶段”。国务院发展研究中心的几位同志写文章宣传这种观点，在全国得到了广泛的响应。许多地区都提出，我们这里的经济发展也进入了“重化工业化阶段”，应当实现经济的“重型化”。于是，出现了向资本密集型的重化工业大规模投资的热潮。

“十一五”规划到底应该贯彻什么样的思想呢？从各省报到发改委的“初步设想”看，大多数是要大力发展重化工业，实现经济结构的“重型化”。一些发展经济学的研究人员和国家发改委做规划的同志对各国经济发展的历史作了全面研究，才发现这个所谓世界各国的产业结构变化“规律”并不存在。的确，在 19 世纪末、20 世纪初，曾经有一些西方经济学派根据西方国家工业化初期的实践推论，到了工业化的后期，重工业会在国民经济中占有优先的地位。但是，也有一些经济学家，比如说马克思，是对这种靠投资驱动的增长模式持否定态度的。马克思从这种增长模式必然导致的投资与消费失衡、劳动者阶级贫困化以及阶级矛盾尖锐化等消极后果得出结论：资本主义将因此走向灭亡。不过在19世纪末第二次产业革命发生之后，发达国家的粗放增长模式发生了根本性的转变，从投资驱动的增长模式转变为技术进步和效率提高驱动的集约增长模式。发达国家的制造业在20世纪初期达到GDP的40%左右的峰值以后，服务业异军突起，很快成为在国民经济中占有最大份额的产业部门。制造业本身也发生了巨大的变化。这种改变的特点是与服务业相融合，出现了制造业"服务化"的趋势，也就是制造业企业中的服务业务的成分越来越大。

1993年，台湾宏电脑的创始人施振荣用"微笑曲线"来描绘现代制造业的价值链特征。他指出，现代制造业价值链前后两端的服务业务，包括前端的研发、设计，后端的品牌营销、渠道管理、售后服务等附加价值都比较高，中段的加工、组装的附加价值则很低。当时，由于汇率放开，台湾宏等从事加工装配的制造业代工企业受到很大压力，施振荣要求宏从做电脑装配向"微笑曲线"的两端延伸。产品的知识和技术含量就提高了，所以附加价值和盈利率也提高了。

我在2005年出版的著作《中国增长模式抉择》中详细讨论了这个问题。2006年出版的著作《呼唤法治的市场经济》中，也有好几篇文章是阐述这个问题的。

（三）广东经济的不足之处

把先行工业化国家在后期发展中形成的产业格局用作参照系，我们广东的经济存在以下一些问题：

1. 大城市"摊大饼"式的发展带来的问题

大城市用一种不断扩大空间规模的"摊大饼"方式发展，这不仅仅是广东的问题，而且是全国都普遍存在的问题。为什么会出现这样的问题呢？2006年，一些美国城市化专家在他们的《中国城市化的经验与前景》的课题报告中提出，问题的症结是：西方国家城市化的过程大体上是一种自发的过程，而中国的城市化是在政府的规划下进行的；中国按照各个城市的行政级别高低来确定它们支配资源权力的大小；城市的级别愈高，支配资源的权力也愈大。一般说来，大城市的行政级别高，拥有的可支配资源也多，于是它们就把大量的资源投放在本市的建设上。城市的规模不够大，就扩大规模，于是它们就像"摊大饼"似的扩张开来了。在这样的大城市中,百业混杂,专业化程度低,而且把一部分乡村也包容在城市里面。他们报告里有一个图,对比了巴黎和上海。巴黎的城乡结合部很短,而上海的城乡结合部很长,城乡是混在一起的。这造成一些什么问题呢?一是这些大城市服务业的聚集程度不够高,辐射力不够强;二是服务业跟制造业混在一起,因而制造业的专业化程度也很低;三是由于把制造业放在大城市周边的一些开发区,跟农村相隔绝,对农村经济的带动作用比较弱。

从上面的视角来观察,我觉得广东的产业布局存在下面一些问题:

第一,广州、深圳等中心城市的金融、物流、研发设计等专业服务业的聚集程度不够高,带动全省经济发展的辐射力不够强。按理说,聚集了大量服务机构的中心城市,它对广大地区经济的带动作用应当是很大的。早在上世纪 80 年代初期,薛暮桥等老一代经济学家就提出,要"以中心城市为依托组织经济网络",也就是要发挥城市金融、商业等服务业的辐射作用来带动经济的发展。但在当时,一则计划经济的行政管理体系还没有打破,二则服务业自身的发展水平也很低,所以这个正确的口号,落实下来就变成搞了一批"副省级"的"计划单列市",没有真正冲破条块分割,形成市场经济网络。

现在情况当然已经有了很大的改变。但是如果我们把珠江三角洲和长江三角洲作对比,就会发现珠江三角洲有一个明显的弱点,就是没有一个像上海那样的辐射力很强的中心城市。当然长江三角洲也有自己的问题:它有三个省级行政区划,存在条块分割的问题;但是它到底有上海这样的一个集聚了较强服务业的大城市,通过商品市场和金融市场上的交易活动,把整个长江三角洲联系和带动起来。而珠江三角洲的广州、深圳等城市都起不到那样的作用。

其实我们广东的条件也并不天生地差到哪里去,因为我们这里有一个比长江三角洲的上海要强的中心城市,这就是服务业具有很强竞争力和辐射力的国际大都市——香港。香港的服务业,包括金融业、商贸业,以及为金融、商贸业提供专业服务的律师、会计师等整套支持性行业,体系完备,具有很高的专业水平。问题在于,国家对香港实行"一国两制"的政策,按照 WTO 的规则,内地和香港又分属两个不同的关税区。我们需要想出一些变通的办法,打通内地和香港特区之间的关系,就能够用香港之长补内地之短,发挥服务业的辐射和带动作用。

第二,临近广州、深圳等大城市的中小城市有相当程度的制造业企业聚集，但行业错杂，专业化程度比较低，因而产品的知识含量和附加价值水平也难以提升。远离大城市的中小城市，比如说东西两翼和山区五市等地的制造业还很薄弱，很难把农村带动起来。这样，珠江三角洲地区和东西两翼、山区五市之间的经济发展水平差距就拉得很大。

2. 产业结构的缺点

由于广东所采取的增长模式和全国各地相同，都是主要靠土地、资本等要素投入和出口需求拉动的粗放增长模式，由此带来了产业结构偏工、偏重而服务业发展不足的缺点，而且长期未能消除。

苏联早在上世纪60年代后期就已经发现靠要素投入拉动的增长模式的弊病。我们在改革开放以来也一直在讨论这个问题，“九五”计划明确提出要实现增长方式的根本转变，可是一直没有转变过来，所以“十一五”又把实现这一转变提到一个很高的高度。但是由于实现这种转变不但要解决认识问题，还要解决体制障碍问题，因而转得还是比较慢。于是，我们在产业结构上就出现了一些问题，其中一个重要表现就是产业结构过分向制造业倾斜，而服务业发展严重不足。现在全国人均GDP已经达到下中等收入国家的水平，但是服务业占GDP的比重只有40%左右，不但低于中等收入国家的平均水平，而且低于低收入国家，比如印度(52%)。广东的情况并不比其他省区好。目前广东人均GDP已经达到了上中等收入国家的水平，但GDP中服务业比重只有42.3%(前几年最高时曾经达到过47%，近几年不升反降)。在全国的中等以上城市中，广州和深圳的服务业比重也比较低，2006年，前者是57.6%，后者是47.4%，分别比北京低15到26个百分点，比香港更是低了32到42个百分点。

关于出口拉动，这是以日本为代表的东亚国家想出来的、能够弥补在高投资的情况下内需不足的一个很聪明的办法。为了达到增加出口的目的，日本和东亚的一些国家和地区，在二战后采用了由于大力发扬政府的作用来增加出口创汇而被称为“新重商主义”的出口导向政策。所谓出口导向政策中一项重要的举措，就是把本币的汇率压得很低，以便从经济上限制进口和增加出口。首先是日本、后来韩国、马来西亚、印尼和中国台湾都先后采取了这种办法，并且取得了相当大的成功。中国在改革开放后，从原来的进口替代政策逐步地转到这种出口导向政策。1994年进行的汇率改革使人民币深度贬值，这标志着我国在对外经济方面完全转向出口导向政策。这一政策起到了非常好的作用。1994 年以后中国出口贸易高速增长，外汇结余大幅度增加，是与采取这一政策直接相关的。

但是和东亚这些国家和地区一样，出口导向政策执行了 10 年、20 年以后，就出现了一些新的问题，需要对原有政策进行调整，不调整会引发经济出现大问题。到了 21 世纪初期，我们也就出现了采取出口导向政策的国家和地区在上世纪 80 年代中后期出现的问题。从宏观经济方面看，主要表现为外汇储备大量增长造成的愈来愈大的本币升值压力，如果不能及时调整出口导向政策，势必造成货币超发、流动性泛滥和由此引起的资产价格泡沫的形成、通货膨胀等问题。从微观经济方面看，则主要表现为固化低附加值、低盈利性的产业结构，阻碍产业的提升。

广东是一个出口大省，这些问题对广东产业结构的影响也显得特别突出，主要表现为加工制造业所占比重过大。近年来，重化工业高速发展，似乎结构矛盾不但未能缓解，还有所加剧。

3. 制造业的弱点

广东制造业的弱点也跟全国一样，以原材料生产和加工组装为主，知识含量不足，附加价值较低，利润很薄，离现代市场经济中的“先进制造业”有相当大的距离。

手里没有广东加工制造业的有关数据，我就说一说经常被引用来说明全国情况的一个典型事例。《华尔街日报》在 2004 年 1 月发表了一篇文章，标题是“中国高速增长巩固了美国的世界经济霸权”。为什么这么说呢？文章指出，中国的经济发展主要是靠加工制造业，为外国企业做“代工”。这样的制造业的快速发展，加强了美国的经济力量。这篇文章举了一个典型的例子，讲的是世界上最大的一家鼠标制造商罗技(Logitech)公司在苏州加工制造鼠标的故事。罗技是一家美国和瑞士的合资公司，它的制造厂在苏州。根据 2003 年的数据，罗技生产的鼠标在美国平均零售价是 40 美元。它的价值链是这样切割和分配的：罗技自己拿了 20%，8 美元；批发商、零售商拿了 37.5%，15 美元；元器件供应商拿了 35%，14 美元；最后剩下 7.5%——3 美元是归苏州工厂的。苏州工厂的几千名工人的工资、水电费、管理费加在一起分这 3 美元。这篇文章最后说，罗技的苏州工厂就是中国经济的缩影。2005 年政协常委会讨论“十一五”规划时，一位委员指出：中国主要从事加工贸易，产品的科技含量和附加值低所造成的结果是，“我们消耗了大量不可再生资源，承受着环境污染、背负着倾销的恶名，可是利润都被人家赚了大头”。这种情况必须改变。

应该说，加工贸易在改革开放初期曾经起过很好的作用，但是不能永远这样干下去。现在已经出现这样一种情况，中国人卖什么什么就掉价，买什么什么就涨价。比如铁矿石等原材料连续几年大幅度涨价，连海运价格都跟着涨上去了。一些国家指责我们把石油买贵了，我们说中国的石油消费量只占世界消费总量的1/10，我们怎么有能力把它买贵了呢？他们的回答是，你们学经济的人难道不知道吗，决定价格的不是总量，而是增量，最近10年世界石油消费增量中，中国占1/3。当然这是一个有争论的问题，但是我们必须考虑这种大量耗费资源和破坏环境的增长方式是不是有利于中国人民的福祉。

4. 社会治理方面的问题

前面讲的是经济布局和产业结构的问题。但是，我们在讨论增长方式转变、研究经济结构和布局问题的时候，决不能离开机制和体制问题。这些问题追根溯源，都会归结到制度的问题，特别是社会治理的问题，这就涉及到政府在经济中的作用定位和它的职能转变问题。我国的增长模式和产业布局存在严重的缺陷，我认为有以下这样一些社会治理体制方面的原因：

第一，政府“规划”、“管制”、“整合”资源的作用过大，妨碍市场充分发挥在资源配置中的基础性作用。十四大在确定社会主义市场经济的改革目标的时候，给市场经济下了一个定义，指出市场经济就是市场在资源配置中起基础性作用的经济。从2006年以来，胡锦涛总书记也在多次讲话中讲到，要坚定不移地推进改革开放，充分发挥市场在资源配置中的基础性作用。

2002年和2004年，也就是CEPA实施之前和之后，我曾经两次参加全国政协召开的“内地和香港共同繁荣讨论会”，与香港学界和企业界的朋友开会讨论如何实现内地和香港之间的合作。关于加强合作的障碍，香港方面的朋友认为主要在于内地各级政府对微观经济活动的干预太多，以及由此引起的地方保护主义。内地的有些与会者却认为，问题在于香港实行“积极的不干预政策”，政府在资源配置中的作用太弱。我看后面这些同志可能对社会主义市场经济的概念有所误解，在充分发挥市场在资源配置中的基础性作用这一点上，内地应该和香港没有区别。

第二，各级政府与本地区经济关系过于密切，容易形成地方保护和“条块分割”。我们和香港朋友讨论航空港和海港整合时，他们指出，现在世界上通行的是组合港的概念。在全球化的条件下，港口的合作已经打破了国界，组织成为组合港；但是内地就是一个省的各个市之间都有市场分割和地方保护的问题，要和香港形成一体化的市场就更难了。谈到港口的合作，我们可以以美国纽约港为例来进行讨论。纽约港的港务局不叫纽约港务局，而叫纽约—新泽西港务局。这是一个纽约州和新泽西州之间的合资企业。美国是一个“合众国”(United States，简称 U. S.)，州就是国，有自己的立法权。但是美国联邦宪法规定，凡是影响市场统一性的州立法，都属于“违宪”，是无效的。中国是一个单一制的国家，但是地方保护主义盛行，这是很不正常的。例如司法的地方化就成为一个很严重的问题。跨地区的诉讼，比如说关于知识产权保护的诉讼，哪一个地区取得了管辖权几乎就在很大程度上决定了官司的胜败，所以争夺管辖权的各种公关活动和斗争很厉害。这对于市场经济的正常运行是极其有害的。

第三，从更深的层次来讲，我国法治国家建设的进度不快，影响了市场交换的正常运行，而且容易滋生行政腐败。中共十五大提出建设社会主义法治国家的要求，但是不论是在立法方面还是在司法方面，进度都不够快。比如说，规范市场经济的两部最基本的法律——《物权法》和《反垄断法》，都搞了 14 年才在人民代表大会通过。前一部法律差一点被搅黄，后一部法律虽然没有遇到那么大的波折，但是给行政垄断留下了太大的空间。这种情况，自然对广东建设适应现代市场经济要求的法治环境不利。在反对司法腐败，实现“独立审判、公正执法”方面，广东也存在相当的距离。

第四，广东部分地区治安状况不很理想。上世纪 90 年代初期曾经出现过珠江三角洲的一些合资企业北移到长江三角洲的情况。广东的同志一般认为，这是一种产业结构变化的自然现象。我们也向这类企业做过一些调查，据他们说，主要的原因是法治环境和治安环境不够理想。有一位台资老板跟我说，在早期他觉得在珠江三角洲的经营环境不错，因为一切事都很容易“搞掂”。但是后来企业发展大了，要求内部管理规范化，就觉得这样的经营环境不够好，不但使经营成本提高，而且会造成内部管理系统出现问题。

二、如何实现转型

摆在我们面前的重要任务是实现经济增长模式（十七大改称为"经济发展方式"）的转型，也就是从靠要素投入和出口拉动的增长，转变为靠技术进步和效率提高实现的增长。根据前面我讲到的参照系的情况，就要实现两个转变：第一，是由工业化早期的产业布局到现代市场经济的产业布局的转变；第二，是由工业化早期产业结构向现代市场经济产业结构转变。对于广东来说，似乎可以采取以下一些具体的做法。

（一）通过深化"内地与香港更紧密经贸关系安排"（CEPA），充分发挥香港的作用，构建本地区服务业高度集聚的中心城市群

我们在前面讲到过，为了弥补广东缺乏服务业高度聚集和具有强辐射力的中心城市的缺陷，一种可行的解决办法，是充分发挥香港特区作为现代服务业高度聚集的国际大都市的辐射作用，发展本地区的服务业。如果能够通过深化 CEPA，实现两个地区之间的更紧密的合作，我们这个地区就有望建立全国最强大的服务业集聚的中心城市群，能够带动广东乃至更大范围的经济的发展。

在我看来，发挥香港的服务业优势，构建本地区的中心城市群，可以通过三种方式进行：

第一种，是让总部或地区总部设在香港的服务业企业，通过在广州等大中城市设立分支机构的方式，把它们的业务延伸到珠江三角洲来。现代服务业是一个行业支系纷繁、行业间联系紧密的产业群。由于大型服务业企业总部需要设立在特大型城市，以便与相关的服务业企业进行业务联系，希望吸引大型服务业企业，让它把总部从香港搬迁到珠三角的城市中来，大概是不现实的。但是"不求所有，但求所在"。我们不一定要求它们把总部搬过来，只要吸引它们在本地区开展业务，就同样能够起到带动本地区服务业和整个地区经济发展的作用。

第二种，是为香港和海外服务业企业（包括海外中资企业）做外包服务。20 世纪以来，随着制造业和服务业的专业化程度的不断提高，各个行业价值链的不断延伸，它们的价值链的一些环节会从母体分离

出来，发展成为独立的服务业企业。近年来，发达国家还出现了一种趋势，就是一些企业将它们的后台业务分包给人工成本较低的发展中国家去进行。后者也利用这种机会发展自己的服务业。像印度的信息产业就首先是从软件和信息服务发展起来的。外包的后台服务可以是低层次的，像劳动密集型的呼叫中心、结算中心、售票中心等；也有需要高学历技术人员的，像代客做新药研发和临床实验的实验室等。广东无疑具有为相关企业或其他国家的企业承接外包服务的巨大空间。

第三种，是依靠"后发优势"，学习香港发展服务业的经验，发展本地的服务业。现代服务业是在 20 世纪后期发展起来的技术复杂、知识密集度很高的产业，学习先进国家和地区的经验能使在发展本土的现代服务业时少走弯路，更快地掌握专业技能，缩短发展的进程。前几年我任教的上海中欧国际工商学院(CEIBS)出面邀请了一些台湾和香港的专业人士到上海和苏州讲课，介绍现代服务业的各种门类。原来我们没有想到各种各样的服务需求都有专业的服务企业来加以满足。这些讲课使我们大开眼界，对推动长江三角洲的服务业发展起了促进作用。

广东完全可以利用毗邻香港的良好学习条件。香港有很多具有很好专业素养的学者和企业家，包括中资企业的负责人。他们对于现代市场经济中各种产业、特别是服务业的发展，积累了很多知识和经验，请他们过来讲课，应当是很方便的。比如说，香港的大型跨国商贸企业利丰集团原本是 100 年前在广州建立的一家外贸商铺，传到创业者家族第三代时，从哈佛大学留学回来的冯国经和冯国纶两兄弟接掌企业，把它改造成从事供应链管理的著名跨国商贸集团。冯国经先生在北京给物流协会讲课时详细介绍了利丰集团的发展经验。他指出，在从原料购进到产品交到消费者手上的整个价值链里，真正制造部分所占的比重已经很低了，大约只占 1/4。而且因为成本已经压到最低的程度，再要想降低成本、增加利润已经很困难了。而在整个价值链里，流通占 3/4。他把这 3/4 叫做"软三元"。在这个"软三元"里降低成本的余地很大，降低一两毛钱都是能够做到的。当然，物流也只是香港最强的两个服务业之一，还有一个是金融业。总之，我们可以从中学习的东西很多。

另外还有一种能够在培育人力资本方面起重大作用的特殊服务业机构，就是大学。香港有发达的教育系统，我们广东大可以就近合作。香港的一些学者，既具有国际的眼光，又了解内地的情况。这也是广东可以利用的一项优势资源。

香港还具有另一项发展现代服务业所必需的重要资源，这就是较为完善的法治体系。在制定“十一五”规划期间，学术界曾经就我们的服务业为什么发展缓慢的问题进行过讨论，有各种各样的解释。耶鲁大学的陈志武教授提出了一种值得注意的见解，他说，我们都知道服务业较之做代工、“卖硬苦力”更赚钱，为什么我们不能让服务业快速发展起来呢？一个重要原因是服务业要求的法治等制度环境更高，而我们的制度环境适应不了这样的要求。制造业生产的东西是看得见、摸得着的，所以对制度环境的要求不是那么严格；服务业的产品是看不见、摸不着的，对制度环境的要求就非常高。现在内地的一些企业，包括国有控股企业，也希望在香港上市，其中一个原因就是因为那里的法制比较健全，对公司的监管也比较到位。新加坡主管经济的吴庆瑞副总理曾经跟我说，在新加坡，英国殖民者做了许多不好的事，但有一件好东西留了下来，这就是它的法律体系，对新加坡后来的发展起了很好的作用。现在新加坡有意和香港特区争夺亚洲金融中心的地位，我看它的“底气”之一恐怕就是来自这里。

讲到新加坡的法治体系，就使我想到苏州中新两国合资的工业园区。苏州工业园区和别的开发区不同，有一个名叫“经济和公共管理全套软件”的特殊引进项目。对于“管理全套软件”引进项目，人们也许以为它引进的是企业管理软件，其实不是，而是政府进行经济和社会管理的全套规章制度。1994 年谈这个开发区项目的时候，中方提出来为了和国际游戏规则接轨，要引进新加坡政府管理裕廊工业区的全套规章制度。但是，当时人们的思想还不够解放，认为新加坡是一个资本主义国家，我们是一个社会主义国家，它的规章制度我们怎么能引进呢？后来就用了一个有点古怪的名字，叫做“公共管理全套软件”。为了引进这套“管理软件”，苏州工业园区设立了一个专门机构，叫做“借鉴办”，不但引进了新加坡的规章制度，请来了新加坡的官员给我们的官员讲课，还先后派出苏州管理干部 1200 多人次去新加坡政府机构学习和培训上岗。苏州乃至苏南各地的许多开发区也学习了苏州工业园区的管理办法，不少临近的开发区都紧盯着苏州工业园区，它怎么干我也怎么干。这对于改善苏南的经营环境，起了很好的作用。人们在研究苏南经济高速度发展的经验时，常常忽略了这一条。这其实是一个很重要的因素。

我想，在经济和公共管理的规章制度方面就近向香港学习，也是我们广东的一项优势。特别是在回归十多年以后，香港政治体制中殖民主义的东西已经得到消除，借鉴学习就更不成问题了。

（二）在中小城市中形成专业化的制造业产业集群

广东目前制造业在产业布局上存在的缺点，一是相当一部分制造业企业分布在大城市周边与农村相隔绝的开发区中；二是中小城市中制造业的专业化集聚程度不高。

我们应当如何使本地区的制造业产业分布向比较好的格局转化呢？

首先需要明确的是，就像市场的形成一样，产业集群的专业化集聚趋势，通常是自发地出现的，很难由政府的计划来规定。政府能够做的事情，是由专门机构经常盯着产业发展态势，发现了发展的苗头之后，及时地加以分析研究。如果确认该产业在这个地方有发展前途，就应当采取适当的措施来引导，扶持产业集群的形成和发展。包括商会在内的社会组织也应当提供帮助。昨天，我听说河源市在进行“两个转移”的过程中，出现了手机生产商和零配件供应商集聚的苗头。政府发现这类发展趋势后，因势利导，采取措施加以帮助，可能更容易取得成功。总之，一方面“强扭的瓜不甜”，政府不要越俎代庖；另一方面政府也不能不闻不问，无所作为。目前珠江三角洲的有些企业正在考虑向东西两翼和山区五市转移，政府应当扮演好自己的角色。

最近我在上海调研时，观察到它的一些开发区也出现了专业化集聚的趋势。这是一种好的趋势。例如，中欧国际工商学院所在的金桥开发区，过去是一个加工制造业的开发区，前一段时间，它想搞总部经济，好像并不太成功。后来建立了一个研发中心小区，已经吸引了好几个国际大企业的研发中心入驻，看来苗头不错。但是也遇到了一些困难，比如说由于上海过去“摊大饼”式发展的结果，使职工居住得太分散。这些研发中心从老城区移来新区以后，从住地到上班地太远，造成一些员工辞职。所以，如果确认这个开发区的专业集聚方向是正确的，下一步恐怕就得配合这种专业化的趋势，在小区的周边配置专业人员的居住区。现代市场经济的制造业产业布局专业化能够提高效率。如果我们在产业提升的过程中注意妥善处理相关的问题，就能够形成效率比较高的产业布局。

（三）制造业的提升

“十一五”以来，除了“大力发展现代服务业”之外，另外一个时兴的口号是“大力发展先进制造业”。这是一个正确的口号。重要的问题是要明确“先进制造业”的内容，并且把它落到实处。

前面我曾经用施振荣提出的“微笑曲线”来说明“先进制造业”的概念。所谓“先进制造业”，是20世纪中期以后发展起来的、具有高附加价值和高盈利性的制造业。它的特点是和服务业相融合，或者叫做服务化的制造业。北京市在2000年前后从以高新技术产业为发展重点转到以发展制造业为重点，走了一点弯路。后来在中共中央的“十一五”规划建议通过之后，北京市做规划的同志就不大敢强调发展制造业了。当时我是北京市“十一五”规划的总顾问，我向市政府领导提出，不要怕讲高速度地发展制造业，问题是什么样的制造业。只要把这里的制造业理解为高附加值的先进制造业，高速度发展是没有问题的。

台湾在上世纪80年代后期汇率放开之后，原来给外国企业做简单的组装代工的企业曾经有过一段时间非常困难。为了克服困难，提高附加价值和赢利水平，宏碁要求自己的业务向前后两端延伸。台湾企业中相当一部分在之后的几年里实现了转型：有的从OEM（代客加工）转成了ODE（代客设计），有的像宏碁一样转成了OBM（自主品牌）。即使那些继续做代工的企业，也都有自己的专利和专有技术。

以上这些，也正是我们广东许多做简单加工装配的企业现在应当努力去做的。

在进行产业提升的时候，有一个问题需要引起注意，这就是一定要尽力保护中小企业并帮助它们提高。世界各国的发展经验证明，中小企业是创新的主要来源，也是经济繁荣的基础，决不要因为它们的技术层次低或者规模小，就对它们歧视或者排斥。特别是在当前，我国沿海地区的中小企业由于工时成本提高、人民币升值、汇率提高、利率提高、银根收紧等因素的影响，遇到了不小的困难。不管是从增长模式的转变，还是应付当前的困难看，我们都要特别注意保护中小企业，包括一些效率低、物质消耗大的企业，要多强调帮助它们提高，而不要轻言“淘汰”。如果它们在经济转型和当前宏观经济收紧的情况下大批地关闭，就会伤及经济的元气。我建议：一是财政上要有选择地适当减税；二是要启动上世纪 90 年代后期曾经使用过的一些帮助中小企业的办法，比如说小额贷款、中小企业的信贷担保等等；还要利用各种各样的生产力中心、竞争力中心等机构，帮助中小企业在技术上提升，在治理污染上改进。此外，对于共用性技术，要借鉴台湾工业技术研究院的做法，用社会资金来开发。

现在国家正在推进划分功能开发区的工作。划分功能区的着重点是做“减法”，即限制那些资源贫瘠、生态脆弱地区的开发强度，避免由于过度开发造成的不良后果。这当然是十分必要的。不过除了做“减法”，我们还必须做“加法”，开发出一些具有国际竞争力的大产业来。否则，国民经济总量上不去，后进地区也只好安于贫穷。现在世界上信息通讯产业正面临着重大的突破。这就是所谓“四代”或“超四代”的宽带移动通讯，电信、广电和互联网“三网融合”的“移动上网”。中国完全有条件去搭上这班车。第一，我们有世界上最大的电信市场。中国有 6 亿多的移动用户，比一个大国的人口还多。第二，中国是世界最大的电信产品制造基地。华为、中兴等电信设备供应商在世界上有相当的竞争力。第三，中国受过高等教育的技术人员人数已经位居世界第一了。虽然整体素质上还赶不上先进国家，但是至少在数量上具有优势，而且中国人的勤奋和聪明是有名的。第四，近年来中国的研发投资增加得很快，最近已经超过日本，位居世界第二。如果我们能够利用这些条件，在重大技术项目的最高级竞争——制定技术标准的竞争里取得成功，就能够建立起若干立足于自主知识产权的大产业，在每个销售额动辄上百亿美元的领域里占有一席之地。其实我们在许多地方都能看到一些自主研发的新技术，其中有些技术还达到了世界领先的水平。但是很多这类技术发明没有商业化，或者虽然商业化了但企业老是做不大。根本的问题在于体制障碍。如果是在好的制度环境下，这些企业完全有可能成为几十亿美元、上百亿美元销售额的大企业。而建立有利于创新的体制，正是党政领导机关应负的责任。

三、顺利实现转型的前提是坚定不移地推进改革开放

要实现转型，最根本的是要推进改革开放，要把我们的体制搞好。

（一）在中央号召下，广东省委开展解放思想学习讨论活动，是非常有远见的

解放思想是一个与时俱进、永无休止的过程。但是我认为，当前我们之所以需要特别强调解放思想，是基于以下三点理由：

第一，20 世纪 80 年代形成的体制目标有模糊的地方，它们已经愈来愈成为进一步完善我国市场经济体制的障碍。改革开放初期，对于要建立什么样的体制，我们并没有一个很明确的目标。在"文化大革命"后期，整个社会濒临崩溃边缘的情况下，采取了一种"摸着石头过河"的策略。这就是说，不管是什么样的办法，只要能够有助于恢复经济和社会稳定，都可以拿来应用。但是很快大家就认识到，零敲碎打的政策措施是有问题的，因为一个系统要稳定运行，它的各个部分之间必须是互相协调的。于是就有了许多关于改革的体制目标的讨论。当时各方面大体上提出了四个可选目标模式：(1)改良的计划经济模式，即斯大林逝世后的改革所形成的体制。上世纪 70 年代末期先从四川开始了类似于苏联 1965 年改革的"扩大企业自主权试点"，接着就推广到全国。不过这一改革并不成功，后来它的影响就比较小了。(2)"东欧模式"，即匈牙利等东欧国家经济改革的目标模式。这种模式在保持国有经济的统治地位和计划经济的总体框架下，力图在微观(企业)层面引进一些市场因素。我国一些经济学家在 80 年代初写了不少文章介绍宣传这种模式。但是，东欧的改革派经济学家自己也承认这个模式有根本性的缺陷，而且实际的改革在 80 年代中期普遍陷入困境。所以这种模式的影响力也逐渐消退。(3)"东亚模式"，即日本、韩国、新加坡等国在二战后采取的政府主导的市场经济模式。(4)"欧美模式"，又称自由市场经济模式。大体上说，党政干部和经济界的领导人倾向于东亚模式。当时中国政府派了很多代表团到各国去考察，了解别国发展经济的做法。其中，日本政府如何推动经济高速增长的经验对一些主管经济工作的官员有很大的影响力。邓小平也经常谈到"四小龙"，其中他特别欣赏新加坡有高度权威的政府加市场经济的做法。受过现代经济学教育的学者一般认为东亚模式是有缺陷的，成熟的市场经济还是欧洲和美国式的。欧洲和美国，当然各有区别，欧洲更加注重社会价值，美国更加强调个人自由，但是它们基本上都是政府提供公共产品、提供规则、提供规则执行的监管，而对微观的经济

活动并不参与。不过当时这两种观点之间的矛盾并不突出，因为虽然后者认为我们最终要建立成熟的市场经济，但是也承认，在市场还没有形成的改革初期，政府还是应当承担更多的责任。所以在上世纪 80 年代和 90 年代形成的一些中央文件里体现的是一种混合模式：在理论表述上可能偏“欧美模式”一些，在政策上则偏“东亚模式”一些。

可是，由于市场经济发展到一定程度之后，政府就需要逐步削弱对于微观经济的干预，进一步实现市场化，“充分发挥市场在资源配置中的基础性作用”。东亚式的政府主导型的市场经济，在早期阶段是有效的，但是如果不能及时转变的话，会出现很大的问题。而日本因为政府主导，促成了高投资和高出口拉动增长，这个定式很难改，最后酿成了 1990 年的资产市场崩盘。到现在 18 年了，景气还没有恢复。然而，转变的难点在于，它涉及各级行政部门的权力和利益，所以就会有很大的阻力。2004 年以后经济发生过热，我们这里还出现了以“宏观调控”的名义扩大本部门的行政干预权力的情况。虽然《行政许可法》规定了除人民代表大会、国务院外，各个政府部门不能够自行设立行政许可，但是现在各种变相的行政许可变得越来越多。企业也要付出更多的“打点”。

于是，就像温家宝总理多次讲过的那样，现在政府管了许多自己不该管、也管不好的事情。而我们有些官员却以为政府管得宽是社会主义市场经济的一项优点。这种思想显然需要澄清。

第二，粗放增长模式仍然是一部分干部的思维定势，要实现经济发展方式的根本转变，就必须从这种思维定势中解放出来。我在前面讲到过，粗放增长方式的根子，是西方国家在 18～19 世纪时期的早期增长模式。奇怪的是，在上世纪 20 年代后期，斯大林在苏联的党内斗争中把这种模式定为社会主义必须遵循的一种经济增长模式。一直到改革开放之后，有的“理论家”还在坚持说，这是“马克思主义的基本原理”，在学校“社会主义政治经济学”教学时教的往往也是这一套。加之在本世纪初各地大搞“政绩工程”的时候，主流媒体上发表了大量文章宣传中国经济已经进入“重化工业化”阶段，鼓吹大量投入资源发展资本和资源密集型的重化工业。一时间粗放增长成了主流观念并成为转变增长方式的思想障碍。

第三，2004 年以来反改革思潮所造成的思想混乱需要得到澄清。反对市场化改革的人们历来认为，社会主义只能搞计划经济，不能搞市场经济，这些观点在小平南巡讲话时受到严厉批评之后有所收敛。这两年，有些改革开放前旧体制和旧路线的支持者利用大众对社会中存在的腐败、贫富分化等现象的正当不满，把他们误导到反对改革开放的方向上去，使一些早已被批判否定了的思想以新的形式卷土重来。以此鼓吹为“四人帮”和“文化大革命”平反，恢复“以阶级斗争为纲”和“无产阶级专政下继续革命”的旧路线。

2006年“两会”期间，胡总书记在参加上海代表团的讨论时，作出了正面的回答，指出要毫不动摇地坚持改革开放，要充分发挥市场在资源配置中的基础性作用。在十七大报告里还专门写了一段，论述“举什么旗、走什么路”的问题。应该说，大的方向方针已经讲得十分明白，问题是对他们在一系列具体问题上造成的思想混乱要作认真的清理。

由此可见，解除“左”的思想束缚的任务仍然十分艰巨。为了厘清思想，要形成一个自由而切实的讨论氛围，使理性的讨论得以进行。

（二）在解放思想的基础上，切实推进改革

首先，要继续推进经济体制改革。现在常常听到有人指责一些地方政府官员热衷于GDP，妨碍了经济发展模式的转变。但是这种热衷是有多种体制上的原因的。为了增强各级干部转变经济发展方式的自觉性，就要通过改革来消除发展方式转变的体制性障碍。经济改革需要完成的任务很多，包括：(1)实现产权制度，包括与中国将近一半人口的农民利益息息相关的土地产权制度的改革；(2)国有经济的布局调整和国有企业的股份化改制；(3)资本市场的合规性监管也有待加强；(4)1993年十四届三中全会《关于建立社会主义市场经济体制若干问题的决定》要求建立的新社会保障体系还没有完全建立；(5)市场经济的法治基础的建设需要认真进行。所有这些都必须在近期有切实的推进。

为了充分发挥市场在资源配置中的基础性作用，必须消除行政机关的微观干预。现在我们各级党政领导在配置资源上的直接影响力太大。消除行政权力对微观经济的过度干预，不但能够改善经济运行的效率，而且也能从源头上消除腐败，因为腐败最主要的根源就是行政权力对经济生活干预所造成的寻租可能。

说到为企业营造良好的经营环境，这里还有一个所谓“市场准入”

的问题。首先要说明，“market access”这个词的原意是“市场进入”或“市场进入权”，把它译为“市场准入”是不够确切的。市场进入权是每一个公民天生具有的权利。把它翻译成“市场准入”，就好像非得政府准你入你才能入。当然，为了社会的利益，有时候需要设立“行政许可”，即设立进入限制。因此，市场经济有一个“非禁即入”的原则，只要没有法律明文禁止，都可以自由进入。广州市委朱小丹书记在发展现代服务业的调研报告里讲到，要坚持“非禁即准”的原则，这是完全正确的。

（三）要改善体制，实现转型，关键中的关键乃是政府职能的转变和效率的提升

首先要强调有限政府和有效政府的必要性。所谓有限政府，就是从政府不该管、管不好的领域中退出来。所谓有效，就是要廉洁、节约、低成本提供公共服务。政府的基本职责在于提供公共产品，其中首要的责任是提供一个好的经营环境和社会环境。对各级地方政府来说，要打破地方保护主义和条块分割，建立一体化的、平等竞争而没有壁垒的市场；要实现公正执法，给企业提供一个安全有序的经营环境；还要采取多方面的措施，努力保持社会的和谐和稳定。

主要参考文献

P·巴丹(Pranab Bardhan, 2004):《强大但有限的发展理论》,吴素萍译,《比较》第18辑,北京:中信出版社,2005年。

W.J. Baumol(1967):"Macroeconomics of Unbalanced Growth: The Anatomy of Urban Crises"(《非平衡成长的宏观经济学:对城市危机的剖析》), *American Economic Review*, Vol 57 No.3, 415~426.

S·博尔格(Suzanne Berger)、理查德·K·李斯特(Richard K. Lester)主编(1997):《由香港制造——香港制造业的过去·现在·未来》,侯世昌等译,北京:清华大学出版社,2000年。

Barry P. Bosworth and Jack E. Triplett(2003):"Productivity Measurement Issues in Services Industries: 'Baumol's Disease' Has Been Cured"(《服务业的生产率测算:"鲍莫尔病"已治愈》), The Brookings Institution, September 1,2003.

Barry P. Bosworth and Jack E. Triplett(2004): *Productivity in the US Services Sector: New Sources of Economic Growth*(《美国服务部门的生产率:经济增长的新来源》), Washington DC: Brookings Institution Press, 2004.

L·布朗(Lester Brown, 2001):《B模式:拯救地球,延续文明》,北京:东方出版社,2003年。

薄一波(1956):《正确处理积累和消费的比例关系——在中共第八次全国代表大会上的发言》,《薄一波文选(1937~1992)》,北京:人民出版社,1992年。

蔡昉、都阳、高文书(2004):《就业弹性、自然失业和宏观经济政策——为什么经济增长没有带来显性就业?》,《经济研究》,2004年第9期。

陈甬军、陈爱民主编(2002):《中国城市化:施政分析与对策研究》,厦门:厦门大学出版社,2002年。

陈志武(2004):《为什么中国人出卖的是"硬苦力"》,《新财富》,2004年9月号。

H·钱纳里(H. Chenery, 1985):《增长与转变》,见钱纳里等:《工业化与经济增长的比较研究》,上海:上海三联书店,1989年。

Partha Dasgupta and Paul A. David(1994):"Towards A New Economics of Science"(《迈向新科学经济学》), *Research Policy*, Vol.23, pp.487~521.

Paul A. David(1985):"Clio and the Economics of QWERTY"(《历史女神和键盘经济学》), *American Economic Review*, Vol.75, No.2, pp.332~337.

Paul A. David(1990):"The Dynamo and the Computer: An Historical Perspective on the Modern Productive Paradox"(《电动机和计算机:对于现代生产力悖论的历史透视》), *American Economic Review*, Vol.80, No2., pp.355~361.

Paul A. David (2001):"From Keeping 'Nature's Secrets' to the Institutionalization of 'Open Science'"(《从保守"自然的秘密"到"开放科学"的制度化》), Working Papers 01006, Stanford University, Department of Economics.

邓力群(1982):《马克思再生产理论的基本原理必须坚持》,《红旗》,1982年,第5~7期。

E·D·多马(E.D. Domar, 1957):《经济增长理论》,郭家麟译,北京:商务印书馆,1983年。

P·德鲁克(Peter F.Drucker, 1993):《后资本主义社会》,张星岩译,上海:上海译文出版社,1998年。

W·伊斯特利(William Easterly, 2002):《在增长的迷雾中求索——经济学家在欠发达国家的探险与失败》,姜世明译,北京:中信出版社,2004 年。

William Easterly, Michael Kremer, Lant Pritchett, and Lawrence H. Summers (1993):"Good Policy or Good Luck? Country Growth Performance and Temporary Shocks"(《好政策还是好运气? ——国别增长表现与暂时性冲击》),*Journal of Monetary Economics*, Vol.32 No.3, pp.459~ 483.

范世涛(2005):《信息化、结构转变和发展政策》,《比较》第 18 辑,北京:中信出版社,2005 年。

方甲主编(1997):《产业结构问题研究》,北京:中国人民大学出版社,1997 年。

方显廷:《吾人对于工业化应有之认识》,载中国人民大学经济系政治经济学教研室编《中国资产阶级经济思想批判参考资料》,北京:中国人民大学,1958 年。

费景汉(John CH Fei)和古斯塔夫·拉尼斯(Gustav Ranis, 1999),《增长和发展:演进观点》,洪银兴、郑江淮等译,北京:商务印书馆,2004 年。

C·弗里曼和 L·苏特(Chris Freeman & Luc Soete, 1997):《工业创新经济学》(第 3 版),华宏勋等译,北京:北京大学出版社,2004 年。

Z. Griliches(1994):"Productivity, R&D, and the Data Constraint", *American Economic Review*, Vol.84 No.1, pp. 1~23.

国务院信息化工作办公室政策规划组(2004):《信息通信技术与经济增长:国际研究综述与启示》(打印稿)。

国务院发展研究中心"新型工业化道路研究"课题组(2003):《我国工业化进入新阶段》,《经济日报》2003 年 12 月 1 日。

E. Helpman ed.(1997):*General Purpose Technologies and Economic Growth* (《通用目的技术和经济增长》), Cambridge, Mass.: MIT Press.

华而诚(2001):《论服务业在国民经济发展中的战略性地位》,载《经济研究》杂志,2001 年第 12 期。

黄佩华(Christine P. Wong, 2005):《21 世纪的中国能转变经济发展模式吗? ——新一代领导人所面临的财政政策选择》,余江、冯晓芒译,《比较》第 18 辑,北京:中信出版社,2005 年。

江平(2005):《市场与法治》,吴敬琏、江平主编《洪范评论》,第 1 卷第 1 辑,北京:中国政法大学出版社,2005 年。

蒋志培(2003):《论知识产权的概念、历史发展及其法律保护的含义》,http://paper.studa.com/2003/3—25/2003325171642.html。

金万堤(1987):《政府在经济发展中的作用——南朝鲜的经验教训》,《经济社会体制比较》,1987 年第 4 期。

经济合作与发展组织(OECD, 2001):《增长的推动力:信息技术、创新与企业家精神》,中国科学技术信息研究所译,北京:科学技术文献出版社,2002 年。

经济合作与发展组织(OECD, 2004):*OECD Information Technology Outlook 2004*(《OECD 信息技术展望 2004》), OECD.

Boyan Jovanovic and Peter L. Rousseau (2003):"General Purpose Technologies"(《通用目的技术》), www.econ.nyu.edu/user/jovanovi/GPT.pdf.

Janos Kornai (1992):*The Socialist System: The Political Economy of Communism*(《社会主义制度:共产主义的政治经济》), New Jersey: Princeton University Press, 1992.

P·克鲁格曼(Paul Krugman, 1994):"The Myth of Asia's Miracle"(《东亚奇迹的神话》), *Foreign Affairs*, V. 73, 10~12 月号, pp.62~78.

P·克鲁格曼(Paul Krugman, 1999):《萧条经济学的回归》,朱文晖、王玉清译,北京:中国人民大学出版社,1999 年。

S·库兹涅茨(Simon Kuznets, 1966):《现代经济增长》,戴睿、易诚译,北京:北京经济学院出版社,1991 年。

S·库兹涅茨(Simon Kuznets, 1971):《各国的经济增长》,常勋等译,北京:商务印书馆,1985 年。

S·库兹涅茨(Simon Kuznets, 1973):《现代经济的增长:发现和反映》,见《现代国外经济学论文选》(第二辑),北京:商务印书馆,1981 年。

列宁(1893)：《论所谓市场问题》,《列宁全集》,第 1 卷,北京：人民出版社,1958 年,第 67~ 73 页。
列宁(1905)：《社会民主党在民主革命中的两种策略》,《列宁全集》,第 9 卷,北京：人民出版社,1965 年。
李钟文等主编(2001)：《硅谷优势：创新与创业精神的栖息地》,北京：人民出版社,2002 年。
利丰研究中心编(2003)：《供应链管理：香港利丰集团的实践》,北京：中国人民大学出版社,2003 年。
联合国开发计划署(UNDP, 1999)：《中国人类发展报告》,北京：中国财经出版社,1999 年。
刘遵义(1997)：《东亚经济增长的源泉与展望》,《数量经济技术经济研究》,1997 年第 10 期,第 88～97 页。
林毅夫、蔡昉、李周(1999)：《中国的奇迹：发展战略与经济改革》(增订版),上海：上海人民出版社、上海三联书店,1999 年。
楼继伟(2002)：《加入 WTO 后的中国财政改革与发展》,见王梦奎主编：《加入世贸组织后的中国》,北京：人民出版社,2003 年。
R・卢卡斯(Robert E. Lucas, Jr., 2002)：《经济发展讲座》,罗汉、应洪基译,南京：江苏人民出版社,2003 年。
X・萨拉-伊-马丁(Xavier Sala-i-Martin, 2001)：《15 年来的新经济增长理论：我们学到了什么?》,黄少卿译,《比较》第 19 辑,北京：中信出版社,2005 年。
A・麦迪逊(Angus Maddison, 2001)：《世界经济千年史》,伍晓鹰等译,北京：北京大学出版社,2003 年。
马克思(1867)：《资本论》,第 1 卷,中央编译局译,北京：人民出版社,1975 年。
马克思、恩格斯(1848)：《共产党宣言》,载《马克思恩格斯选集》第 1 卷,北京：人民出版社,1972 年。
毛泽东(1956)：《论十大关系》,载《毛泽东选集》第 5 卷,北京：人民出版社,1977 年。
R・默顿(Robert King Merton, 1938)：《十七世纪英格兰的科学、技术与社会》,范岱年等译,北京：商务印书馆,2000 年。
R・默顿(Robert King Merton, 1973)：《科学社会学——理论与经验研究》(上、下),鲁旭东、林聚任译,北京：商务印书馆,2003 年。
D・莫韦里(David C. Mowery)和 N・罗森伯格 (Nathan Rosenberg, 1998)：《革新之路——美国 20 世纪的技术革新》,成都：四川人民出版社,2002 年。
南亮进(1990)：《中国的经济发展——与日本的比较》,景文学、夏占友译,北京：经济管理出版社,1991 年。
D・诺斯(Douglass C. North, 1990)：《制度、制度变迁与经济绩效》,刘守英译,上海：上海三联书店,1994 年。
D・诺斯、R・托马斯(Douglass C. North & Robert Paul Thomas, 1973)：《西方世界的兴起》,厉以平、蔡磊译,北京：华夏出版社,1989 年。
裴文睿(Randy Peerenboom, 2005)：《中国的法治与经济发展》,刘卫译,吴敬琏、江平主编《洪范评论》,第 1 卷第 1 辑,北京：中国政法大学出版社,2005 年。
Dirk Pilat and Anita Wolf(2005)："Measuring the Interaction between Manufacturing and Services"(《对制造业与服务业互动关系的度量》),OECD 科学、技术和工业理事会工作论文,DSTI/Doc(2005)5.
钱颖一(2000)：《市场与法治》,《经济社会体制比较》,2000 年第 3 期。
钱颖一(2003)：《政府与法治》,《比较》第 5 辑,北京：中信出版社,2003 年。
秦海、李红升(2004)：《信息技术对我国经济增长的影响：理论、方法和实证研究》,2004 年 11 月,打印稿。
M・波特(Michael E. Porter, 1990),《国家竞争优势》,李明轩、邱如美译,北京：华夏出版社,2002 年。
Duo Qin(秦朵,2004)："Is the rising services sector in the People's Republic of China leading to cost disease?"(《中国服务部门比重的上升会导致成本病吗?》),Manila, Philippines: Asian Development Bank.
任波(2005)：《社保基金：在"边缘化"边缘》,《财经》,2005 年第 10 期。
Valentina Romei(2004)："From Industry to an Integrated System of Services and Manufacturing Industries"(《从工业到服务业与制造业一体化的体系》),http://www.econ.upf.es/ebha.2004/papers/2al.doc.
P. Romer (1986)："Increasing Returns and Long Run Growth"(《报酬递增与长期增长》), *Journal of Political Economy*, October 1986; P. Romer (1990)："Endogenous Technological Change"(《内生的技术变革》), *Journal of Political Economy*, October 1990.
N・罗森堡(Nathan Rosenberg)、L・E・小伯泽尔(L.E. Birdzell, 1986)：《西方致富之路：工业化国家的经济演变》,刘赛力等译,北京：三联书店,1989 年。

A·萨克森宁(A. Saxenian，1994)：《地区优势：硅谷和128公路地区的文化与竞争》，曹蓬、杨宇光等译，上海：上海远东出版社，1999年。
M·李克特(Maurice N.Jr. Richter，1972)：《科学是一种文化过程》，顾昕等译，北京：三联书店，1989年。
P·萨缪尔森(Paul A. Samuelson)、W·D·诺德豪斯(William D. Nordhaus)《经济学》(第12版)，高鸿业等译，北京：中国发展出版社，1992年。
A·森(Amartya Sen，1999)：《以自由看待发展》，北京：中国人民大学出版社，2002年。
单伟建(2003)：《中国经济增长的巨大悖论》，《财经》，2003年第8期。
T·舒尔茨(1993)：《报酬递增的源泉》，姚志勇等译，北京：北京大学出版社，2001。
神门善久和速水佑次朗(2003)：《教育追赶要先于经济赶超》——日本1980到1990年赶超美国启示》(打印稿)。
施振荣(1992)：《再造宏碁：开创、成长与挑战》(第二版)，台北：天下远见出版公司，200年。
世界银行(1993)：《东亚奇迹：经济增长和公共政策》，财政部世界银行业务司译，北京：中国财政经济出版社，1995年。
世界银行经济问题考察团编(1984)：《中国：长期发展的问题和方案》，北京：中国财政经济出版社，1985年。
斯大林(1926)：《关于苏联经济状况和党的政策》，见《斯大林选集》上卷，北京：人民出版社，1979，第461～463页。
斯大林(1946)：《在莫斯科市斯大林选区选民大会上的演说》，见《斯大林选集》下卷，北京：人民出版社，1979，第488~500页。
R.M. Solow(1979)："A Contribution to the Theory of Economic Growth"(《关于经济增长理论的文稿》)，*Quarterly Journal of Ecomomics*, 70(Feb): pp.65~94.
Paula E. Stephan，1996，"Economics of Science"(《科学经济学》，*Journal of Economic Literature*，Vol.XXXIV (September，1996)，pp.1199~1235.
J·斯蒂格利茨(Joseph E. Stiglitz，2000)：《新的发展观：战略、政策和进程》，见胡鞍钢、王绍光编：《政府与市场》，北京：中国计划出版社，第148～169页。
D·E·司托克斯(Donald E. Strokes，1997)：《基础科学与技术创新：巴斯德象限》，周春彦、谷春立译，北京：科学出版社，1999年。
孙震(2006)：《台湾经济自由化的经验与检讨》，《比较》第25辑，北京：中信出版社，2006年。
速水佑次郎(Yujiro Hayami，1998)：《发展经济学——从贫困到富裕》，李周译，北京：社会科学文献出版社，2003年。
E. Talero and P. Gaudette(1995)："Harnessing Information for Development"(《为发展而利用信息》)，Discussion Paper No.313，The World Bank.
杨圣明、刘力(1999)：《服务贸易理论的兴起与发展》，《经济学动态》，1999年第5期。
孙冶方(1979)：《从必须改革"复制古董、冻结技术进步"的设备管理制度谈起》，《红旗》，1979年第6期，第24~31页。
UNCTAD(2004)："World Investment Report 2004：The Shift Towards Services"，New York and Geneva：United Nations.
US Department of Commerce(2003)："Digital Economy 2003"(《2003年数字经济报告》)，http://www.esa.doc.gov/2003.cfm.
吴敬琏(1995)：《关于"经济增长方式"及其转变》，见《吴敬琏自选集》，太原：山西人民出版社，2003年，第256～266页。
吴敬琏(1999)：《转型期各种社会力量分析》，见《吴敬琏自选集》，太原：山西人民出版社，2003年，第558～577页。
吴敬琏(2004)：《当代中国经济改革》，上海：上海远东出版社，2004年。
吴敬琏(2005)：《增长模式与技术进步》，《科技日报》2005年9月14日。

吴敬琏(2006)：《宏观经济内外失衡的成因和出路》，2006年7月22日在"第二届中国经济50人论坛田横岛论坛"上的演讲。
许善达(1985)：《论美国农业生产率增长因素及给我们的启示》，《经济研究参考资料》，1985年第64期。
杨治(1985)：《产业经济学导论》，北京：中国人民大学出版社，1985年。
余永定(2003)：《消除人民币升值恐惧症，实现向经济平衡发展的过渡》，《国际经济评论》2003年9~10月号。
岳希平、张曙光、许宪春编(2005)：《中国经济增长速度：研究与争论》，北京：中信出版社，2005年。
张军(2003)：《中国的工业改革与经济增长：问题与解释》，上海：上海三联书店、上海人民出版社，2003年。
章良猷(1985)：《苏联六十年来社会主义政治经济学若干问题的争论》，见《经济研究》编辑部编：《中国社会主义经济理论问题争鸣(1949~1985)》(下)，北京：中国财政经济出版社，1985年。
张培刚(1949)：《农业与工业化》，武汉：华中工学院出版社，1984年。
张维迎(2004)：《大学的逻辑》，北京：北京大学出版社，2004年。
中共中央宣传部(1953)：《为动员一切力量把我国建设成为一个伟大的社会主义国家而斗争——关于党在过渡时期总路线的学习和宣传提纲》，见《社会主义教育课程的阅读文件汇编》，第1编上册，北京：人民出版社，1957年，第341~374页。

人名索引表

名词索引表

Y

Z

初版后记

正像我在本书开头所说的，我之所以开始对增长模式和工业化道路问题发生兴趣，完全是为了对现实中发生的问题寻求解答。然而一旦给自己提出了这样的问题，就不得不一步步在理论上深入下去。本来，我从大学二年级开始接受的就是整套的苏联政治经济学教育，开始经济工作时苏联社会主义工业化道路仍被看作是工业化的必由之路。改革开放后对现代理论经济学进行了补课，但是对增长理论还是很生疏的。孔夫子说过，"学而时习之，不亦乐乎"。我在 2004 年对当时正在兴起的大规模投资兴建重化工业热潮提出质疑，随即引起了热烈的讨论。同仁们在一些讨论会，例如 2004 年 7 月的全国政协常委会专题讨论会、同年 10 月的国家信息化专家咨询委员会的"十一五"规划座谈会和 2005 年 1 月北大中国经济研究中心发展讨论会上发表的意见，不论是赞成我的观点或是反对我的观点，都帮助我和督促我更深入地探究有关的问题。

今年 7 月份，我总结了一年多来的思考，完成了题为《中国应当走一条什么样的工业化道路》的长文，发表在《洪范评论》的第 2 辑第 2 期上。上海远东出版社的匡志宏副总编知道后，多次向我提议将其修订和增补成书。我想经济增长模式转变和走新型工业化道路是一个讨论还不够深入的重大问题，写作成书有利于引起大家进一步的研究。所以，经过认真考虑，我同意了这一出书计划。经过两三个月的努力，结果就形成了读者手上的这本书。对于一本十几万字的书来说，它的写作时间虽然不算很长，但酝酿和准备的时间并不短。

本书行文力求平易，使对经济问题感兴趣的一般读者都能理解，书中插入了一些专栏，也是希望对正文有所补充，以便提高可读性。同时，本书照顾了研究的需要，凡有所征引都用脚注的方式注明了文献出处和来源，在一些可以用图、也可用表的地方，大部分使用了表格，以便同行们对数据做核查。

虽说针对问题调查和研究是愉快的思想体操，但写作却不一样，往往是劳作，是苦役。幸好，在写作《中国应当走一条什么样的工业化道路》一文时，我就得到高新民、高世楫、范世涛、王青等多方面的协助，还有学界其他朋友的批评指正，也对修订、增订成书有很大的帮助。其中，范世涛还写作了一些段落的初稿，阅读了全稿，并为全书编辑了索引。

最后，我想对上海远东出版社的相关同志表示感谢。他们为本书做了认真细致的编辑和校对工作，使本书减少了许多错误。书的写作比预定的时间要长一些，对此，我深感抱歉。

当然，文中的错误，应由作者本人负责，并欢迎读者批评指正。

吴敬琏

2005.11.20

修订版附记

利用本书再版的机会，我对全书又校订一遍，订正了个别文字上的错漏，版式也有所改进。此外，增加了一篇附录文章。

本书出版后，国家统计部门公布了第一次经济普查结果，大幅提高了 GDP 数据和第三产业数据。按照这次普查，2004 年国内生产总值现价总量比年快报核算多出 2.3 万亿元，提高了 16.8%；第一、第二、第三产业增加值的构成由年快报的 15.2%、52.9%和 31.9%，变为 13.1%、46.2%和 40.7%，其中第三产业增加值比年快报高出 8.8 个百分点。由于这次经济普查的范围和所使用的方法尚未有较详细的公布，其结果也还未经专家的评估和分析；同时其数据不及《中国统计年鉴》数据连续，很难据以对历年产业结构变化趋势进行分析，所以在这次重印时，仍然沿用国家统计局过去公布的数据。

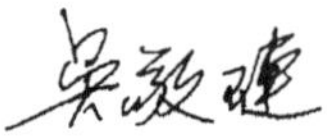

2005 年 12 月 31 日

增订版后记

中国经济在 2005 年 11 月本书初版问世以来两年多的发展历程表明，经济增长模式（2007 年以后在官方文件中改称为“经济发展方式”）从粗放增长到集约增长的转变，不仅是一项长期性的战略选择，而且是十分紧迫的现实需要。前一种模式的特点，是靠资源投入和出口需求驱动；后一种模式的特点，则是靠技术进步和效率提高驱动。目前中国从宏观经济到微观经济所遇到的种种问题，追根溯源，都与我们没有能够实现这种转变有关。因此，这本书所讨论的粗放增长模式的弊病及其根源、转变增长模式的途径与方法以及如何建设有利于增长模式转变的经济、政治、文教、科研体制等问题，仍然具有巨大的理论意义和现实价值。

本书前两个版本的一个重大缺点，是没有对改革开放以来粗放增长模式的一项重要补充，即出口导向战略（“东亚模式”）进行全面的讨论。借这次重版的机会，我补写了一章“出口导向型战略与粗放增长模式的延续”，目的在于对这一问题进行深入的分析，以便为超越“东亚模式”并完善我国的开放政策提供理论支持和政策建议。此外，对本书的附录文章也作了增删，使本书更加贴近于中国的现实。

在本书增订过程中，作者得到范世涛先生、李辑女士和王青先生的许多帮助，在此特致谢忱。

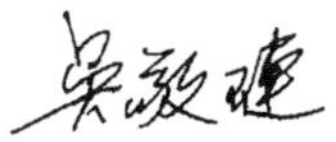

2008 年 9 月 15 日

图书在版编目（CIP）数据

中国增长模式抉择/吴敬琏著. —5 版. —上海：上海远东出版社，2016
（世纪中国论坛典藏文库）
ISBN 978－7－5476－1156－2

Ⅰ. ①中… Ⅱ. ①吴… Ⅲ. ①工业经济－经济增长－研究－中国
Ⅳ. ①F424

中国版本图书馆 CIP 数据核字（2016）第 174835 号

责任编辑　匡志宏
封面设计　陈　楠

·世纪中国论坛典藏文库·
中国增长模式抉择
吴敬琏 著
上海世纪出版股份有限公司
远东出版社出版
（200235　中国上海市钦州南路 81 号　www.ydbook.com）
上海世纪出版股份有限公司发行中心发行
上海中华印刷有限公司印刷
开本 720×1000　1/16　印张 16.75　插页 4　字数 276,000
2016 年 8 月第 5 版　2016 年 8 月第 1 次印刷
ISBN 978－7－5476－1156－2/F·584
定价 65.00 元